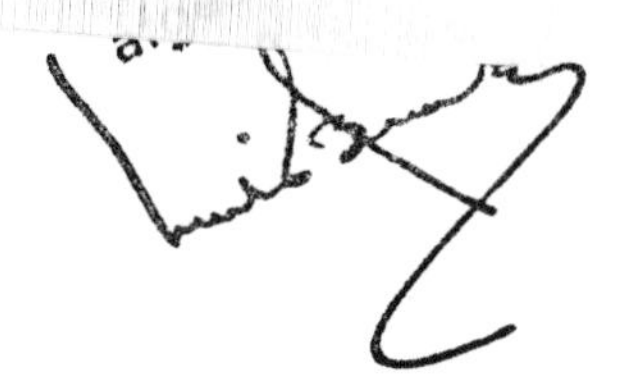

OPENBARE
BIBLIOTHEEK
AMSTERDAM

Becca Fitzpatrick

Dwalen

the house of books

Oorspronkelijke titel: *Crescendo*
Oorspronkelijke uitgave: Simon & Schuster

Vertaling: Elsbeth Witt
Vormgeving omslag & illustratie binnenwerk: marliesvisser.nl
Foto omslag: Trinette Reed/Getty Images
Opmaak binnenwerk: ZetSpiegel, Best

ISBN 978 90 443 3112 7
NUR 285
D/2011/8899/66

www.beccafitzpatrick.com
www.thehouseofbooks.com

Proloog

Coldwater, Maine
Veertien maanden geleden

De klauwen van de doornappelboom krabden tegen de ramen achter Harrison Grey en hij sloot zijn boek. Het lukte hem niet meer om door het kabaal heen te lezen. Er waaide al de hele avond een krachtige lentewind om de boerderij heen. De wind huilde en floot en sloeg de luiken hard tegen de dakspanen met een herhaaldelijk *bam! bam! bam!* Het was dan misschien al maart, maar Harrison wist dat de lente nog wel even op zich zou laten wachten. Met een storm als deze zou het hem niet verbazen als het morgen helemaal wit was buiten.

Om het doordringende gehuil van de wind te overstemmen, drukte Harrison op de afstandsbediening en zette hij Bononcini's 'Ombra mai fu' nog iets harder. Daarna gooide hij nog wat hout op het vuur en vroeg zich voor de zoveelste keer af of hij de boerderij ook gekocht zou hebben als hij had geweten hoeveel brandstof het kostte om slechts één klein kamertje te verwarmen, laat staan alle negen.

De telefoon rinkelde.

Harrison pakte na twee keer overgaan op en verwachtte de

stem van de beste vriendin van zijn dochter, die de irritante gewoonte had om op onmogelijke tijdstippen te bellen over het huiswerk van de volgende dag.

Er klonk een oppervlakkige, snelle ademhaling. Toen een stem. 'We moeten elkaar zien. Hoe snel kun je hier zijn?'

De stem golfde door Harrisons lichaam. Een geest uit zijn verleden. Hij kreeg het ijskoud. Het was lang geleden dat hij deze stem had gehoord en het feit dat hij hem nu hoorde, kon alleen maar betekenen dat er iets mis was. Vreselijk mis. Hij realiseerde zich dat de telefoon glibberde in zijn hand die nat was van het zweet en dat hij helemaal verstijfde.

'Een uur,' zei hij botweg.

Hij legde de hoorn langzaam weer op de haak. Hij sloot zijn ogen. Zijn gedachten gingen vanzelf weer terug, of hij nu wilde of niet. Er was ooit een tijd, vijftien jaar geleden, dat hij zich iedere keer dat de telefoon ging rot schrok. De seconden voordat hij de stem aan de andere kant hoorde, klonken als trommels in zijn oren. Maar na verloop van tijd, toen het ene na het andere vreedzame jaar voorbijging, had hij zichzelf er uiteindelijk van overtuigd dat hij een man was die de geheimen van zijn verleden had ingehaald. Een man met een normaal leven. Een man met een prachtig gezin. Een man die niets te vrezen had.

In de keuken vulde Harrison een glas met water. Hij dronk het gelijk op. Het was helemaal donker buiten en zijn verouderde spiegelbeeld staarde hem uit het raam aan. Harrison knikte, alsof hij zichzelf vertelde dat alles wel goed zou komen. Maar zijn ogen logen.

Hij maakte zijn das los. Een benauwend gevoel leek zijn huid uit te rekken. Hij vulde het glas nog eens. Het water zwom ongemakkelijk zijn lichaam in en dreigde weer naar boven te komen. Hij zette het glas in de gootsteen en pakte zijn autosleutels van het aanrecht. Heel even aarzelde hij, alsof hij bijna van gedachten veranderde.

Harrison parkeerde de auto tegen de stoeprand en doofde de lichten. Terwijl hij daar zo zat, in het donker, zijn adem als rook, keek hij naar het krakkemikkige rijtje bakstenen huizen in het vervallen gedeelte van Portland. Het was jaren geleden – vijftien om precies te zijn – dat hij in deze buurt was geweest en omdat hij slechts op zijn verroeste geheugen teerde, wist hij niet zeker of hij wel op de goede plek was. Hij deed het handschoenenkastje open en haalde er een vergeeld stukje papier uit. MONROE 1565. Hij stond op het punt om uit te stappen, maar de stilte op straat maakte hem onrustig. Hij reikte onder zijn stoel en pakte zijn geladen Smith & Wesson en stak het wapen achter zijn broekband bij zijn rug. Hij had sinds zijn studententijd niet meer geschoten en nooit ergens anders dan op een schietbaan. De enige heldere gedachte in zijn bonzende hoofd was dat hij hoopte dat hij over een uur nog steeds hetzelfde kon zeggen.

Het geklik van Harrisons schoenen klonk hard op de verlaten stoep. Maar hij negeerde het ritme en besloot zich in plaats daarvan te concentreren op de schaduwen die de zilveren maan op de stoep wierp. Hij dook nog dieper in zijn jas. Hij liep langs vieze, kleine tuinen, van elkaar gescheiden door dikke ijzeren hekken. De huizen achter de tuinen waren donker en het was er eng rustig. Twee keer kreeg hij het gevoel dat hij gevolgd werd, maar toen hij achteromkeek, zag hij niemand.

Toen hij bij nummer 1565 was, liep hij door het hek en om het huis heen naar de achterdeur. Hij klopte één keer en zag achter de vitragegordijnen een schaduw bewegen.

De deur kraakte.

'Ik ben het,' zei Harrison op gedempte toon.

De deur ging een stukje verder open, zodat hij er net doorheen kon.

'Ben je gevolgd?' vroeg hij.

'Nee.'

'Ze zit in de problemen.'

Harrisons hartslag versnelde. 'Wat voor problemen?'

'Zodra ze zestien is, zal hij haar komen halen. Je moet weg met haar. Ergens heen waar hij haar nooit zal vinden.'

Harrison schudde zijn hoofd. 'Ik begrijp het niet...'

Hij werd onderbroken door een dreigende blik. 'Toen wij deze afspraak maakten, heb ik je verteld dat er dingen zouden zijn die je nooit zou begrijpen. Zestien is een vervloekte leeftijd in... in mijn wereld. Dat is alles wat je moet weten,' zei hij nors.

De twee mannen staarden elkaar aan, totdat Harrison uiteindelijk behoedzaam knikte.

'Je moet je sporen uitwissen,' werd hem verteld. 'Waar je ook heen gaat, je moet helemaal opnieuw beginnen. Niemand mag weten dat jullie uit Maine komen. Niemand. Hij zal altijd naar haar blijven zoeken. Begrijp je dat?'

'Ik begrijp het.' *Maar zou zijn vrouw het begrijpen? En Nora?*

Harrisons ogen waren nu gewend aan het duister en hij zag tot zijn grote verbazing dat de man die voor hem stond geen dag ouder leek dan de laatste keer dat hij hem had gezien. Sterker nog, hij zag er hetzelfde uit als tijdens hun studententijd. Ze waren kamergenoten en beste vrienden geweest. *Een truc van het licht?* Harrison vroeg het zich af. Het moest wel. Eén ding was wel veranderd. Er zat een klein litteken onder aan de keel van zijn vriend. Harrison keek nog eens goed naar het litteken en deinsde achteruit. Het plekje had de vorm van een gebalde vuist. Harrison besefte tot zijn grote ontzetting dat zijn vriend gebrandmerkt was. Als vee.

Zijn vriend zag dat Harrison naar zijn brandmerk staarde en kreeg een verdedigende en vastberaden blik in zijn ogen. 'Er zijn mensen die mij willen vernietigen. Die mij willen vernederen en ontmenselijken. Samen met een vriend die ik vertrouw, heb ik een genootschap opgericht. Ons ledental groeit met de dag.' Hij stopte midden in zijn betoog, alsof hij niet zeker wist hoeveel meer hij kon vertellen. 'We hebben dit genootschap gevormd om onszelf te beschermen,' zei hij haastig. 'En ik heb trouw gezworen. Als je mij nog steeds zo goed kent als vroeger, weet je dat ik alles zal doen om mijn belangen te beschermen.' Hij stopte. 'En mijn toekomst,' voegde hij er bijna afwezig aan toe.

'Ze hebben je gebrandmerkt,' zei Harrison, die hoopte dat zijn vriend niet merkte hoe hij hiervan walgde.

Zijn vriend keek hem slechts aan.

Na een paar seconden knikte Harrison, waarmee hij aangaf dat hij het begreep, zelfs als hij het niet accepteerde. Hoe minder hij wist, hoe beter. Dat had zijn vriend ontelbaar vaak duidelijk gemaakt. 'Is er nog iets wat ik kan doen?'

'Zorg er gewoon voor dat ze veilig is.'

Harrison duwde zijn bril omhoog. 'Ik dacht dat je misschien wel wilde weten dat ze een gezonde en sterke meid is,' begon hij ongemakkelijk. 'Ze heet Nor...'

'Ik wil niet herinnerd worden aan haar naam,' onderbrak zijn vriend hem fel. 'Ik heb alles gedaan om die naam uit mijn geheugen te krijgen. Ik wil niets over haar weten. Alle sporen van haar moeten uit mijn geheugen gewist worden, zodat ik die klootzak niets kan geven.' Hij draaide zich om en Harrison begreep dat het gesprek voorbij was. Harrison stond even stil. Er lagen zoveel vragen op het puntje van zijn tong, maar hij wist dat het geen zin had om aan te dringen. Zijn dochter was onderdeel van een duistere wereld en dat had ze nergens aan verdiend. Hij wilde het allemaal begrijpen, maar hij onderdrukte deze gevoelens en liep naar buiten.

Hij was slechts een halve straat verder toen er een schot door de nacht klonk. Harrison dook automatisch op de grond. *Zijn vriend.* Er klonk nog een schot en zonder na te denken, rende hij terug naar het huis. Hij duwde het hek open en rende langs de zijkant van het huis. Hij was bijna bij de achterdeur, toen hij mensen hoorde ruziën. Hij stond stil, en ondanks de kou zweette hij. De achtertuin was gehuld in duisternis en hij liep voorzichtig langs de heg richting de achterdeur. Hij lette goed op dat hij niet op losse steentjes trapte.

'Dit is je laatste kans,' zei een kalme stem, die Harrison niet herkende.

'Loop naar de hel,' zei zijn vriend op felle toon.

Een derde schot. Zijn vriend brulde van pijn. 'Waar is ze?' riep de schutter over het gebrul heen.

Harrison voelde zijn hart in zijn keel kloppen. Hij wist dat hij nu iets moest doen. Als hij nog vijf seconden zou wachten, kon het te laat zijn. Hij greep met zijn hand achter zijn rug en trok het pistool. Hij hield het met twee handen vast en liep richting de deur en de donkerharige schutter, die met zijn rug naar hem toe stond. Harrison keek langs de schutter naar zijn vriend, maar toen ze oogcontact maakten, vulden de ogen van zijn vriend zich met paniek.

Ga weg!

De stem klonk voor Harrison zo hard als een bel en heel even dacht hij dat zijn vriend hardop geschreeuwd had. Maar toen de schutter zich niet omdraaide, realiseerde Harrison zich tot zijn grote verbazing dat de stem in zijn hoofd had geklonken.

Nee, dacht Harrison, terwijl hij zijn hoofd zachtjes schudde. Zijn loyaliteit was groter dan zijn onbegrip en angst. Dit was de man met wie hij vier van de beste jaren van zijn leven had doorgebracht. De man die hem had voorgesteld aan zijn vrouw. Hij zou hem hier niet achterlaten met een moordenaar.

Harrison haalde de trekker over. Hij hoorde het oorverdovende schot en wachtte tot de schutter ineen zou storten. Harrison schoot nog een keer. En nog een keer.

De donkerharige jongeman draaide zich langzaam om. Voor het eerst in zijn leven was Harrison echt bang. Bang voor de jongeman die voor hem stond, met een pistool in zijn hand. Bang voor de dood. Bang voor wat er met zijn familie zou gebeuren.

Hij voelde de schoten als een schroeiend vuur door zich heen gaan. Ze leken hem te verbrijzelen, in duizend kleine stukjes. Hij viel op zijn knieën. In een waas zag hij het gezicht van zijn vrouw en daarna dat van zijn dochter. Hij opende zijn mond. Hun namen lagen op zijn lippen. Hij probeerde een manier te vinden om ze te vertellen hoeveel hij van ze hield. Voordat het te laat was.

De jongeman had Harrison vastgegrepen en sleepte hem naar het steegje achter het huis. Terwijl hij tevergeefs probeerde overeind te krabbelen, voelde Harrison hoe hij zijn bewustzijn verloor. Hij kon zijn dochter niet in de steek laten. Er zou niemand zijn om haar te beschermen. De schutter met het zwarte haar zou haar vinden en als zijn vriend gelijk had, zou hij haar vermoorden.

'Wie ben je?' vroeg Harrison. Het uitspreken van de woorden veroorzaakte een brandend vuur in zijn borstkas. Hij hoopte dat er nog tijd was. Misschien kon hij Nora waarschuwen vanuit de andere wereld. Een wereld die zich om hem heen sloot als duizend vallende zwarte veren.

De jongeman keek Harrison aan en zijn ijskoude gezicht vertoonde een zwakke glimlach. 'Er is geen tijd meer. Het is te laat.'

Harrison keek verschrikt op, verbaasd dat de moordenaar zijn gedachten had geraden. Hij vroeg zich af hoe vaak deze jongeman al in dezelfde positie had verkeerd en de laatste gedachten van een stervende man had geraden. Waarschijnlijk heel vaak.

Alsof hij wilde bewijzen hoe geoefend hij was, trok de jongeman zonder aarzeling opnieuw zijn pistool. Harrison staarde in de loop van het wapen. De vonk van het schot was het laatste wat hij zag.

Hoofdstuk 1

Het strand van Delphic, Maine
Het heden

Patch stond achter me met zijn handen op mijn heupen. Zijn lichaam was ontspannen. Hij was lang en gespierd. Dat konden zelfs zijn loszittende spijkerbroek en T-shirt niet verbergen. Zijn haar had de kleur van de nacht en zijn ogen waren al net zo zwart. Zijn glimlach was sexy en voorspelde problemen, maar ik had besloten dat problemen niet per se slecht hoefden te zijn.

Boven ons verlichtte het vuurwerk de nachtlucht. Kleurige slierten schoten de Atlantische Oceaan in. De menigte zei 'oeh' en 'ah'. Het was eind juni en Maine sprong met beide voeten de zomer in en vierde het begin van twee maanden zon, zee, strand en toeristen met goedgevulde portemonnees. Ik vierde het begin van twee maanden zon, zee, strand en tijd alleen met Patch. Ik had me ingeschreven voor een zomercursus scheikunde, maar was van plan om de rest van mijn vrije tijd aan Patch te besteden.

Het vuurwerk werd afgestoken door de brandweer, op een werf een paar honderd meter verderop en ik voelde het zand onder mijn voeten bij iedere vuurpijl trillen. Je kon de golven beneden op het strand stuk horen slaan en de kermismuziek stond op haar allerhardst. De geur van suikerspinnen, popcorn en hamburgers hing in de lucht en mijn maag herinnerde mij eraan dat ik sinds de lunch niets meer gegeten had.

'Ik ga even een cheeseburger halen,' zei ik tegen Patch. 'Wil jij ook iets?'

'Niets wat op het menu staat.'

Ik lachte. 'Zeg, Patch, probeer jij mij soms te versieren?'

Hij kuste mijn voorhoofd. 'Nog niet. Ik ga jouw cheeseburger wel halen. Kijk jij maar naar het vuurwerk.'

Ik greep een van de riemlussen aan zijn broek om hem tegen te houden. 'Dank je, maar ik haal het zelf. Anders voel ik me schuldig.'

Hij trok vragend zijn wenkbrauwen op.

'Heeft het meisje bij de hamburgerkraam jou ooit wel eens laten betalen?'

'Soms wel.'

'Nog nooit. Blijf jij maar hier. Als ze jou ziet, voel ik me de rest van de avond schuldig.'

Patch pakte zijn portemonnee en haalde er een briefje van twintig uit. 'Geef haar maar een ruime fooi.'

Nu was het mijn beurt om mijn wenkbrauwen op te trekken. 'Compensatie voor alle gratis hamburgers?'

'De vorige keer dat ik betaalde, is ze me achternagerend en heeft ze het geld in mijn zak gestoken. Ik probeer te voorkomen dat ze me weer betast.'

Het klonk verzonnen, maar Patch kennende was het waarschijnlijk nog waar ook. Ik volgde met mijn ogen de lange rij bij de hamburgerkraam en zag dat hij begon bij de ingang van de overdekte draaimolen. Ik vermoedde dat het minstens een kwartier zou duren voordat ik mijn bestelling kon doen. Eén hamburgerkraam op het hele strand. Het voelde on-Amerikaans.

Na een paar minuten wachten keek ik voor de tiende keer verveeld om me heen en zag ik Marcie Millar twee plekken achter me staan. Marcie en ik zaten al vanaf de kleuterschool bij elkaar in de klas en in de elf jaren die sindsdien waren verstreken, had ze me het leven behoorlijk zuur gemaakt. Toen we twaalf waren, stal Marcie na de gymles altijd mijn beha. Ze prikte hem op het prikbord bij de administratie of ze hing hem ergens in de kantine en vulde mijn beide A-cups met vanillepudding en kersen. Heel chic. Marcies rokjes waren altijd twee maten te klein en tien centimeter te kort. Ze had roodblond haar en het figuur van een ijslolly. Ze was graatmager. Als iemand de score van onze aanvaringen had bijgehouden, dan zou Marcie ruim voor staan.

'Hé,' zei ik, toen ik haar per ongeluk aankeek en er niet meer onderuit kon.

'Hé,' zei ze terug. Het klonk zowaar beleefd en niet beledigend.

Marcie in het pretpark in Delphic. Wat klopte er niet aan dit plaatje? Haar vader was Toyotadealer in Coldwater en haar familie woonde in een rijke buurt en was er trots op dat ze de enige mensen uit Coldwater waren die welkom waren bij de prestigieuze jachtclub van Harraseeket. Marcies ouders waren op dit moment waarschijnlijk in Freeport, aan het zeilen en dure zalm aan het eten.

Delphic was een beetje een armoedig strand. Een jachtclub was wel het laatste wat je hier zou verwachten. Het enige restaurant was een hamburgerkraam waar je kon kiezen tussen ketchup of mosterd en als je geluk had, hadden ze frietjes. Er waren speelhallen en botsautootjes en 's avonds werden er op de parkeerplaats meer pillen verkocht dan in de gemiddelde apotheek.

Niet een plek waar meneer en mevrouw Millar hun dochter naartoe zouden sturen.

'Kan het nóg langzamer, mensen?' riep Marcie. 'Ik verhonger hier zowat.'

'Er staat maar één iemand te helpen,' zei ik.

'Dus? Dan moeten ze meer mensen inhuren. Vraag en aanbod.'

Ik had economie gehad met Marcie en ik wist dat zij wel de laatste persoon was om iets over vraag en aanbod te kunnen zeggen.

Tien minuten later was ik zo ver opgeschoven dat ik kon lezen dat er met zwarte stift MOSTERD stond geschreven op de gele spuitfles. Achter me stond Marcie van haar ene op haar andere been te springen en overdreven te zuchten.

'Ik verhonger met een hoofdletter V,' klaagde ze.

De jongen voor mij betaalde en liep de rij uit met zijn hamburger.

'Een cheeseburger en een cola,' zei ik tegen het meisje van de kraam. Terwijl ze bezig was met mijn bestelling, draaide ik me om naar Marcie. 'Met wie ben je hier?' Het kon me niet echt schelen met wie ze hier was, want we gingen niet met dezelfde mensen om, maar ik had het gevoel dat ik iets moest zeggen. Bovendien had Marcie al weken niet vervelend gedaan tegen mij. En het afgelopen kwartier was toch ook in relatieve vrede verlopen. Misschien was dit het begin van een wapenstilstand. Zand erover en zo.

Ze gaapte, alsof praten met mij nog saaier was dan in de rij staan. 'Sorry hoor, maar ik ben niet echt in een bui om gezellig te kletsen. Ik sta hier al vijf uur te wachten op dat achterlijke meisje, dat blijkbaar geen twee hamburgers tegelijk kan bakken.'

Het meisje in kwestie stond met gebogen hoofd geconcentreerd de voorgebakken hamburgers uit de verpakking los te peuteren, maar ik wist dat ze het gehoord had. Ze haatte haar baan waarschijnlijk. Ze spuugde waarschijnlijk stiekem op de hamburgers als ze met haar rug naar ons toe stond. Het zou me niet verbazen als ze aan het eind van de dag huilend in haar auto naar huis reed.

'Vindt je vader het niet erg dat je in Delphic rondhangt?' vroeg ik Marcie, terwijl ik mijn ogen een heel klein beetje samenkneep. 'Is dat niet schadelijk voor de reputatie van de familie Millar? Vooral nu jullie geaccepteerd zijn bij de jachtclub in Harraseeket.'

Marcies blik werd killer. 'Het verbaast me dat jouw vader het niet erg vindt dat jij hier bent. O, wacht. Die is dood.'

Mijn eerste reactie was pure shock. Mijn tweede was verontwaardiging. Ik voelde mijn woede omhoogborrelen.

'Wat?' zei ze, terwijl ze één schouder ophaalde. 'Hij is dood. Dat is een feit. Wil je dat ik lieg over feiten?'

'Wat heb ik jou ooit aangedaan?'

'Geboren worden.'

Haar onverschilligheid maakte me razend. Zo razend dat ik niet wist wat ik moest zeggen. Ik greep mijn cheeseburger en cola van de toonbank en legde het briefje van twintig neer. Ik wilde zo snel mogelijk terug naar Patch, maar dit was iets tussen Marcie en mij. Als ik nu naar Patch toeging, zou hij na één blik op mijn gezicht zien dat er iets aan de hand was. Ik wilde hem hier niet in betrekken. Ik nam even een momentje om af te koelen en ging zitten op een van de bankjes bij de hamburgerkraam. Ik wilde Marcie niet mijn avond laten verpesten. Het enige wat dit moment nog erger maakte dan het al was, was dat ik wist dat ze keek, dat ze blij was dat ze mij in een klein donker hoekje vol zelfmedelijden had gedreven. Ik nam een hap van de cheeseburger, maar ik had ineens geen honger meer.

Het enige waaraan ik nog kon denken was aan dood vlees. Dode koeien. Mijn eigen dode vader.

Ik gooide de cheeseburger in de prullenbak en bleef lopen. Ik voelde hoe de tranen omhoogkwamen.

Ik sloeg mijn armen om mezelf heen en rende naar de toiletten aan het eind van de parkeerplaats, in de hoop dat ik me kon opsluiten in een van de hokjes, voordat de tranen zich naar buiten persten. Er stond een lange rij bij de damestoiletten, maar ik liep er voorbij en ging binnen voor een van de met vuil bedekte spiegels staan. Zelfs in dit slechte licht kon ik zien dat mijn ogen rood waren. Ik maakte een papieren handdoekje nat en drukte het tegen mijn ogen. Wat was Marcies probleem toch? Wat had ik ooit gedaan dat zo erg was, dat ik dit verdiende?

Ik haalde een paar keer diep adem, rechtte mijn schouders, bouwde een stenen muur in mijn gedachten en plaatste Marcie aan de andere kant. Wat kon het mij schelen wat zij zei? Ik vond haar niet eens aardig. Het kon me niets schelen hoe ze over me dacht. Ze was gemeen en egoïstisch en maakte laag-bij-de-grondse opmerkingen. Ze kende mij niet en ze kende mijn vader al helemaal niet. Het was zonde van mijn tijd om ook maar één seconde te huilen om iets wat zij had gezegd.

Stel je niet aan, zei ik tegen mezelf.

Ik wachtte tot mijn ogen niet meer zo rood leken en liep het toiletgebouw uit. Ik liep door de menigte en zocht Patch. Ik vond hem bij een kraampje met zo'n balgooispelletje. Hij stond met zijn rug naar me toe. Naast hem stond Rixon, die er waarschijnlijk al zijn geld om had verwed dat Patch geen enkele kegel om zou gooien. Rixon was een gevallen engel die een lange geschiedenis met Patch had. Hun band was zo sterk dat ze wel broers leken. Patch liet niet veel mensen toe in zijn leven en hij vertrouwde er nog veel minder, maar als er één iemand was die al zijn geheimen wist, dan was het Rixon wel.

Tot twee maanden geleden was Patch ook een gevallen engel geweest. Toen redde hij mijn leven, verdiende hij zijn vleugels terug en werd hij mijn beschermengel. Hij hoorde nu eigenlijk aan de goede kant te staan, maar ik merkte stiekem dat zijn band met Rixon en de wereld van de gevallen engelen meer voor hem betekenden. En ook al wilde ik het niet toegeven, ik had toch het vermoeden dat hij het jammer vond dat de aartsengelen hadden besloten om hem mijn beschermengel te maken. Dat was tenslotte niet wat hij wilde.

Hij wilde mens worden.

De ringtone van mijn telefoon haalde mij uit mijn dagdroom. Het was mijn beste vriendin Vee, maar ik drukte haar weg. Ik voelde een steek van schuldgevoel. Dat was al de tweede keer dat ik haar telefoontje niet opnam vandaag. Ik probeerde het voor mezelf goed te maken met de gedachte dat ik haar morgenochtend zou zien. Patch zou ik helaas morgenavond pas weer zien. Ik was van plan om van iedere minuut die ik met hem had te genieten.

Ik keek toe hoe hij de bal naar de tafel met de zes kegels gooide. Ik voelde vlinders fladderen in mijn buik toen zijn T-shirt aan de achterkant omhoogkroop en er een stukje van zijn onderrug zichtbaar werd. Ik wist dat hij enorm gespierd was. Zijn rug was glad en perfect. De littekens van toen hij was gevallen, waren weer vervangen door vleugels. Vleugels die ik, en ieder ander mens, niet kon zien.

'Vijf dollar dat je het niet nog een keer kan,' zei ik, terwijl ik naar de kraam liep.

Patch keek om en grijnsde. 'Ik wil jouw geld niet, engel.'

'Hé, laten we het netjes houden, jongens,' zei Rixon.

Ik daagde Patch uit. 'Alle drie de overgebleven kegels.'

'En wat is mijn prijs?'

'Gods kolere,' zei Rixon. 'Kunnen jullie niet wachten tot jullie alleen zijn?'

Patch gaf me een geheimzinnige glimlach en leunde naar achteren. Hij hield de bal dicht tegen zijn borstkas aan. Hij liet zijn rechterschouder zakken, bracht zijn arm naar achteren en gooide de bal zo hard als hij kon. Er volgde een harde knal en de overgebleven drie kegels vlogen van de tafel.

'Ai, nu zit je in de problemen, meissie,' schreeuwde Rixon. Hij kwam bijna niet boven de klappende en joelende toeschouwers uit.

Patch leunde tegen de kraam en trok zijn wenkbrauwen op. Zijn blik sprak boekdelen: *betalen.*

'Je had gewoon geluk,' zei ik.

'Niet zoveel geluk als ik vanavond ga hebben.'

'Kies je prijs,' brulde de oude man van het kraampje naar Patch, terwijl hij de omgevallen kegels opraapte.

'De paarse beer,' zei Patch, die een oerlelijke teddybeer met een paarse vacht aannam. Hij stak hem uit naar mij.

'Voor mij?' zei ik overdreven, terwijl ik mijn hand op mijn hart legde.

'Jij bent dol op dingen die niemand wil. In de supermarkt pak je altijd de gedeukte blikken. Dat heb ik heus wel gemerkt.' Hij haakte zijn vinger achter de rand van mijn spijkerbroek en trok me naar zich toe. 'Laten we gaan.'

'Wat had je in gedachten?' Maar ik had het helemaal warm en voelde overal vlinders, omdat ik precies wist wat hij in gedachten had.

'Jouw huis.'

Ik schudde mijn hoofd. 'Kan niet. Mijn moeder is thuis. We zouden naar jouw huis kunnen gaan,' probeerde ik.

We waren nu al twee maanden samen en ik wist nog steeds

niet waar Patch woonde. En dat was niet omdat ik niet geprobeerd had om erachter te komen. Na twee weken vond ik het al tijd voor een uitnodiging. Helemaal omdat Patch alleen woonde. Twee maanden leek echt belachelijk lang. Ik probeerde geduldig te zijn, maar mijn nieuwsgierigheid kreeg de overhand. Ik wist niets over de thuissituatie van Patch. Ik wist niet eens welke kleur zijn muren waren, of hij een elektrische blikopener had, welk merk douchegel hij gebruikte, of hij katoenen of zijden lakens had.

'Laat me raden,' zei ik. 'Je woont in een geheime bunker onder de stad.'

'Engel.'

'Staat er vuile afwas in de gootsteen? Vies ondergoed op de vloer? We hebben er in ieder geval meer privacy dan bij mij thuis.'

'Klopt, maar het antwoord blijft nee.'

'Is Rixon wel eens bij jou thuis geweest?'

'Rixon staat op mijn lijst met mensen die mijn huis mogen zien.'

'En ik niet?'

Zijn mond vertrok. 'Er zit een duistere kant aan die lijst.'

'Wat? Als ik je huis zie, moet je me vermoorden?' gokte ik.

Hij sloeg zijn armen om me heen en kuste mijn voorhoofd. 'Zoiets. Hoe laat moet je thuis zijn?'

'Tien uur. De zomerlessen beginnen morgen.' Bovendien had mijn moeder een nieuwe hobby en dat was mij en Patch uit elkaar houden. Als ik met Vee was geweest, had ik waarschijnlijk wel tot halfelf weg mogen blijven. Ik kon het mijn moeder niet kwalijk nemen dat ze hem niet vertrouwde. Nog niet zo heel lang geleden deed ik dat ook niet. Maar het zou een stuk gemakkelijker zijn als ze ons een beetje met rust zou laten.

Zoals vanavond, bijvoorbeeld. Bovendien zou er echt niets gebeuren. Niet met mijn beschermengel een centimeter van me verwijderd.

Patch keek op zijn horloge. 'Tijd om te gaan.'

Om vier minuten over tien reed Patch de oprit van de boerderij op en parkeerde bij de brievenbus. Hij zette de motor en de lichten uit, waardoor we helemaal alleen in het donker waren. 'Waarom ben je zo stil, engel?' zei hij na een tijdje.

Ik had mijn aandacht er gelijk weer bij. 'Ben ik stil? Ik was gewoon een beetje aan het denken.'

Er verscheen een kleine glimlach op Patch' gezicht. 'Leugenaar. Wat is er aan de hand?'

'Jij bent goed,' zei ik.

Zijn glimlach werd groter. 'Heel goed.'

'Ik kwam Marcie Millar tegen bij de hamburgerkraam,' gaf ik toe. Daar ging mijn plan om mijn problemen voor mezelf te houden. Het was natuurlijk af te lezen aan mijn gezicht dat ik ergens mee zat. Aan de andere kant: als ik niet met Patch kon praten, met wie dan wel? Twee maanden geleden bestond onze relatie voornamelijk uit spontane zoenpartijen. Zoenen in de auto, buiten de auto, onder de tribune van de sportvelden bij school, op de keukentafel. Er was veel uitgesmeerde lipgloss en er waren dwalende handen en door de war geraakte haren. Maar nu was het zoveel meer dan dat. Ik voelde nu ook een emotionele band met Patch. Zijn vriendschap betekende meer voor mij dan honderd oppervlakkige kennissen. Toen mijn vader doodging, liet hij zo'n grote leegte achter dat ik het gevoel had dat ik van binnenuit werd opgegeten. Dat lege gevoel was er nog steeds, maar de pijn was een stuk minder. Ik zag nu in dat het geen zin had om met het verleden bezig te blijven als alles wat ik wilde hier en nu was. En dat kwam allemaal door Patch. 'Ze was zo aardig om me eraan te herinneren dat mijn vader dood is.'

'Wil je dat ik er iets aan doe?'

'Nee zeg, dit is *The Godfather* niet.'

'Hoe is die ruzie tussen jullie eigenlijk begonnen?'

'Dat is het nou juist. Dat weet ik niet eens. Vroeger ging het over wie het laatste bekertje chocolademelk pakte in de pauze op school. En toen waren we twaalf en verfde ze ineens het woord "hoer" op mijn kluisje. Ze probeerde niet eens te verbergen dat zij het had gedaan. De hele school keek toe terwijl ze het deed.'

'Flipte ze zomaar ineens?'

'Ja.' Ik had zelf in elk geval geen idee waarom.

Hij stopte een van mijn krullen achter mijn oor. 'En wie is er aan de winnende hand?'

'Marcie, maar het scheelt niet veel.'

Hij lachte. 'Pak haar, tijger.'

'En dan nog iets. Hoer? Ik was twaalf, ik had zelfs nog nooit met iemand gezoend. Marcie had haar eigen kluisje moeten bekladden.'

'Het klinkt alsof het een behoorlijke frustratie voor je is, engel.' Hij haakte zijn vinger achter het bandje van mijn hemdje. Zijn aanraking stuurde elektrische stroompjes over mijn huid. 'Ik durf te wedden dat ik je gedachten wel kan afleiden van Marcie.'

Op de bovenverdieping van de boerderij brandde nog licht, maar aangezien ik mijn moeders gezicht niet tegen het raam geplakt zag, besloot ik dat we nog wel even tijd hadden. Ik maakte mijn gordel los en boog in het donker naar Patch toe. Ik zocht zijn mond. Ik kuste hem langzaam en proefde zijn zoute huid. Hij had zich vanochtend geschoren, maar zijn stoppels prikten op mijn kin. Zijn lippen kusten mijn nek en toen ik zijn tong voelde, bonsde mijn hart tegen mijn ribben.

Hij kuste mijn blote schouder. Hij schoof het bandje van mijn hemdje naar beneden en ging met zijn mond over mijn arm. Op dat moment wilde ik alleen maar dicht bij hem zijn. Zo dichtbij als ik maar kon. Ik wilde dat hij nooit meer wegging. Ik had hem nu nodig, en morgen en de dag erna. Ik had hem nodig zoals ik nog nooit iemand nodig had gehad.

Ik klom over de pook en kroop op zijn schoot. Ik liet mijn handen over zijn borstkas glijden, toen achter zijn nek en trok hem naar me toe. Hij sloeg zijn armen om mijn middel en greep me stevig vast. Ik kroop nog dichter tegen hem aan.

Ik liet me helemaal gaan en gleed met mijn handen onder zijn shirt. Ik bedacht me hoe fijn het was om zijn lichaamswarmte te voelen. Zodra mijn vingers de plek op zijn rug aanraakten waar de littekens van zijn vleugels ooit hadden gezeten, ontplofte er een ver licht in mijn gedachten. Volmaakte duisternis, verbroken door een verblindend licht. Het was alsof ik miljoenen kilometers de ruimte in kon kijken. Ik voelde hoe ik de gedachten van Patch in werd gezogen, al die duizenden persoonlijke herinneringen die daar opgeslagen waren. Plotseling pakte hij mijn hand en schoof hem omlaag, weg van de plek waar zijn vleugels vastzaten aan zijn rug. Alles was ineens weer normaal.

'Leuk geprobeerd,' mompelde hij, terwijl hij mijn lippen kuste.

Ik kuste zijn onderlip. 'Als jij in mijn verleden kon kijken als je mijn rug aanraakte, zou je het ook moeilijk vinden om de verleiding te weerstaan.'

'Ik vind het al moeilijk om van je af te blijven zonder dat extraatje.'

Ik lachte, maar mijn uitdrukking werd snel serieus. Zelfs als ik me echt concentreerde, kon ik me amper herinneren hoe mijn leven was geweest zonder Patch. Als ik 's avonds in bed lag, herinnerde ik me zijn lach, de manier waarop zijn mond aan de rechterkant iets meer omhoogkrulde dan aan de linkerkant, de heerlijke aanraking van zijn warme, gladde handen op mijn huid. Aan de andere kant moest ik echt moeite doen om me dingen te herinneren van de afgelopen zestien jaar. Misschien was dat wel zo omdat die herinneringen verbleekten bij Patch. Of misschien was het gewoon niet het herinneren waard.

'Je mag nooit bij me weg,' zei ik tegen Patch, terwijl ik de hals van zijn shirt pakte en hem dicht tegen me aan trok.

'Je bent van mij, engel,' mompelde hij, terwijl hij mijn kaak kuste en ik mijn hoofd in mijn nek legde en hem uitnodigde om me overal te kussen. 'Ik ben voor altijd van jou.'

'Laat zien dat je het meent,' zei ik plechtig.

Hij keek me bedachtzaam aan en haalde toen de ketting van zijn nek. Hij droeg hem altijd, al sinds die eerste keer dat ik hem ontmoette. Ik had geen idee waar de eenvoudige, zilveren ketting vandaan kwam of wat die voor hem betekende, maar ik had het gevoel dat hij belangrijk voor hem was. Hij droeg geen andere sieraden en hij droeg hem altijd onder zijn shirt, op zijn huid. Hij had de ketting ook nog nooit afgedaan.

Zijn handen gleden naar mijn nek, waar hij het slotje vastmaakte. De ketting viel op mijn huid, nog warm van zijn lichaam.

'Een aartsengel heeft me deze ketting gegeven,' zei hij. 'Het hielp me om de waarheid van leugens te onderscheiden.'

Ik liet de ketting voorzichtig door mijn vingers gaan, vol ontzag voor de betekenis van het sieraad. 'Werkt het nog steeds?'

'Niet voor mij.' Hij pakte mijn hand en kuste mijn knokkels. 'Jouw beurt.'

Ik draaide een kleine koperen ring van mijn linkermiddelvinger en legde hem in zijn hand. Op de gladde onderkant van de ring zat een hart gegraveerd.

Patch hield de ring tussen zijn vingers en bestudeerde hem in stilte.

'Mijn vader heeft me de ring gegeven, een week voordat hij vermoord werd,' zei ik.

Patch' ogen sprongen open. 'Ik kan dit niet aannemen.'

'Het is het belangrijkste wat ik bezit. Ik wil het aan jou geven.' Ik vouwde zijn vingers om de ring.

'Nora.' Hij aarzelde. 'Ik kan het niet aannemen.'

'Beloof me dat je de ring goed bewaart. Beloof me dat er nooit iets tussen ons komt te staan.' Ik keek hem strak aan en stond het niet toe dat hij wegkeek. 'Ik kan niet zonder je. Ik wil niet dat dit ooit ophoudt.'

Patch' ogen waren donker. Donkerder dan een miljoen op elkaar gestapelde geheimen. Hij keek naar de ring in zijn hand en draaide hem langzaam rond.

'Zweer dat je altijd bij me blijft,' fluisterde ik.

Hij knikte langzaam.

Ik greep zijn shirt weer en trok hem naar me toe. Ik kuste hem nog vuriger en bezegelde onze belofte. Ik sloot mijn vingers om die van hem. De scherpe rand van de ring sneed in onze handpalmen. Niets wat ik deed kon hem dichtbij genoeg brengen, ik zou nooit genoeg van hem kunnen krijgen. De ring sneed dieper in mijn hand, totdat ik zeker wist dat mijn huid kapot was. Een bloedbelofte.

Net toen ik dacht dat mijn longen zouden ontploffen, trok ik me terug en leunde met mijn voorhoofd tegen dat van hem. Ik had mijn ogen dicht en mijn schouders gingen op en neer door mijn ademhaling. 'Ik hou van je,' mompelde ik. 'Meer dan ik zou moeten.'

Ik wachtte totdat hij zou antwoorden, maar in plaats daarvan greep hij me stevig vast. Beschermend bijna. Hij keek naar de bomen aan de overkant van de straat.

'Wat is er?' vroeg ik.

'Ik hoorde iets.'

'Dat was ik. Ik zei dat ik van je hield,' zei ik, terwijl ik glimlachte en met mijn vinger over zijn lippen ging.

Ik verwachtte dat hij terug zou glimlachen, maar zijn blik was nog steeds gericht op de bomen, die met hun heen en weer waaiende takken bewegende schaduwen op de weg wierpen.

'Wat zie je?' vroeg ik, terwijl ik zijn blik volgde. 'Een coyote?'

'Er klopt iets niet.'

Er trok een rilling over mijn rug en ik klom van zijn schoot. 'Je maakt me bang. Is het een beer?' We hadden al jaren geen beer gezien, maar de boerderij stond helemaal aan de rand van de stad en na hun winterslaap wilden beren nog wel eens de stad in lopen, op zoek naar voedsel.

'Doe de lichten aan en druk op de claxon,' zei ik. Ik tuurde naar de bomen en keek of ik iets zag bewegen. Mijn hart maakte een klein sprongetje toen ik me herinnerde dat ik met mijn ouders een keer door de ramen van de boerderij had toegekeken hoe een beer onze auto heen en weer schommelde, omdat hij voedsel rook.

Achter me sprong het verandalicht aan. Ik hoefde me niet om te draaien om te weten dat mijn moeder fronsend en met haar voet op de grond tikkend in de deuropening zou staan.

'Wat is er?' vroeg ik Patch nog een keer. 'Mijn moeder komt naar buiten. Is het veilig?'

Hij draaide de contactsleutel om en zette de pook van de jeep in de eerste versnelling. 'Ga naar binnen. Ik moet iets doen.'

'Ga naar binnen? Ben je gek? Wat is er aan de hand?'

'Nora!' riep mijn moeder geïrriteerd. Ze kwam de trap af, bleef een meter van de jeep staan en gebaarde dat ik het raampje omlaag moest draaien.

'Patch?' probeerde ik weer.

'Ik bel je later.'

Mijn moeder trok de deur open. 'Patch,' zei ze kortaf.

'Blythe.' Hij knikte afwezig naar haar.

Ze richtte zich tot mij. 'Je was vier minuten te laat.'

'Ik was gisteren vier minuten te vroeg.'

'Zo werkt dat niet. Naar binnen, nu.'

Ik wilde niet weg voordat Patch mij antwoord had gegeven, maar ik had niet echt een keuze. 'Bel me,' zei ik.

Hij knikte, maar zijn blik vertelde me dat hij ergens anders zat met zijn gedachten. Zodra mijn voeten de grond raakten, schoot de jeep vooruit. Waar Patch ook heen ging, hij had haast.

'Als ik zeg dat jij om tien uur thuis moet zijn, bedoel ik ook tien uur,' zei mijn moeder.

'Ik ben vier minuten te laat,' zei ik. Ik probeerde met mijn toon aan te geven dat ze overdreef.

Ze keek me afkeurend aan. 'Vorig jaar is jouw vader vermoord. Een paar maanden geleden was je zelf bijna dood. Ik denk dat ik het recht heb om overbezorgd te zijn.' Ze vouwde haar armen en liep met grote passen terug naar het huis.

Oké, ik was een ongevoelige, harteloze dochter. Ze had haar punt gemaakt.

Ik keek naar de rij bomen aan de overkant van de straat. Ik zag niets ongewoons. Ik wachtte tot een koude rilling me zou waarschuwen dat er daar iets was, iets wat ik niet kon zien, maar alles voelde normaal. Een warm zomerbriesje trok voorbij en ik hoorde niets anders dan het geluid van de krekels. In de zilveren gloed van de maan zagen de bomen er zelfs vredig uit.

Patch had niets gezien. Hij had zich omgedraaid omdat ik vier heel stomme woorden had gezegd. Ze waren zomaar uit mijn mond gerold. Wat dacht ik wel niet? Nee. Wat dacht Patch nu? Was hij zo snel weggereden zodat hij mij geen antwoord hoefde te geven? Het leek me overduidelijk. Ik kon geen andere reden bedenken waarom ik nu naar de achterlichten van zijn jeep staarde.

Hoofdstuk 2

Ik lag al elf seconden met mijn kussen over mijn hoofd. Ik probeerde Chuck Delaneys verkeersinformatie over de files in het centrum van Portland te negeren, maar het geluid van mijn wekkerradio kwam luid en duidelijk door mijn kussen heen. Ik probeerde ook het logische gedeelte van mijn hersenen te negeren. Het gedeelte dat me vertelde dat ik me moest aankleden en dat er serieuze gevolgen zouden zijn als ik dat niet zou doen. Maar het genotzuchtige gedeelte van mijn hersenen won. Ik probeerde me vast te houden aan mijn droom, of eigenlijk de hoofdpersoon van mijn droom. Hij had golvend zwart haar en een meedogenloze glimlach. Op dit moment zat hij achterstevoren op zijn motor. Ik zat tegenover hem en onze knieën raakten elkaar. Ik greep zijn shirt en trok hem naar me toe voor een kus.

In mijn droom voelde Patch het als ik hem kuste. Niet alleen emotioneel, maar als een echte, lichamelijke aanraking. In mijn droom was hij meer mens dan engel. Engelen kunnen dingen niet fysiek voelen, dat wist ik wel, maar in mijn droom wilde ik dat Patch het zachte, zijdeachtige gevoel van onze lippen voelde. Ik wilde dat hij mijn vingers door zijn haar voelde. Ik wilde dat hij het spannende en onmiskenbare magnetische veld voelde dat iedere molecuul van zijn lichaam naar mij toe trok.

Net zoals ik het voelde.

Patch haakte zijn vinger onder de zilveren ketting om mijn nek. Zijn aanraking stuurde een golf van genot door mijn lichaam. 'Ik hou van je,' fluisterde hij.

Ik legde mijn vingertopjes op zijn harde buikspieren, leunde voorover alsof ik hem wilde kussen en stopte net voor zijn mond. *Ik hou nog meer van jou,* zei ik, met mijn lippen dicht tegen die van hem.

De woorden kwamen alleen niet uit mijn mond. Ze bleven steken in mijn keel.

De glimlach op Patch' gezicht trok weg.

Ik hou van je, probeerde ik weer. En weer bleven de woorden vastzitten.

Patch keek nu wanhopig. 'Ik hou van je, Nora,' herhaalde hij.

Ik knikte uitzinnig, maar hij had zich van me weggedraaid. Hij zwaaide zijn benen van de motor en liep weg zonder om te kijken.

Ik hou van je! schreeuwde ik hem na. *Ik hou van je! Ik hou van je!*

Maar het was alsof er drijfzand in mijn keel zat. Hoe harder ik probeerde de woorden uit mijn mond te krijgen, hoe sneller ze naar beneden zonken.

Patch verdween in een menigte. Het was ineens donker geworden en ik kon zijn zwarte T-shirt amper onderscheiden van de honderden andere donkere T-shirts. Ik rende om hem in te halen, maar toen ik zijn arm vastpakte, was het iemand anders die zich omdraaide. Een meisje. Het was te donker om haar goed te kunnen zien, maar ik zag wel dat ze heel mooi was.

'Ik hou van Patch,' vertelde ze me met een glimlach. Haar lippen waren felrood gestift. 'En ik durf het te zeggen.'

'Ik heb het ook gezegd!' zei ik. 'Ik heb het gisteravond gezegd!'

Ik duwde haar opzij en probeerde Patch weer te vinden. Ik ving een glimp op van zijn vertrouwde blauwe petje. Ik duwde mensen aan de kant om bij hem te komen en stak mijn hand naar hem uit.

Hij draaide zich om, maar hij was weer veranderd in het mooie meisje. 'Je bent te laat,' zei ze. 'Ik hou nu van Patch.'

'En we gaan naar Angie voor het weer,' tetterde Chuck Delaney in mijn oor.

Mijn ogen sprongen open bij het woord 'weer'. Ik bleef nog even in bed liggen en probeerde mijn nachtmerrie van me af te schudden en me te oriënteren. Het weer kwam altijd om twintig voor het hele uur en het was echt niet mogelijk dat ik dat nu hoorde, tenzij...

Ik moest naar school! Ik had me verslapen!

Ik schopte het dekbed van me af en rende naar de kast. Snel trok ik de spijkerbroek aan die ik gisteren in de kast had gegooid. Ik trok een wit shirt over mijn hoofd en daaroverheen een lavendelkleurig vest. Ik belde Patch, maar na drie keer overgaan sprong hij op de voicemail. 'Bel me!' zei ik. Even vroeg ik me af of hij me misschien vermeed na mijn grote bekentenis van gisteravond. Ik had besloten om te doen alsof het niet was gebeurd en te wachten tot het overwaaide en alles weer normaal was, maar na mijn droom van vanochtend betwijfelde ik of ik het zo makkelijk los zou kunnen laten. Misschien kon Patch het ook moeilijk loslaten. Hoe dan ook, ik kon er nu niet zoveel aan veranderen. Al zou ik toch zweren dat hij me een lift had beloofd...

Ik deed snel een haarband in mijn haar – ik had nu echt geen tijd voor mijn kapsel – en griste mijn rugzak van het aanrecht en rende naar buiten.

Op de oprit slaakte ik een gilletje van irritatie toen ik het lege stuk beton van tweeënhalf bij drie meter zag waar mijn Fiat Spider uit 1979 ooit had gestaan. Mijn moeder had de Spider verkocht. Met het geld had ze de achterstallige energierekening betaald en voor een maand boodschappen ingeslagen. Ze had zelfs onze huishoudster Dorothea, die eigenlijk een beetje mijn surrogaatmoeder was, ontslagen. Ik wierp een boze blik op de hemel, alsof daar iemand zat die er iets aan kon doen, en ik zwaaide mijn rugzak om mijn schouder en begon te joggen. De meeste mensen zouden de landelijke boerderij waar mijn moeder en ik woonden prachtig vinden, maar ik vond het niet zo prachtig dat de dichtstbijzijnde buren twee kilometer verderop woonden. Het achttiende-eeuwse geldslurpende tochthuis lag ook nog eens midden in een gebied dat alle mist van hier tot aan de kust naar zich toe trok.

Op de hoek van Hawthorne Street en Beech Street zag ik eindelijk wat tekenen van leven: forenzen raceten voorbij in hun auto's, onderweg naar hun werk. Ik stak één duim in de lucht en met mijn andere hand maakte ik een pakje kauwgom open, dat moest dienen als tandpastavervanging.

Een Toyota 4Runner stopte langs de stoeprand. Het raam aan de passagierskant ging met een automatisch gezoem naar beneden. Marcie Millar zat achter het stuur. 'Autoproblemen?' vroeg ze.

Autoproblemen als in 'geen auto'. Niet dat ik dat aan Marcie ging opbiechten.

'Lift nodig?' zei ze ongeduldig, toen ik geen antwoord gaf.

Ik kon niet geloven dat van alle auto's die hier langsreden, zij juist degene was die stopte. Wilde ik een lift van Marcie? Nee. Was ik nog steeds kwaad over wat ze over mijn vader had gezegd? Ja. Zou ik haar kunnen vergeven? Geen sprake van. Ik stond op het punt om te gebaren dat ze door moest rijden, maar er was één klein probleempje. Het gerucht ging dat er één ding was dat meneer Loucks nog leuker vond dan het periodieke systeem der elementen, en dat was briefjes uitdelen aan leerlingen die te laat kwamen.

'Dank je,' zei ik tegen mijn zin in. 'Ik ben onderweg naar school.'

'Kon die dikke vriendin van je je geen lift geven?'

Ik had de deur al opengedaan, maar stond nu als aan de grond genageld. Vee en ik hadden het allang opgegeven om al die bekrompen mensen te leren dat 'dik' en 'mooie rondingen' niet hetzelfde zijn, maar dat betekende niet dat we zulke beledigingen tolereerden. En ik had Vee graag gebeld voor een lift, maar ze had al een of andere vergadering met het *eZine*, de onlineschoolkrant, en was dus al op school.

'Bij nader inzien loop ik wel.' Ik sloeg de deur met een klap dicht.

Marcie zette een verbaasd gezicht op. 'Ben je beledigd omdat ik haar dik noemde? Dat is ze toch? Wat is er toch met jou? Ik heb het gevoel dat ik alles wat ik zeg eerst moet censureren. Eerst je vader, nu dit. Heb je nog nooit van vrijheid van meningsuiting gehoord, of zo?'

Heel even dacht ik eraan hoe fijn het zou zijn als ik de Spider nog zou hebben. Ik zou niet alleen vervoer naar school hebben, ik zou Marcie ook omver kunnen rijden. Het was altijd chaos op het parkeerterrein bij school. Er zou zomaar een ongeluk kunnen gebeuren.

Maar omdat ik Marcie niet van mijn motorkap kon laten stuiteren, besloot ik haar op een andere manier te kwetsen. 'Als mijn vader Toyotadealer was, had ik wel een milieuvriendelijkere auto gekozen.'

'Nou, jouw vader is geen Toyotadealer, hè?'

'Inderdaad. Mijn vader is dood.'

Ze haalde één schouder op. 'Jij zegt het, ik niet.'

'Het lijkt me beter als we elkaar vanaf nu met rust laten.'

Ze inspecteerde haar nagels. 'Prima.'

'Mooi.'

'Probeer ik een keer aardig te doen, is het weer niet goed,' mompelde ze.

'Aardig? Je noemde Vee dik.'

'Ik bood je ook een lift aan.' Ze drukte het gaspedaal in en reed met piepende banden weg. Het stof van de straat vloog mijn kant op.

Toen ik vanochtend wakker werd, was ik niet van plan geweest om nóg een reden te vinden om Marcie Millar te haten, maar het was haar weer gelukt.

Coldwater High dateerde uit de late negentiende eeuw en de stijl van het gebouw was een mengsel van gotisch en victoriaans. Het leek eigenlijk meer op een kathedraal dan op een school. De ramen waren smal en gewelfd en van glas-in-lood. De bakstenen hadden meerdere kleuren, maar ze waren voornamelijk grijs. In de zomer kroop de klimop over de buitenkant van het gebouw, wat de school een bepaalde charme gaf die typisch was voor New England. In de winter zagen de kale klimopplanten eruit als lange skeletvingers die het gebouw verstikten.

Ik rende over de gang richting het scheikundelokaal toen mijn telefoon ging.

'Mam?' antwoordde ik, zonder langzamer te gaan lopen. 'Kan ik je terugbel...'

'Je raadt nooit wie ik gisteravond tegenkwam! Lynn Parnell. Je kent de familie Parnell toch nog wel? Lynn is de moeder van Scott.'

Ik haalde de telefoon even van mijn oor om naar de klok op

het schermpje te kijken. Ik had geluk gehad en een lift gekregen van een volslagen vreemde, een vrouw die onderweg was naar haar kickboksles, maar ik had nog steeds haast. Over minder dan twee minuten zou de eerste bel gaan. 'Mam? School begint zo. Kan ik je in de pauze even terugbellen?'

'Jij was altijd zo goed bevriend met Scott.'

Ik kon het me amper herinneren. 'Toen we vijf waren,' zei ik. 'Was hij niet die jongen die altijd in zijn broek plaste?'

'Ik ben gisteravond iets wezen drinken met Lynn. Ze is net gescheiden van haar man en zij en Scott verhuizen terug naar Coldwater.'

'Wat leuk. Ik bel je...'

'Ik heb ze uitgenodigd om te komen eten vanavond.'

Ik liep langs het kantoor van de rector en precies op dat moment ging de wijzer van de klok boven haar deur naar de volgende minuut. Het was nu precies één minuut voor acht. Ik keek dreigend naar de klok. *Waag het niet om die bel eerder te laten gaan.* 'Vanavond kan ik niet, mam. Patch en ik...'

'Doe niet zo raar!' onderbrak mijn moeder me. 'Scott is een van je oudste vrienden. Je kent hem veel langer dan Patch.'

'Scott heeft me een keer gedwongen om pissebedden te eten,' zei ik, terwijl er ineens een vage herinnering naar boven kwam.

'En jij hebt hem zeker nooit gedwongen om met barbies te spelen?'

'Dat is niet hetzelfde!'

'Vanavond, zeven uur,' zei mijn moeder op een toon die geen ruimte overliet voor discussie.

Een paar seconden voordat de bel ging, rende ik het lokaal in. Ik nam plaats achter een van de zwarte granieten labtafels op de eerste rij. Achter iedere tafel stonden twee stoelen en ik hoopte vurig dat mijn partner iemand zou zijn die beter was in scheikunde dan ik, maar dat was eigenlijk niet zo moeilijk. Ik was meer een romanticus dan een realist en verkoos blind vertrouwen boven logica. Hierdoor had ik eigenlijk nooit iets van scheikunde begrepen.

Marcie Millar kwam op hoge hakken het lokaal in geparadeerd. Ze droeg een spijkerbroek en een zijden blouse van Banana Republic die ik in de winkel had zien hangen en dolgraag had willen kopen, maar niet kon betalen. Ik had erop gegokt dat de blouse in september in de uitverkoop zou zijn en dat ik hem dan zou kunnen kopen. Ik bedacht me net dat ik die blouse dus niet meer hoefde, toen Marcie op de stoel naast me ging zitten.

'Wat is er met je haar?' zei ze. 'Was je gel op? Of je geduld?' Ze glimlachte gemeen. 'Of komt het omdat je vijf kilometer moest rennen om hier op tijd te zijn?'

'Ik dacht dat we elkaar met rust zouden laten?' Venijnig keek ik naar haar stoel, die ik veel te dichtbij vond staan.

'Ik heb iets van je nodig.'

Ik ademde langzaam uit en probeerde rustig te blijven. Ik had het moeten weten. 'Oké, Marcie,' zei ik. 'We weten allebei dat deze lessen belachelijk moeilijk gaan worden. Scheikunde is mijn slechtste vak. De enige reden dat ik scheikunde volgend jaar niet laat vallen, is dat ik gehoord heb dat het makkelijker zal worden. Je wilt mij niet als partner. Ik kan je niet aan een hoog cijfer helpen.'

'Denk je nou echt dat ik naast je ben gaan zitten omdat ik een hoog cijfer wil?' zei ze, terwijl ze een gebaar met haar hand maakte. 'Ik heb je ergens anders voor nodig. Ik heb sinds vorige week een baantje.'

Marcie? Een baantje?

Ze grijnsde, omdat ze waarschijnlijk precies kon zien wat ik dacht. 'Ik werk nu bij de administratie. Een van mijn vaders verkopers is getrouwd met de secretaresse. Altijd handig, zulke contacten. Niet dat jij daar iets van weet.'

Ik had wel geweten dat Marcies vader veel invloed had in Coldwater. Zijn vrijwillige ouderbijdrage aan de school was zo groot dat de school praktisch van hem was, maar dit ging wel heel ver.

'Af en toe valt er per ongeluk een dossier open en dan zie ik wel eens wat,' zei Marcie.

Ja, ja.

'Zo weet ik bijvoorbeeld dat jij nog niet over de dood van je vader heen bent. Je gaat namelijk nog steeds naar de schoolpsycholoog. Eigenlijk weet ik zo'n beetje alles over iedereen. Maar niet van Patch. Ik zag vorige week dat zijn dossier leeg is. Ik wil weten waarom. Ik wil weten wat hij verbergt.'

'Wat kan jou dat schelen?'

'Hij stond gisteravond naar mijn slaapkamerraam te staren op mijn oprit.'

Ik knipperde met mijn ogen. 'Stond Patch bij jou op de oprit?'

'Tenzij jij nog meer lekkere jongens kent met een Jeep Commander en zwarte kleren.'

Ik fronste. 'Zei hij iets?'

'Toen hij zag dat ik hem zag, ging hij weg. Moet ik een straatverbod aanvragen? Is dit iets wat hij vaker doet? Ik weet dat hij niet helemaal normaal is, maar hoe gek is hij precies?'

Ik negeerde haar. Ik moest deze informatie echt even verwerken. Patch? Bij Marcie? Dan moest hij gelijk naar haar toe zijn gegaan toen hij bij mij wegreed. Nadat ik 'ik hou van je' had gezegd en hij er als een gek vandoor was gegaan.

'Laat maar, hoor,' zei Marcie, die rechtop ging zitten. 'Er zijn andere manieren om aan informatie te komen. Het schoolbestuur bijvoorbeeld. Ik denk dat ze zo'n leeg dossier heel interessant zouden vinden. Ik wilde er eerst niets over zeggen, maar nu gaat het om mijn eigen veiligheid...'

Het maakte me niets uit of Marcie naar het bestuur zou gaan. Patch kon zichzelf prima redden. Ik maakte me wel zorgen over gisteravond. Patch was ineens weggegaan omdat hij zogenaamd 'iets' moest doen. En nu bleek dat hij op Marcies oprit was gaan staan? Het was makkelijker om te geloven dat hij weg was gegaan om wat ik had gezegd.

'Of de politie,' zei Marcie, die haar vinger op haar lip legde. 'Een leeg schooldossier klinkt bijna illegaal. Hoe is Patch hier op school gekomen? Je lijkt van streek, Nora. Heb ik iets verkeerds gezegd?' Ze glimlachte ineens van oor tot oor. 'Jij weet meer, of niet? Jij weet hoe dit zit.'

Ik keek haar met een kille blik aan. 'Voor iemand die beweert dat haar leven zoveel belangrijker is dan dat van de rest van de school, toon je behoorlijk veel interesse in onze saaie, waardeloze levens.'

Marcies glimlach verdween. 'Dat zou ik niet hoeven doen als jullie allemaal uit mijn buurt zouden blijven.'

'Uit jouw buurt? Dit is niet jouw school.'

'Praat niet zo tegen me,' zei Marcie, terwijl ze haar hoofd vol ongeloof schudde. 'Ik wil eigenlijk dat je helemaal niet meer tegen me praat.'

Ik gooide mijn handen omhoog. 'Geen probleem.'

'En trouwens, zoek even een andere plek, wil je?'

Ik keek naar mijn stoel. Ze bedoelde toch niet dat ik weg moest? 'Ik was hier eerst.'

Marcie deed mij na en gooide haar handen in de lucht. 'Niet mijn probleem.'

'Ik ga nergens heen.'

'Ik ga niet naast jou zitten.'

'Mooi.'

'Ga dan!' commandeerde Marcie.

'Nee.'

De bel ging weer en toen het schrille geluid wegebde, realiseerde ik me dat iedereen in het lokaal ineens helemaal stil was. Ik keek om me heen en kwam tot de schokkende conclusie dat iedere andere plek in het lokaal bezet was.

Meneer Loucks kwam binnen en zwaaide met een stuk papier. 'Dit is een lege plattegrond van het lokaal,' zei hij. 'Iedere rechthoek staat voor een tafel. Schrijf je naam in de juiste rechthoek en geef het blaadje door.' Hij legde het blaadje voor mijn neus. 'Ik hoop dat jullie blij zijn met jullie partners,' zei hij. 'Jullie zitten de komende acht weken aan elkaar vast.'

Om twaalf uur, toen de les was afgelopen, kreeg ik een lift van Vee. We gingen naar Enzo's Bistro, onze favoriete plek om ijskoffie of warme chocolademelk te drinken, afhankelijk van het seizoen. De zon brandde op mijn gezicht toen we het parkeerterrein opreden en toen zag ik hem. Een witte Volkswagen Cabriolet met een papiertje op het raam. TE KOOP: $ 1000.

'Je kwijlt,' zei Vee, die mijn kin met haar vinger weer omhoogduwde.

'Jij hebt niet toevallig duizend dollar?'

'Ik heb niet eens vijf dollar voor je. Mijn spaarvarken heeft anorexia.'

Ik zuchtte verlangend in de richting van de cabriolet. 'Ik heb geld nodig. Ik moet een baantje.' Ik sloot mijn ogen en zag mezelf al helemaal zitten achter het stuur van de cabrio, met het dak naar beneden en de wind door mijn haar. Als ik die cabrio had, zou ik nooit meer een lift nodig hebben. Ik zou overal heen kunnen, wanneer ik maar wilde.

'Ja, maar een baantje betekent dat je echt moet werken. Ik bedoel, weet je zeker dat je je hele zomer wilt verpesten en ergens wilt zwoegen voor een paar dollar per uur? Straks ga je nog, weet ik veel... zweten of zo.'

Ik zocht in mijn rugzak naar een papiertje en schreef het telefoonnummer op. Misschien kon ik er bij de eigenaar nog wel een paar honderd dollar afpeuteren. Ik besloot die middag de krant af te speuren naar vacatures. Een baantje zou betekenen dat ik minder tijd met Patch zou hebben, maar het betekende ook een nieuwe auto. Hoeveel ik ook van Patch hield, hij leek altijd druk met... iets. En daardoor was hij niet bepaald een betrouwbare chauffeur.

Eenmaal binnen bij Enzo's bestelden Vee en ik ijskoffie en een salade en liepen we met ons eten naar een tafel. Enzo's was de afgelopen weken grondig verbouwd en Coldwater had nu zijn eerste internetcafé. Aangezien ik thuis een zes jaar oude computer had, was ik hier best blij mee.

'Ik weet niet hoe het met jou zit, maar ik ben klaar voor vakantie,' zei Vee, die haar zonnebril op haar hoofd zette. 'Nog acht weken Spaans. Dat is zo lang, ik wil er niet eens aan denken. We hebben afleiding nodig. We hebben iets nodig om ons af te leiden van deze eindeloze reeks kwaliteitslessen. We gaan winkelen. Portland, we komen eraan. Er is uitverkoop bij Macy's. Ik heb schoenen nodig en jurkjes en een nieuw geurtje.'

'Je hebt net nieuwe kleren gekocht. Je hebt tweehonderd dollar uitgegeven. Je moeder flipt als ze haar creditcardrekening krijgt.'

'Ja, maar ik heb een vriendje nodig. En om een vriendje te krijgen, moet ik er goed uitzien. En het kan ook geen kwaad om lekker te ruiken.'

Ik hapte een stukje peer van mijn vork. 'Had je iemand in gedachten?'

'Eigenlijk wel, ja.'

'Zolang het Scott Parnell maar niet is.'

'Scott wie?'

Ik glimlachte. 'Gelukkig.'

'Ik ken geen Scott Parnells, maar de jongen die ik in gedachten heb, is superknap. Echt knapper dan knap. Nog knapper dan Patch.' Ze was even stil. 'Nou ja, misschien niet zo knap. Niemand is zo knap. Serieus, als we niet gaan shoppen is mijn hele dag verprutst. Portland, of anders niets.'

Ik opende mijn mond, maar Vee was sneller.

'O, o,' zei ze. 'Ik ken die blik. Je gaat me toch niet vertellen dat je al plannen hebt?'

'Even terug naar Scott Parnell. Hij woonde hier in Coldwater toen we vijf waren.'

Vee zag eruit alsof ze haar langetermijngeheugen doorzocht.

'Hij plaste altijd in zijn broek,' hielp ik haar.

Vee's ogen werden groter. 'Scotty de Broekplasser?'

'Hij verhuist binnenkort terug naar Coldwater. Mijn moeder heeft hem uitgenodigd voor het eten vanavond.'

'O, ik hoor al waar dit heen gaat,' zei Vee, die ernstig knikte. 'In de filmwereld noemen ze dit een "*meet cute*". Dat is als de levens van twee potentiële liefdespartners elkaar toevallig kruisen. Weet je nog toen Desi per ongeluk de herentoiletten binnen liep en Ernesto tegenkwam?'

Ik liet mijn vork ergens halverwege mijn bord en mijn mond in de lucht hangen. 'Wat?'

'In *Corazón*, de Spaanse soap. Nee? Laat maar. Je moeder wil jou en de Broekplasser aan elkaar koppelen. En snel ook.'

'Dat wil ze helemaal niet. Ze weet dat ik iets met Patch heb.'

'Dat ze het weet, wil nog niet zeggen dat ze er blij mee is. Jouw moeder is van plan om al haar energie te steken in jou en Scotty de Broekplasser. En had je hier al aan gedacht? Misschien is Scotty de Broekplasser wel een enorm lekker ding geworden!'

Ik had daar nog niet aan gedacht en was dat ook niet van plan. Ik had Patch en zo wilde ik het graag houden.

'Kunnen we het even over belangrijkere zaken hebben?' vroeg ik. Ik vond het tijd om van onderwerp te veranderen, voordat Vee allemaal rare ideeën in haar hoofd haalde. 'Zoals het feit dat Marcie Millar mijn nieuwe scheikundepartner is?'

'De hoer.'

'En ze heeft blijkbaar een bijbaantje bij de administratie en ze heeft het dossier van Patch gezien.'

'En dat is nog steeds leeg?'

'Volgens mij wel, aangezien ze ineens wil dat ik alles wat ik over hem weet aan haar vertel.' Bijvoorbeeld waarom hij gisteravond op haar oprit stond en naar haar slaapkamerraam staarde. Ik had wel eens het gerucht gehoord dat Marcie een tennisracket voor haar raam zette als ze beschikbaar was voor bepaalde 'diensten', maar daar wilde ik niet aan denken. Geruchten waren toch meestal voor negentig procent onzin.

Vee leunde dichter naar me toe. 'En wat weet jij?'

Er viel een ongemakkelijke stilte. Ik geloofde niet in geheimen tussen beste vriendinnen. Maar je hebt geheimen... en je hebt moeilijke waarheden. Onvoorstelbare waarheden. Een vriendje dat eerst een gevallen engel was en nu je beschermengel, was zo'n waarheid.

'Je houdt iets voor me achter,' zei Vee.

'Niet.'

'Wel.'

Stilte.

'Ik heb Patch verteld dat ik van hem hou.'

Vee sloeg haar handen voor haar mond, maar ik kon niet zien of ze verbaasd was of dat ze probeerde niet te lachen. En daar werd ik nog onzekerder van. Was het zo grappig? Was het nog dommer dan ik al dacht?

'Wat zei hij?' vroeg Vee.

Ik keek haar alleen maar aan.

'Zo erg?' vroeg ze.

Ik schraapte mijn keel. 'Vertel eens over die jongen. Ik bedoel, is het een bewondering op afstand of heb je ook al echt met hem gepraat?'

Vee begreep de hint. 'Met hem gepraat? Ik heb gisteren hotdogs met hem gegeten bij Skippy's. Het was een blind date en het ging beter dan ik had verwacht. Veel beter. En dit had je allang geweten als jij eens ophield met zoenen met je vriendje en je telefoon een keer opnam.'

'Vee, ik ben je enige vriendin en ik heb die blind date niet geregeld. Wie dan wel?'

'Je vriendje.'

Ik stikte bijna in een stukje gorgonzola. 'Heeft Patch een blind date voor je geregeld?'

'Ja, en?' zei Vee verdedigend.

Ik glimlachte. 'Ik dacht dat je Patch niet vertrouwde.'

'Dat doe ik ook niet.'

'Maar?'

'Ik probeerde jou te bellen en te vragen wat jij ervan vond, maar nogmaals, jij belt me tegenwoordig nooit meer terug.'

'Je hebt je punt gemaakt. Ik ben de slechtste vriendin ooit.' Ik glimlachte geniepig. 'Maar nu wil ik alles horen.'

Vee's boze blik verdween en ze glimlachte nu ook. 'Hij heet Rixon en hij is Iers. Zijn accent is zo sexy. Hij is wat aan de magere kant, helemaal vergeleken bij mij, maar ik ben van plan om deze zomer tien kilo af te vallen, dus dat komt in augustus wel goed.'

'Rixon? Echt? Ik ben dol op Rixon!' Eigenlijk vertrouwde ik gevallen engelen niet, maar Rixon was een uitzondering. Hij zat een beetje in het grijze gebied tussen goed en slecht. Net als Patch. Hij was niet perfect, maar hij was ook geen slechte jongen.

Ik grijnsde en wees met mijn vork naar Vee. 'Ik kan niet geloven dat jij met hem uit geweest bent. Ik bedoel, hij is de beste vriend van Patch. Jij hebt een hekel aan Patch.'

Vee gaf me haar zwarte-kat-blik. Ik hoorde haar bijna grommen. 'Het zegt helemaal niets dat ze beste vrienden zijn. Wij zijn ook beste vriendinnen en we lijken totaal niet op elkaar.'

'Ik vind dit zo leuk. Nu kunnen we de hele zomer dingen met zijn viertjes doen.'

'Ja, dag. Ik ga echt niet gezellig doen met dat rare vriendje van je. Wat jij ook beweert, ik geloof nog steeds dat hij iets te maken heeft met de mysterieuze dood van Jules in de gymzaal.'

Het was alsof er opeens een donkere wolk voorbijtrok. Er waren die avond maar drie mensen in de gymzaal geweest toen Jules doodging en ik was een van hen. Ik had Vee nooit alles verteld, alleen genoeg om haar te laten ophouden met zeuren. En ik was niet van plan daar verandering in te brengen... voor haar eigen veiligheid.

Vee en ik reden de rest van de middag rond om sollicitatieformulieren op te halen bij fastfoodrestaurants in de buurt. Het was bijna halfzeven toen ik thuiskwam. Ik gooide mijn sleutels op de kast in de gang en keek of er nog berichten op het antwoordapparaat stonden. Er was één bericht van mijn moeder. Ze was in de supermarkt om knoflookbrood, lasagne en goedkope wijn te halen en ze zweerde op haar graf dat ze thuis zou zijn voordat de Parnells zouden komen.

Ik wiste het bericht en liep naar boven, naar mijn slaapkamer. Omdat ik vanochtend niet gedoucht had en mijn haar eruitzag alsof het was ontploft, leek het me een goed idee om in ieder geval schone kleren aan te trekken. Iedere herinnering die ik had aan Scott Parnell was onplezierig, maar gezelschap was gezelschap. Ik had de knoopjes van mijn vest al bijna allemaal open, toen er op de deur werd geklopt.

Aan de andere kant van de deur stond Patch, met zijn handen in zijn zakken.

Normaal gesproken vloog ik hem om zijn hals als ik hem zag, maar vandaag hield ik me in. Ik had gezegd dat ik van hem hield en hij was ervandoor gegaan. En ook nog eens naar Marcies huis. Mijn trots was gekrenkt en ik was boos en onzeker. Ik hoopte dat mijn stilte hem vertelde dat er iets mis was en dat hij met een uitleg of verontschuldiging zou komen.

'Hé,' zei ik, zo nonchalant mogelijk. 'Je hebt me niet meer gebeld gisteravond. Waar moest je nou ineens heen?'

'Zomaar ergens. Mag ik binnenkomen?'

'Fijn om te horen dat Marcies huis "zomaar ergens" is.'

De korte verbaasde blik op zijn gezicht bevestigde wat ik niet wilde geloven: Marcie had de waarheid gesproken.

'Ga je me nog vertellen wat er aan de hand is?' zei ik op een iets vijandiger toon. 'Ga je me nog vertellen wat je bij Marcie deed gisteravond?'

'Je klinkt jaloers, engel.' Hij klonk misschien een klein beetje plagerig, maar zijn gebruikelijke warme en lieve toon ontbrak.

'Misschien zou ik niet jaloers zijn als jij me daar geen reden voor zou geven,' was mijn antwoord. 'Wat deed je bij haar huis?'

'Ik moest iets afhandelen.'

Ik trok mijn wenkbrauwen op. 'Ik wist niet dat jij en Marcie samen iets af te handelen hadden?'

'Dat hebben we wel, maar het stelt niets voor.'

'Kun je misschien iets duidelijker zijn?' Er zat een zware beschuldigende ondertoon in mijn stem.

'Beschuldig je mij van iets?'

'Zou ik dat moeten doen?'

Patch kon normaal gesproken heel goed zijn gevoelens verbergen, maar ik zag dat hij dit moeilijk vond. 'Nee.'

'Als het niets voorstelde, waarom is het dan zo moeilijk om gewoon uit te leggen wat je daar deed?'

'Dat is niet moeilijk,' zei hij. Hij dacht duidelijk goed na over ieder woord dat hij zei. 'Maar ik vertel het je niet, omdat het niets met ons te maken heeft.'

Hoe kon hij denken dat dit niets met ons te maken had? Marcie was nou juist degene die iedere aangelegenheid aangreep om mij te kwetsen en te kleineren. De afgelopen elf jaar had ze me gepest, verschrikkelijke geruchten over me verspreid en me vernederd waar iedereen bij was. Hoe kon hij denken dat dit niets persoonlijks was? Hoe kon hij denken dat ik dit gewoon zou accepteren en er verder geen vragen over zou stellen? En boven alles, waarom snapte hij niet dat ik doodsbang was dat Marcie hem zou gebruiken om mij te kwetsen? Als zij vermoedde dat hij ook maar een beetje geïnteresseerd in haar was, zou ze alles doen wat er in haar macht lag om hem van mij te stelen. De gedachte dat ik Patch zou verliezen was erg, maar de gedachte dat ik hem aan haar zou verliezen, was ondraaglijk.

'Kom maar weer terug als je klaar bent om mij te vertellen wat je daar deed,' zei ik, ineens overspoeld door angst.

Patch stapte ongeduldig naar binnen en deed de deur achter zich dicht. 'Ik ben hier niet gekomen om ruzie te maken. Ik wilde je laten weten dat er iets met Marcie is gebeurd vanmiddag.'

Ging het nu weer over Marcie? Moest hij het er nog even extra inwrijven? Ik probeerde rustig te blijven en naar hem te luisteren, maar wilde eigenlijk schreeuwen. 'O?' zei ik kalm.

'Ze raakte betrokken bij een gevecht in het herentoilet bij Bo's toen een groep gevallen engelen een Nephil de gelofte van trouw wilde laten zweren. De Nephil was nog geen zestien, dus konden ze hem niet dwingen, maar ze hebben het wel geprobeerd. Ze hebben hem behoorlijk toegetakeld en een paar van zijn ribben gebroken. Marcie had blijkbaar te veel gedronken en liep per ongeluk het herentoilet binnen. De gevallen engel die de wacht hield, heeft haar met een mes gestoken. Ze ligt in het ziekenhuis, maar ze zal snel weer ontslagen worden. Het is maar een snijwond.'

Mijn hartslag schoot omhoog; ik vond het erg dat Marcie neergestoken was, maar wilde dat niet aan Patch laten merken. Ik sloeg mijn armen stijf over elkaar. 'Goh, gaat het wel goed met de Nephil?' Ik herinnerde me vaag dat Patch me een tijd geleden had uitgelegd dat Nephilim pas een gelofte van trouw kunnen afleggen als ze zestien zijn. Voor die tijd kunnen gevallen engelen ze niet dwingen. Ook kon hij mij voor mijn zestiende niet offeren in ruil voor een menselijk lichaam. Zestien was een duistere, magische en cruciale leeftijd in de wereld van engelen en Nephilim.

Patch keek me uitdrukkingsloos aan, maar ik bespeurde een klein beetje walging. 'Marcie was dan misschien dronken, maar de kans is groot dat ze zich herinnert wat ze heeft gezien. Je weet dat gevallen engelen en Nephilim hun best doen om niet te veel op te vallen en iemand als Marcie, met haar grote mond, kan een bedreiging zijn voor hun geheimhouding. Het laatste wat zij willen is dat Marcie aan de wereld verkondigt wat ze heeft gezien. Onze wereld werkt een stuk beter als mensen er niets van weten. Ik ken de gevallen engelen die hierbij betrokken waren.' Hij klemde zijn kaken stevig op elkaar. 'Ze zullen alles doen wat nodig is om Marcie stil te houden.'

Ik voelde een rilling over mijn rug trekken, maar negeerde

die. Sinds wanneer kon het Patch iets schelen wat er met Marcie gebeurde? Sinds wanneer was hij meer bezorgd om haar dan om mij? 'Ik probeer het erg te vinden,' zei ik, 'maar het klinkt alsof jij bezorgd genoeg bent voor ons allebei.' Ik trok aan de deurknop en hield de deur wijd open. 'Misschien moet je maar naar Marcie, even kijken of het al iets beter gaat met haar snijwond.'

Patch haalde mijn hand van de deurknop en deed de deur met zijn voet weer dicht. 'Er zijn belangrijkere dingen aan de hand dan jij, ik en Marcie.' Hij aarzelde, alsof hij meer wilde zeggen, maar deed zijn mond op het laatste moment toch weer dicht.

'Jij, ik en Marcie? Sinds wanneer noem je ons alle drie in één zin? Sinds wanneer betekent zij iets voor je?' snauwde ik.

Hij legde een hand in zijn nek en de blik op zijn gezicht verraadde dat hij nadacht over hoe hij zijn antwoord het best kon formuleren.

'Zeg gewoon eens wat je denkt!' schreeuwde ik. 'Voor de dag ermee! Het is al erg genoeg dat ik geen idee heb wat je voelt en nu weet ik ook niet wat je denkt!'

Patch keek om zich heen, alsof hij zich afvroeg of ik het misschien tegen iemand anders had. 'Voor de dag ermee?' zei hij vol ongeloof. Misschien zelfs vol irritatie. 'Wat denk je dat ik probeer te doen? Als jij even rustig doet, dan kan ik je alles vertellen. Maar je reageert hysterisch.'

Ik kneep mijn ogen samen. 'Ik heb het recht om kwaad te zijn. Jij wilt me niet vertellen wat je gisteravond bij Marcie deed.'

Patch gooide zijn handen in de lucht. *Daar gaan we weer,* zei hij met het gebaar.

'Twee maanden geleden,' begon ik. Ik probeerde trots te klinken en mijn angst te verbergen. 'Twee maanden geleden waarschuwden Vee, mijn moeder, iedereen me dat jij het soort jongen was dat niets om meisjes geeft. Ze zeiden dat ik gewoon een van je vele veroveringen was, gewoon een dom meisje dat je voor de grap kon verleiden.' Ik slikte. 'Ik wil weten of ze ongelijk hadden.'

Ik wilde er niet aan denken, maar de herinnering aan gisteravond kwam ineens bovendrijven. Ieder detail van die vernederende situatie. Ik had gezegd dat ik van hem hield en hij had het tussen ons in laten hangen. Ik kon wel honderd redenen voor zijn stilte bedenken en er zat niet één goede bij.

Patch schudde zijn hoofd. 'Wil je dat ik je vertel dat zij ongelijk hadden? Want ik krijg het gevoel dat je me toch niet gelooft, wat ik ook zeg.' Hij staarde me aan.

'Sta jij op dezelfde manier in deze relatie als ik?' Ik moest het vragen. Ik kon niet anders, na gisteravond. Ik realiseerde me ineens dat ik geen idee had wat Patch echt voor me voelde. Ik dacht dat ik alles voor hem betekende, maar misschien had ik alleen gezien wat ik wilde zien. Wat nou als ik zijn gevoelens enorm had overschat? Ik hield zijn blik vast. Ik wilde niet dat hij hier te gemakkelijk van afkwam, dat hij mij weer ontweek. Ik moest het weten. 'Hou je van me?'

Die vraag kan ik niet beantwoorden, zei hij. Hij praatte tegen mijn gedachten en daar schrok ik van. Het was een gave die alle engelen bezaten, maar ik begreep niet waarom hij het nu gebruikte. 'Ik kom morgen nog wel even langs. Slaap lekker,' voegde hij er kortaf aan toe. Hij liep naar de deur.

'Als je mij kust, doe je dan alsof?'

Hij bleef staan en schudde weer met zijn hoofd. 'Alsof?'

'Als ik jou aanraak, voel je dan iets? Hoe ver gaan jouw verlangens? Voel jij ook maar een beetje hetzelfde als ik?'

Patch keek me in stilte aan. 'Nora...' begon hij.

'Ik wil een eerlijk antwoord.'

'Op emotioneel gebied, ja,' zei hij na een tijdje.

'Maar lichamelijk niet, toch? Hoe kan ik een relatie met je hebben als ik geen idee heb wat het voor jou betekent? Ervaar ik dit allemaal op een ander niveau? Want zo voelt dit. En dat haat ik,' voegde ik eraan toe. 'Ik wil niet dat je me kust omdat dat moet. Ik wil niet dat je doet alsof het iets voor je betekent, terwijl het gewoon een spel is voor je.'

'Een spel? Hoor je wel wat je zegt?' Hij legde zijn hoofd tegen de muur achter zich en lachte een duistere lach. Hij keek me zijdelings aan. 'Ben je klaar met je beschuldigingen?'

'Vind je dit grappig?' zei ik. Ik werd nog woedender dan ik al was.

'Nee. Het tegenovergestelde van grappig.' Voordat ik iets kon zeggen, draaide hij zich naar de deur. 'Bel me maar als je weer normaal kunt praten.'

'Wat bedoel je daar nou weer mee?'

'Daar bedoel ik mee dat je gek bent. Je bent onmogelijk.'

'Ben ík gek?'

Hij pakte mijn gezicht vast en gaf me een snelle, harde zoen op mijn mond. 'En ik moet wel gek zijn dat ik het allemaal pik.'

Ik rukte me los en wreef over mijn kin. 'Je kon mens worden, maar dat heb je opgegeven voor mij. En nu is dit wat ik krijg? Een vriendje dat bij Marcies huis rondhangt, maar me niet wil vertellen waarom? Een vriendje dat wegloopt bij de eerste de beste ruzie? Weet je wat jij bent? Je bent... je bent een klootzak!'

Klootzak? zei hij met een koele en scherpe stem tegen mijn gedachten. *Ik probeer me aan de regels te houden. Ik mag niet verliefd op je worden. We weten allebei dat dit niet om Marcie gaat. Dit gaat over mijn gevoelens voor jou. Ik moet me inhouden. Ik begeef me op glad ijs. Ik ben al eerder in de problemen geraakt vanwege de liefde. Ik kan niet met jou zijn op de manier waarop ik dat wil.*

'Waarom heb je je kans om mens te worden opgegeven als je wist dat je toch niet met mij kon zijn?' vroeg ik met trillende stem. Het zweet prikte op mijn handpalmen. 'Wat verwachtte je dan van een relatie met mij? Wat heeft dit...' mijn stem sloeg over en ik slikte. 'Wat heeft dit dan voor zin?'

Wat had ik verwacht van een relatie met Patch? Ik moet op een gegeven moment toch nagedacht hebben over waar onze relatie naartoe ging en wat er zou gebeuren? Natuurlijk had ik dat gedaan. Maar ik was zo bang geweest voor wat ging komen, dat ik had gedaan alsof het onvermijdelijke er niet was. Ik had mezelf voorgehouden dat een relatie met Patch best kon werken, want diep vanbinnen vond ik dat elk moment met hem beter was dan helemaal niets.

Engel.

Ik keek op toen Patch mijn naam zei in mijn gedachten.

Het maakt niet uit op welke manier ik bij jou ben. Alles is beter dan niets. Ik zal je niet kwijtraken. Hij was even stil en voor het eerst sinds ik hem kende, zag ik bezorgdheid in zijn ogen. *Maar ik ben al een keer gevallen. Als ik de aartsengelen aanleiding geef om te denken dat ik ook maar een beetje verliefd op jou ben, zullen ze me naar de hel sturen. Voor altijd.*

Het nieuws raakte me als een stomp in mijn maag. 'Wat?'

Ik ben een beschermengel, of dat is in ieder geval wat me is verteld, maar de aartsengelen vertrouwen me niet. Ik heb geen voorrechten, geen privacy. Twee aartsengelen hebben me gisteravond opgezocht, en ik kreeg het idee dat ze het niet erg zouden vinden als ik het weer verpestte. Ik weet niet waarom, maar ze pakken me hard aan. Ze zullen ieder excuus aangrijpen om van me af te komen. Ik zit in mijn proeftijd en als ik het verknal, loopt mijn verhaal niet goed af.

Ik staarde hem aan. Hij overdreef toch, zeker? Het kon toch niet zo erg zijn? Maar één blik op zijn gezicht vertelde me dat hij nog nooit zo serieus was geweest.

'Wat gaat er nu gebeuren?' dacht ik hardop.

In plaats van te antwoorden slaakte Patch een diepe, gefrustreerde zucht. De waarheid was dat dit slecht af zou lopen. We konden tijd rekken of doen alsof er niets aan de hand was, maar het stond vast dat onze levens op een dag uit elkaar gerukt zouden worden. Waarschijnlijk al heel snel. Wat zou er gebeuren als ik mijn diploma haalde en ergens ging studeren? Wat zou er gebeuren als ik mijn droombaan vond aan de andere kant van het land? Wat zou er gebeuren als ik wilde trouwen of kinderen wilde krijgen? Het werd iedere dag duidelijker dat verliefd zijn op Patch een hopeloze zaak was. Wilde ik echt op deze manier doorgaan, terwijl ik wist dat het slecht af zou lopen?

Heel even dacht ik dat ik het antwoord wist. Ik zou mijn dromen opgeven. Zo eenvoudig was het. Ik sloot mijn ogen en liet mijn dromen los, alsof ze ballonnen waren aan lange, dunne touwtjes. Ik had die dromen niet nodig. Ik wist immers toch niet of ze uit zouden komen. En zelfs al kwamen ze uit... Wilde ik de rest van mijn leven alleen doorbrengen en gekweld worden door de gedachte dat het allemaal niets betekende zonder Patch?

En toen kwam ik tot het vreselijke besef dat we allebei niets zouden kunnen opgeven. Mijn leven zou gewoon doorgaan en ik had niet de macht om daar iets aan te doen. Patch zou voor altijd een engel blijven. Hij zou op dezelfde manier door moeten leven.

'Kunnen we iets doen?' vroeg ik.

'Ik ben iets aan het bedenken.'

Met andere woorden: hij wist het niet. We konden geen kant op. Aan de ene kant waren daar de aartsengelen die druk uitoefenden en aan de andere kant gingen onze levens ieder een andere kant op.

'Ik wil dit niet meer,' zei ik zachtjes. Dat was niet eerlijk, maar zo beschermde ik mezelf. Ik had geen andere keuze. Patch mocht niet de kans krijgen me over te halen. Ik moest doen wat het beste was voor ons allebei, en dat betekende dat ik me niet moest vastklampen aan iets wat stukje bij beetje zou verdwijnen. Ik kon niet laten zien wat ik voelde als het uiteindelijk alleen maar onmogelijk moeilijk zou worden. En ik wilde vooral niet de reden zijn dat Patch alles waarvoor hij zo hard had gewerkt zou verliezen. Als de aartsengelen een excuus zochten om hem voor altijd te verbannen, maakte ik het ze wel heel makkelijk.

Patch staarde me aan alsof hij niet wist of ik het meende of niet. 'Wil je dat echt? Wil je hiermee ophouden? Je hebt je kans gehad om het uit te leggen, waar ik overigens niets van geloof, en nu wil je dat ik me neerleg bij jouw beslissing en wegloop?'

Ik sloeg mijn armen om mezelf heen en draaide me om. 'Je kunt me niet dwingen om tegen mijn zin in een relatie met jou te hebben.'

'Kunnen we hierover praten?'

'Als jij wilt praten, vertel me dan wat je bij Marcie deed gisteravond.' Maar Patch had gelijk. Dit ging niet over Marcie. Dit ging over mijn angst en mijn verdriet over onze toekomst samen.

Ik draaide me weer om en zag dat Patch zijn handen over zijn gezicht haalde. Hij lachte. Het was een kort, onplezierig lachje.

'Als ik gisteravond bij Rixon was geweest, had jij je ook afgevraagd wat ik daar deed!' schreeuwde ik.

'Nee,' zei hij, gevaarlijk zachtjes. 'Ik vertrouw je.'

Ik was bang dat ik van gedachten zou veranderen als hij niet snel weg zou gaan, dus zette ik mijn handpalmen tegen zijn borstkas en duwde hem naar achteren. 'Ga,' zei ik met trillende stem. 'Ik heb andere dingen die ik moet doen in mijn leven. Dingen waar jij niet bij past. Ik wil studeren en een baan. Ik ga het niet allemaal weggooien voor iets wat toch nooit iets zou kunnen zijn.'

Patch deinsde achteruit. 'Is dit echt wat je wilt?'

'Als ik mijn vriend kus, wil ik zeker weten dat hij het voelt!'

Zodra ik het had gezegd, had ik er alweer spijt van. Ik wilde hem niet kwetsen. Ik wilde gewoon dat dit moment zo snel mogelijk voorbij zou zijn, voordat ik instortte en zou gaan huilen. Maar ik was te ver gegaan. Ik zag hoe hij verstijfde. We stonden tegenover elkaar en ademden allebei snel.

Toen liep hij met grote passen naar buiten. Hij trok de deur hard achter zich dicht.

Ik viel ertegenaan en zakte naar de grond. Mijn ogen brandden, maar er viel geen enkele traan. Er zat zoveel frustratie en woede in me dat er geen ruimte was voor andere gevoelens. Mijn snikken bleven steken in mijn keel, maar ik wist dat ik me over vijf minuten waarschijnlijk wel zou realiseren wat ik had gedaan en dat alles dan weg zou vallen en mijn hart zou breken.

Hoofdstuk 3

Ik ging op de hoek van mijn bed zitten en staarde voor me uit. De woede begon weg te zakken, maar ik wilde eigenlijk dat mijn boze gevoel zou blijven. De leegte die achterbleef was erger dan de scherpe, brandende pijn die ik had gevoeld toen Patch de deur uit was gelopen. Ik probeerde te begrijpen wat er net was gebeurd, maar het lukte me niet om helder na te denken. Onze geschreeuwde woorden galmden na in mijn hoofd, maar ik hoorde alles door elkaar. Het was alsof ik me een nachtmerrie herinnerde in plaats van het daadwerkelijke gesprek. Had ik het echt uitgemaakt? Wilde ik dit echt? Konden we er niet voor zorgen dat onze toekomst en de dreiging van de aartsengelen ons niet in de weg zouden staan? Bij wijze van antwoord draaide mijn maag zich ineens om.

Ik rende naar de badkamer en knielde bij het toilet. Mijn oren suisden en ik hapte naar adem. Wat had ik gedaan? Het was niets blijvends, ik had niets blijvends gedaan. Morgen zouden we elkaar weer zien en dan zou alles weer normaal zijn. Dit was gewoon een ruzie. Een stomme ruzie. Dit was niet het einde. Morgen zouden we ons realiseren hoe dom dit was. We zouden sorry zeggen en dit achter ons laten. We zouden het weer goedmaken.

Ik kwam met moeite overeind en draaide de kraan open. Ik maakte een washandje nat en drukte het tegen mijn gezicht. Nog steeds had ik het gevoel dat alles draaide en ik sloot mijn ogen om het te laten stoppen. *Maar de aartsengelen dan?* vroeg ik mezelf weer. Hoe konden Patch en ik een normale relatie hebben als zij ons voortdurend in de gaten hielden? Ik stond ineens helemaal stil. Misschien hielden ze me nu wel in de gaten. Ze hielden Patch misschien ook wel in de gaten. Ze wilden zien of hij te ver ging. Ze zochten een excuus om hem naar de hel te sturen, voor altijd weg van mij.

Ik voelde mijn woede weer opborrelen. Waarom konden ze ons niet met rust laten? Waarom wilden ze Patch zo graag kapotmaken? Patch had me verteld dat hij de eerste gevallen engel was die zijn vleugels terug had gekregen en een beschermengel was geworden. Waren de aartsengelen daar kwaad over? Hadden ze het gevoel dat Patch ze op de een of andere manier voor de gek gehouden had? Of dat hij vals had gespeeld? Wilden ze hem iets duidelijk maken? Of vertrouwden ze hem gewoon niet?

Ik sloot mijn ogen en voelde een traan over mijn neus lopen. *Ik neem het allemaal terug,* dacht ik. Ik wilde Patch zo graag bellen, maar ik wist niet of ik hem daarmee in gevaar zou brengen. Konden de aartsengelen telefoongesprekken afluisteren? Hoe kon ik ooit een eerlijk gesprek met Patch voeren als ze ons afluisterden?

Het lukte me ook niet om mijn trots zo snel los te laten. Realiseerde hij zich niet dat hij net zo fout zat als ik? We waren begonnen met ruziemaken toen hij mij niet wilde vertellen wat hij gisteravond bij Marcies huis deed. Ik was geen jaloers type, maar hij kende mijn verleden met Marcie. Hij wist dat dit juist die ene keer was dat ik het móést weten.

Er was nog iets waar ik misselijk van werd. Patch zei dat

Marcie was aangevallen bij de herentoiletten in Bo's Arcade. Wat deed Marcie bij Bo's? Voor zover ik wist, kwam er niemand van Coldwater High bij Bo's. Voordat ik Patch ontmoette, had ik er zelfs nog nooit van gehoord. Was het toeval dat Marcie bij Bo's was, de dag nadat Patch naar haar slaapkamerraam had gegluurd? Patch had gezegd dat het iets tussen hen was, maar wat betekende dat? En Marcie kon erg verleidelijk en overtuigend zijn. Ze accepteerde geen nee en ging altijd net zo lang door totdat ze kreeg wat ze wilde.

Wat als ze deze keer haar zinnen op Patch had gezet?

Ik werd uit mijn overpeinzingen gehaald doordat er iemand hard op de voordeur klopte.

Ik ging liggen op de stapel kussens op mijn bed, sloot mijn ogen en belde mijn moeder. 'De Parnells zijn er.'

'Oké! Ik sta voor het stoplicht op Walnut Street. Ik ben er over twee minuten! Laat ze even binnen!'

'Ik herinner me amper wie Scott is en ik herinner me zijn moeder al helemaal niet. Ik laat ze wel binnen, maar ik ga echt niet met ze kletsen. Ik wacht wel op mijn kamer totdat jij er bent.' Ik probeerde haar met mijn toon te vertellen dat er iets mis was, maar ik kon het mijn moeder natuurlijk nooit vertellen. Ze haatte Patch. Ze zou het niet begrijpen. Ik kon het niet aan om de blijheid en opluchting in haar stem te horen. Niet nu.

'Nora!'

'Prima! Ik praat wel met ze.' Ik klapte mijn telefoon hard dicht en gooide hem door de kamer.

Ik liep zo langzaam mogelijk naar de deur en deed hem open. De jongen die aan de andere kant van de deur stond, was lang en goedgebouwd. Dat kon ik zien omdat zijn T-shirt aan de kleine kant was en omdat er overduidelijk PLATINUM FITNESS, PORTLAND op stond. Hij had een zilveren ringetje in zijn rechteroorlel en zijn Levi's hing gevaarlijk laag op zijn heupen. Hij droeg een petje met een roze hawaïprint, dat eruitzag alsof hij het voor de grap bij een tweedehandswinkel had gekocht. Zijn zonnebril deed me denken aan Hulk Hogan. Ondanks de foute kleding had hij een jongensachtige charme.

Zijn mondhoeken krulden omhoog. 'Jij moet Nora zijn.'

'En jij moet Scott zijn.'

Hij liep naar binnen en zette zijn zonnebril af. Hij inspecteerde de gang naar de keuken en de woonkamer. 'Waar is je moeder?'

'Onderweg naar huis van de supermarkt.'

'Wat eten we?'

Ik vond het niet leuk dat hij 'we' zei. Er was geen 'we'. Je had de familie Grey en de familie Parnell. Twee aparte eenheden die toevallig één avond aan dezelfde eettafel zouden zitten.

Toen ik niet antwoordde, ging hij door met praten. 'Coldwater is een stuk kleiner dan ik gewend ben.'

Ik vouwde mijn armen over elkaar. 'Het is er ook een stuk kouder dan in Portland.'

Hij keek me van top tot teen aan en glimlachte. 'Dat heb ik gemerkt.' Hij liep naar de keuken en deed de koelkast open. 'Heb je bier?'

'Wat? Nee.'

De voordeur stond nog steeds open en ik hoorde stemmen van buiten komen. Mijn moeder stapte over de drempel met twee boodschappentassen in haar hand. Een mollige vrouw met een lelijk stekeltjeskapsel en zware roze make-up volgde haar naar binnen.

'Nora, dit is Lynn Parnell,' zei mijn moeder. 'Lynn, dit is Nora.'

'Kijk eens aan!' zei mevrouw Parnell, terwijl ze in haar handen klapte. 'Ze lijkt precies op jou, of niet, Blythe? En kijk eens naar die mooie lange benen! Het lijken wel stelten!'

'Ik weet dat dit slechte timing is,' zei ik, 'maar ik voel me niet lekker, dus ga ik even liggen en...'

Ik stopte toen ik mijn moeders woedende blik zag en probeerde haar met mijn blik duidelijk te maken dat het niet eerlijk was.

'Scott is echt groot geworden, vind je niet, Nora?' zei ze.

'Goed opgemerkt.'

Mijn moeder zette de tassen op het aanrecht en richtte zich tot Scott. 'Nora en ik werden wat nostalgisch vanochtend, toen we terugdachten aan wat jullie altijd allemaal deden samen. Nora vertelde me dat je haar pissebedden probeerde te laten eten.'

Voordat Scott zichzelf kon verdedigen, zei ik: 'Hij roosterde ze levend onder zijn vergrootglas en probéérde mij niet ze te laten eten, maar ging boven op me zitten en kneep mijn neus dicht, totdat ik geen adem meer kreeg en mijn mond open moest doen. Dan gooide hij ze naar binnen.'

Mijn moeder en mevrouw Parnell wisselden een blik uit.

'Scott heeft heel veel overredingskracht,' zei mevrouw Parnell snel. 'Hij kan mensen dingen laten doen die ze nooit hadden durven dromen. Dat is echt een gave van hem. Hij heeft mij overgehaald om een zeegroene Ford Mustang uit 1966 voor hem te kopen. Nou had hij natuurlijk wel precies het goede moment uitgekozen. Ik voelde me toen heel schuldig vanwege de scheiding. Nou ja. Ik probeer maar te zeggen dat Scott waarschijnlijk de beste geroosterde pissebedden van de hele buurt maakte.'

Iedereen keek naar mij voor bevestiging.

Ik kon echt niet geloven dat we deden alsof dit een doodnormaal gespreksonderwerp was.

'Zo,' zei Scott, die ondertussen op een overdreven manier op zijn borstkas krabde. Zijn armspieren spanden zich aan terwijl hij dit deed, maar dat wist hij waarschijnlijk wel. 'Wat eten we?'

'Lasagne, knoflookbrood en een salade,' zei mijn moeder met een glimlach. 'Nora heeft de salade gemaakt.'

Dit was nieuws voor me. 'Heb ik een salade gemaakt?'

'Je hebt de sla toch gekocht,' zei ze.

'Dat telt niet echt.'

'Nora heeft de salade gemaakt,' zei mijn moeder nog een keer tegen Scott. 'Volgens mij is iedereen klaar. Zullen we aan tafel?'

Toen we zaten, pakten we elkaars handen en sprak mijn moeder haar zegen uit over het eten.

'Vertel eens over de huizen hier in de buurt,' zei mevrouw Parnell, die de lasagne aansneed en het eerste stuk op Scotts bord legde. 'Hoeveel betaal je hier voor twee slaapkamers en twee badkamers?'

'Ligt eraan hoe nieuw je het wilt hebben,' zei mijn moeder. 'Bijna alles aan deze kant van het dorp is van voor 1900 en dat is te zien. Toen we net getrouwd waren, hebben Harrison en ik veel naar tweekamerappartementen gekeken, maar er was altijd iets mee. Gaten in de muur, kakkerlakken of niet op loopafstand van een park. Omdat ik zwanger was, besloten we om een groter huis te zoeken. Dit huis stond al achttien maanden te koop en we hebben toen een deal gesloten die bijna te mooi was om waar te zijn.' Ze keek om zich heen. 'Harrison en ik waren van plan om het uiteindelijk helemaal op te knappen, maar... nou ja... en toen... zoals jullie weten...' Ze boog haar hoofd.

Scott schraapte zijn keel. 'Wat erg van je vader, Nora. Ik weet nog dat mijn vader me belde, de avond dat het gebeurd was.

Ik was een paar straten verderop aan het werk in de buurtwinkel. Ik hoop dat ze degene pakken die dit gedaan heeft.'

Ik probeerde iets te zeggen, maar de woorden kwamen niet uit mijn mond. Ik wilde niet over mijn vader praten. Het rauwe gevoel dat ik had vanwege mijn breuk met Patch, was al erg genoeg. Waar was hij nu? Had hij spijt? Begreep hij dat ik alles wat ik had gezegd terug wilde nemen? Ik vroeg me ineens af of hij me misschien had ge-sms't en ik baalde ervan dat ik mijn telefoon niet mee naar beneden had genomen. Maar wat zou hij kunnen zeggen? Konden de aartsengelen zijn sms'jes lezen? Hoeveel konden ze zien? Waren ze overal? Ik voelde me ineens heel kwetsbaar.

'Vertel eens, Nora,' zei mevrouw Parnell. 'Hoe is Coldwater High? Scott deed aan worstelen in Portland. Zijn team heeft de afgelopen drie jaar de regionale kampioenschappen gewonnen. Hebben jullie een goed worstelteam? Ik dacht dat wij een keer tegen Coldwater hadden gespeeld, maar Scott vertelde me dat jullie derde klasse spelen.'

Ik probeerde me te concentreren, maar het lukte niet. Hadden we überhaupt een worstelteam?

'Ik weet niets van het worstelteam,' zei ik kortaf, 'maar het basketbalteam heeft de regionale kampioenschappen een keer gewonnen.'

Mevrouw Parnell stikte bijna in haar wijn. 'Eén keer?' Ze keek van mij naar mijn moeder, alsof ze een uitleg eiste.

'Er hangt een foto bij de administratie,' zei ik. 'Aan de foto te zien, was het een jaar of zestig geleden.'

De ogen van mevrouw Parnell werden groter. 'Zestig jaar geleden?' Ze veegde haar mond af met haar servet. 'Is er iets mis met de school? Met de coach? Of de sportcoördinator?'

'Maakt niet uit,' zei Scott. 'Ik wilde de rest van het jaar toch niet meer sporten.'

Mevrouw Parnell legde haar vork hard neer. 'Maar je bent dol op worstelen.'

Scott schoof nog een hap lasagne naar binnen en haalde onverschillig zijn schouders op.

'En dit is je examenjaar.'

'Nou en?' zei Scott met zijn mond vol.

Mevrouw Parnell zette haar ellebogen op tafel en leunde voorover. 'Met die cijfers van jou laat geen enkele goede universiteit jou toe, meneer. Je mag blij zijn als je überhaupt ergens een opleiding mag doen.'

'Ik wil niet studeren. Ik wil andere dingen doen.'

Haar wenkbrauwen schoten omhoog. 'O? Dezelfde dingen als vorig jaar zeker?' Zodra ze dat had gezegd, zag ik de angst in haar ogen.

Scott kauwde nog twee keer en slikte zijn eten toen moeizaam door. 'Mag ik de salade, alsjeblieft, Blythe?'

Mijn moeder gaf de schaal aan mevrouw Parnell, die hem net iets te hard voor Scott neerzette.

'Wat is er vorig jaar gebeurd?' vroeg mijn moeder, die de gespannen stilte doorbrak.

Mevrouw Parnell zwaaide nonchalant met haar hand voor haar gezicht. 'O, je weet wel hoe die dingen gaan. Scott is vorig jaar een beetje in de problemen geraakt. Gewone tienerproblemen, hoor, niets bijzonders.' Ze lachte, maar het was duidelijk dat ze het niet meende.

'Mam,' zei Scott op een waarschuwende toon.

'Je weet hoe jongens zijn,' ratelde mevrouw Parnell door, terwijl ze gebaarde met haar vork. 'Ze denken niet na. Ze zijn impulsief. Roekeloos. Wees maar blij dat je een dochter hebt, Blythe. O, wat is dat knoflookbrood heerlijk. Kan iemand me nog een sneetje aangeven?'

'Ik had het niet moeten vragen,' mompelde mijn moeder, terwijl ze het brood naar mevrouw Parnell schoof. 'Ik wil nog een keer zeggen dat ik het echt heel fijn vind dat jullie weer in Coldwater komen wonen.'

Mevrouw Parnell knikte krachtig. 'Wij zijn ook blij dat we weer terug zijn.'

Ik hield op met eten en keek van Scott naar mevrouw Parnell. Ik probeerde te bedenken wat er aan de hand was. Blijkbaar was Scott een typische puberjongen, dat snapte ik nog wel. Maar mevrouw Parnell wilde ons wel heel graag doen geloven dat er niets bijzonders aan de hand was. Daar trapte ik natuurlijk niet in. En Scott hield zijn moeder zo goed in de gaten als ze iets zei, dat ik er nu van overtuigd was dat het iets ergs was.

Ik wilde meer weten. Ik legde mijn hand op mijn hart en zei: 'Zeg Scott, heb je soms 's nachts verkeersborden gejat, om in je kamer te hangen?'

Mevrouw Parnell lachte hard en opgelucht. Bingo. Wat het ook was, het was niet zoiets onschuldigs als verkeersborden stelen. Ik had geen vijftig dollar, maar als ik die had gehad, had ik er alles om durven verwedden dat mijn vermoeden klopte en dat Scotts problemen erger waren dan typisch jongensgedrag.

'Nou ja,' zei mijn moeder, die overdreven glimlachte, 'dat ligt allemaal in het verleden. Coldwater is een prachtige plek voor een frisse start. Heb je je al ingeschreven voor de vakken, Scott? Het zit soms snel vol allemaal, vooral de gevorderde lessen.'

'Gevorderde lessen?' herhaalde Scott snuivend. 'Sorry hoor, maar dat is iets te hoog gegrepen voor mij. Zoals mijn moeder net al zei...' hij pakte haar schouder en schudde haar iets te hard heen en weer, 'zijn mijn cijfers niet om over naar huis te schrijven en kan ik alleen naar een goede universiteit met een sportbeurs. Aardig van je, mam.'

Ik wilde niet dat iemand deze gelegenheid aangreep om van onderwerp te veranderen. Ik wilde het nog steeds over Scotts problemen hebben. 'O, kom op, Scott. Wat was het? Was het echt zo erg? Het kan toch niet zo verschrikkelijk zijn dat je het je oude vrienden niet durft te vertellen?'

'Nora,' begon mijn moeder.

'Dronken achter het stuur? Auto gejat? Joyriden?'

Onder de tafel voelde ik hoe mijn moeder me schopte. Ze keek me kwaad aan met een blik van *wat heb jij?*

Scott schoof zijn stoel naar achteren en stond op. 'Waar is het toilet?' vroeg hij aan mijn moeder. Hij trok nerveus aan zijn T-shirt.

'Boven aan de trap.' Haar stem klonk verontschuldigend. Ze verontschuldigde zich voor mijn gedrag, terwijl zij degene was die dit belachelijke etentje georganiseerd had. Iedereen kon zien dat het maar één doel had en dat was niet om gezellig bij te praten met oude vrienden. Vee had gelijk gehad: dit was een *meet cute*. Nou, ik had nieuws voor mijn moeder. Scott en ik? Nooit.

Nadat Scott was opgestaan, keek mevrouw Parnell me met een overdreven glimlach aan, alsof ze de afgelopen vijf minuten wilde wissen en opnieuw beginnen. 'Vertel eens,' zei ze vrolijk tegen mijn moeder, 'heeft Nora een vriendje?'

'Nee,' zei ik. 'Een beetje,' zei mijn moeder tegelijkertijd.

'Dat is ook verwarrend,' zei mevrouw Parnell, terwijl ze een hap lasagne naar binnen werkte en van mij naar mijn moeder keek.

'Hij heet Patch,' zei mijn moeder.

'Wat een rare naam,' zei mevrouw Parnell. 'Wat dachten die ouders wel niet?'

'Het is een bijnaam,' legde mijn moeder uit. 'Patch vecht nogal eens en dan moet hij weer opgelapt worden en Patch is Engels voor oplappen.'

Ik had er ineens spijt van dat ik ooit aan mijn moeder had uitgelegd dat Patch een bijnaam was.

Mevrouw Parnell schudde haar hoofd. 'Volgens mij heeft het te maken met straatbendes. Bij straatbendes gebruiken ze altijd bijnamen. Slasher, Slayer, Maimer, Mauler, Reaper. Patch.'

Ik rolde met mijn ogen. 'Patch zit niet bij een straatbende.'

'Dat denk jij,' zei mevrouw Parnell. 'Jij denkt zeker dat dat alleen in de grote stad gebeurt?' Ze was even stil en ik meende te zien dat ze snel een blik wierp op Scotts lege stoel. 'Maar de tijden veranderen. Een paar weken geleden zag ik een aflevering van *Law & Order* over een bende met rijkeluisjongens uit dorpen. Ze noemden zichzelf geheime genootschappen of bloedgenootschappen of zoiets, maar het komt allemaal op hetzelfde neer. Ik dacht dat het was verzonnen voor de serie, maar Scotts vader zei dat dit steeds vaker voorkomt. En hij kan het weten, want hij is politieagent.'

'Is uw man politieagent?' vroeg ik.

'Ex-man, moge zijn ziel rotten.'

Zo is het genoeg. Scotts stem kwam uit de schaduw van de gang en ik schrok. Ik bedacht me net dat hij misschien wel helemaal niet naar het toilet was gegaan en dat hij daar de hele tijd had staan luisteren, toen het ineens tot me doordrong. Hij had niet hardop gesproken.

Ik was er vrij zeker van dat hij tegen mijn gedachten had gesproken. Nee. Niet mijn gedachten. Die van zijn moeder. En op de een of andere manier had ik het gehoord.

Mevrouw Parnell gooide haar handen in de lucht. 'Alles wat ik zei was "moge zijn ziel rotten" en dat neem ik niet terug. Dat is precies hoe ik me voel.'

'Ik zei, zo is het genoeg.' Scotts stem klonk kalm en griezelig.

Mijn moeder draaide zich met een ruk om, alsof ze schrok en nu pas merkte dat Scott de kamer weer in was gelopen. Ik knipperde vol ongeloof met mijn ogen. Ik had toch niet echt gehoord dat hij tegen zijn moeders gedachten praatte? Ik bedoel, Scott was menselijk... toch?

'Sla jij zo'n toon aan tegen je eigen moeder?' zei mevrouw Parnell terwijl ze afkeurend haar vinger heen en weer bewoog. Maar ik zag dat die vinger meer voor ons bedoeld was dan voor Scott.

Hij keek haar nog een paar seconden aan met zijn kille blik en liep toen de gang op. Hij liep naar buiten en sloeg de voordeur met een klap dicht.

Mevrouw Parnell veegde haar mond af, waardoor het servet roze werd van haar lippenstift. 'De onaangename kant van een scheiding.' Ze zuchtte diep. 'Scott was nooit zo opvliegend. Maar hij gaat steeds meer op zijn vader lijken. Nou. Dit is geen fijn onderwerp voor aan tafel. Worstelt Patch, Nora? Misschien kan Scott hem een paar trucjes leren.'

'Hij poolt,' zei ik kortaf. Ik had geen zin om over Patch te praten. Niet hier en niet nu. Niet nu ik een brok in mijn keel kreeg als ik aan hem dacht. Ik dacht weer aan mijn telefoon en hoe graag ik wilde kijken of hij een berichtje had gestuurd. Ik was niet meer zo boos, dus was Patch waarschijnlijk ook afgekoeld. Had hij mij vergeven? Genoeg om me te bellen of te sms'en? Het was allemaal zo ingewikkeld, maar we konden toch iets verzinnen? Het was niet zo erg als het leek. We zouden er wel voor zorgen dat het werkte.

Mevrouw Parnell knikte. 'Polo. Echt een typische sport voor Maine.'

'Poolen,' corrigeerde mijn moeder haar. 'Met een keu. Zoals biljart.'

Mevrouw Parnell kantelde haar hoofd, alsof ze niet zeker wist of ze het goed verstaan had. 'Poolcafés,' zei ze uiteindelijk. 'Broeinesten voor bendes. Die aflevering van *Law & Order* die ik had gezien? Daar zaten die rijke jongens in poolcafés alsof het casino's in Las Vegas waren. Ik zou maar oppassen voor die Patch van jou, Nora. Hij houdt misschien wel dingen voor je achter. Duistere dingen.'

'Hij zit niet in een bende,' zei ik voor wat voelde als de miljoenste keer. Ik moest mijn best doen om beleefd te klinken.

Maar zodra ik het had gezegd, realiseerde ik me dat ik helemaal niet zeker wist of Patch nooit in een bende had gezeten. Telde een groep gevallen engelen als een bende? Ik wist niet veel over zijn verleden, vooral niet over de tijd voordat hij mij ontmoette...

'We zullen het zien,' zei mevrouw Parnell. 'We zullen het zien.'

Een uur later was het eten op, waren de borden afgewassen en was mevrouw Parnell eindelijk weggegaan om Scott te zoeken. Ik ging naar mijn kamer. Mijn telefoon lag met het scherm naar boven op de grond, waardoor ik gelijk kon zien dat ik geen sms'jes, voicemailberichten of gemiste oproepen had.

Mijn lip trilde en ik wreef hard in mijn ogen om mijn tranen tegen te houden. Ik wilde niet meer denken aan alle nare dingen die ik tegen Patch had gezegd. Ik probeerde een oplossing te bedenken. De aartsengelen konden ons niet verbieden om elkaar te zien of met elkaar te praten. Patch was immers mijn beschermengel. Hij moest mijn leven redden. We zouden kunnen blijven doen wat we altijd hadden gedaan. Over een paar dagen zouden we onze eerste echte ruzie zijn vergeten en gewoon weer normaal doen. En wat maakte het uit waar ik later wilde wonen? Dat zagen we dan wel weer. Het was niet zo dat ik mijn hele leven al uitgestippeld had.

Maar er was één ding dat ik niet helemaal snapte. Patch en ik hadden elkaar de afgelopen maanden gewoon in het openbaar aangeraakt en gezoend. Dus waarom was het nu ineens een probleem voor de aartsengelen?

Mijn moeder stak haar hoofd om de hoek van de deur. 'Ik moet nog even wat dingen kopen voor ik een paar dagen wegga. Ik ben zo terug. Heb je nog iets nodig van de winkel?'

Ze zei niets over Scott en hoe leuk hij was. Blijkbaar wilde ze hem vanwege zijn dubieuze verleden niet meer aan mij koppelen. 'Nee, dank je.'

Ze had de deur al bijna dichtgedaan, toen ze zich bedacht en mijn kamer in kwam. 'We hebben een probleempje. Ik vertelde Lynn net dat je geen auto hebt. Ze bood aan dat Scott je wel naar school kon rijden deze zomer. Ik zei dat dat echt niet nodig was, maar Lynn denkt waarschijnlijk dat ik dat alleen maar zei omdat ik dacht dat het te veel moeite zou zijn voor Scott. Ze zei dat je hem als betaling morgen een rondleiding door Coldwater kon geven.'

'Vee komt me morgen ophalen.'

'Dat zei ik ook, maar ze wilde er niets van weten. Het lijkt me het beste als je het Scott zo snel mogelijk laat weten. Bedank hem gewoon voor het aanbod en zeg dat je al een lift hebt geregeld.'

Net waar ik op zat te wachten. Nog meer contact met Scott.

'Ik wil liever dat je gewoon met Vee meerijdt,' voegde ze er langzaam aan toe. 'Als ik weg ben deze week en Scott komt langs... misschien is het beter om hem een beetje op afstand te houden.'

'Vertrouw je hem niet?'

'We kennen hem niet zo goed,' zei ze voorzichtig.

'Maar Scott en ik waren zulke goede vrienden, weet je nog?'

Ze keek me dwingend aan. 'Dat was lang geleden. Tijden veranderen.'

Dat vond ik nou ook.

'Ik wil gewoon iets meer over Scott weten voordat je tijd met hem doorbrengt,' ging ze verder. 'Als ik terugkom, zal ik eens zien of ik ergens achter kan komen.'

Dit was een onverwachte wending. 'Ga je in zijn verleden spitten?'

'Lynn en ik zijn goede vriendinnen. Ze is enorm gestrest op dit moment. Misschien wil ze wel iemand in vertrouwen nemen over wat er is gebeurd.' Ze liep naar mijn nachtkastje, pakte wat van mijn handcrème en smeerde die uit over haar handen. 'Als ze over Scott begint, kan ik moeilijk níét luisteren.'

'Als je mijn mening wilt horen... ik vond dat hij heel raar deed tijdens het eten.'

'Zijn ouders zijn net gescheiden,' zei ze op die voorzichtige neutrale toon van haar. 'Hij maakt nu heel veel mee. Het is niet makkelijk om een ouder te verliezen.'

Dat hoef je mij niet te vertellen.

'De veiling is woensdagmiddag weer afgelopen en ik ben tegen etenstijd thuis. Vee komt morgen logeren, toch?'

'Ja,' zei ik. Ik moest het Vee nog vragen, maar nam aan dat het geen probleem was. 'Ik ben trouwens op zoek naar een baantje.' Ik kon het maar beter gelijk zeggen, vooral omdat ik hoopte iets gevonden te hebben voordat ze thuiskwam.

Mijn moeder knipperde verbaasd met haar ogen. 'Hoe kom je daar ineens bij?'

'Ik heb een auto nodig.'

'Ik dacht dat Vee het prima vond om je steeds op te halen.'

'Ik voel me zo'n parasiet.' Ik kon niet eens naar de winkel om tampons te halen zonder Vee te bellen. En nog erger, ik had vandaag bijna een lift van Marcie Millar geaccepteerd. Ik wilde geen onmogelijke eisen aan mijn moeder stellen, want ik wist dat ze krap zat, maar ik wilde ook geen herhaling van wat er vanochtend was gebeurd. Al vanaf het moment dat mijn moeder de Fiat had verkocht verlangde ik naar een auto en door die cabriolet die ik vanmiddag had gezien, had ik beseft dat ik actie moest ondernemen. Als ik zelf voor de auto zou betalen, leek me dat geen probleem.

'Hou je dan nog wel tijd over voor school?' vroeg mijn moeder. Ik hoorde aan haar toon dat ze niet heel enthousiast was. Niet dat ik dat had verwacht.

'Ik heb maar één vak.'

'Ja, maar het is scheikunde.'

'Sorry hoor, maar ik kan heus wel twee dingen tegelijk.'

Ze ging op de rand van mijn bed zitten. 'Is er iets? Je doet zo kortaf vanavond.'

Ik wachtte even met antwoorden. Ik wilde haar zo graag de waarheid vertellen. 'Nee. Er is niets.'

'Je lijkt zo gestrest.'

'Lange dag. O, en had ik al verteld dat Marcie Millar mijn scheikundepartner is?'

Ik kon aan haar uitdrukking zien dat ze wist hoe diep dit zat. Ik rende tenslotte al elf jaar lang naar mijn moeder als Marcie weer iets had geflikt. En het was mijn moeder die me troostte en me moed insprak zodat ik weer naar school durfde.

'Ik zit acht weken aan haar vast.'

'Als jij die acht weken overleeft zonder haar te vermoorden, dan kunnen we het misschien wel eens hebben over een auto.'

'Dat wordt moeilijk, mam.'

Ze gaf een kus op mijn voorhoofd. 'Ik verwacht een uitgebreid verslag als ik weer terug ben. Geen wilde feestjes als ik weg ben.'

'Ik beloof niets.'

Vijf minuten later reed mijn moeder haar Taurus van de oprit. Ik liet het gordijn weer voor het raam vallen, ging op de bank zitten en staarde naar mijn telefoon.

Maar niemand belde.

Ik greep Patch' ketting, die ik nog steeds droeg en kneep er hard in. Ik werd ineens overvallen door de afschuwelijke gedachte dat dit misschien alles was wat ik nog van hem had.

Hoofdstuk 4

De droom kwam in drie kleuren: zwart, wit en matgrijs.

Het was een koude avond. Ik stond met blote voeten op de onverharde weg. Modder en regen stroomden in de kuilen. Overal lagen stenen en groeide onkruid. Het was donker op het platteland. Er was één lichtpuntje: een paar honderd meter van de weg stond een herberg met een rieten dak. Er brandden kaarsen voor de ramen. Ik wilde er net heen lopen om te schuilen, toen ik in de verte bellen hoorde rinkelen.

Toen het geluid van de bellen dichterbij kwam, ging ik op veilige afstand van de weg staan. Ik zag hoe een door paarden getrokken wagen uit de duisternis tevoorschijn kwam en stopte op de plek waar ik net nog had gestaan. Zodra de wielen stopten met draaien, sprong de koetsier van de wagen. De modder spetterde omhoog tot halverwege zijn laarzen. Hij trok aan de deur en deed een stap achteruit.

Er verscheen een donkere vorm. Een man. Om zijn schouders hing een cape, die klapperde in de wind. Omdat hij zijn capuchon op had, kon ik zijn gezicht niet zien.

'Wacht hier,' zei hij tegen de koetsier.

'Mijnheer, het regent behoorlijk...'

De man met de cape knikte in de richting van de herberg. 'Ik heb zaken te doen. Ik zal niet lang weg zijn. Hou de paarden gereed.'

De koetsier keek naar de herberg. 'Maar mijnheer, daar zijn enkel dieven en schooiers. Er hangt iets in de lucht vanavond. Ik voel het aan mijn botten.' Hij wreef over zijn armen, alsof hij het koud had. 'Mijnheer, het lijkt mij beter om snel naar huis te gaan. Naar mevrouw en de kleintjes.'

'Zeg hier niets over tegen mijn vrouw.' De man met de cape, die handschoenen droeg, sloot en opende zijn handen. Zijn blik bleef gericht op de herberg. 'Zij heeft al genoeg zorgen,' mompelde hij.

Ik richtte mijn aandacht op de herberg en de ontelbare kaarsen die flikkerden in de kleine, scheve ramen. Het dak was ook scheef. Het helde een beetje naar rechts, alsof de herberg gebouwd was met krakkemikkig gereedschap. De muren waren bezaaid met onkruid en klimop en zo nu en dan klonk er gejoel of het geluid van brekend glas.

De koetsier veegde zijn neus af met de mouw van zijn mantel. 'Mijn eigen zoon is twee jaar geleden aan de pest gestorven. Verschrikkelijk wat u en mevrouw doormaken.'

In de stilte die volgde, stampten de paarden ongeduldig met hun hoeven in de modder. De regen stroomde van hun vacht en er kwamen ijswolkjes uit hun neusgaten. Het was allemaal zo geloofwaardig dat ik er bang van werd. Nog nooit had een droom zo echt gevoeld.

De man met de cape stapte het stenen pad naar de herberg op. De randen van de droom verdwenen achter hem en na een korte aarzeling besloot ik hem te volgen, bang dat ik ook zou verdwijnen als ik niet bij hem zou blijven. Ik glipte achter hem aan de herberg binnen.

Tegen de achterste muur stond een gigantische oven met een stenen schoorsteen. Aan de muur naast de oven hingen houten kommen, tinnen bekers en bestek aan spijkers. In de hoek stonden drie tonnen en lag een schurftige hond te slapen. Op de vloer stonden stoelen op hun kop en overal lagen vieze borden en bekers. Eigenlijk kon je het geen vloer noemen. Het was platgestampte modder met zaagsel en zodra ik erop stapte, bleef de modder aan mijn vieze voeten plakken. Ik bedacht net dat ik wel een warme douche kon gebruiken toen ik me bewust werd van een stuk of tien gasten die aan verschillende tafels zaten.

De meeste mannen hadden schouderlang haar en vreemde puntbaarden. Hun broeken waren wijd en in grote laarzen gestopt en hun blouses hadden pofmouwen. Ze droegen hoeden met brede randen. Ze deden me aan pelgrims denken.

Het was duidelijk dat mijn droom zich in een ver verleden afspeelde en omdat de details zo levendig waren, zou ik toch een idee moeten hebben welke periode het precies was. Maar ik wist het niet. Het was waarschijnlijk in Engeland, maar of het de vijftiende of de achttiende eeuw was, wist ik niet. Ik had dit jaar een hoog cijfer gehaald voor geschiedenis, maar we hadden geen enkel proefwerk gehad over het herkennen van kleding. Ik herkende niets van het tafereel dat ik nu voor me zag.

'Ik ben op zoek naar een man,' zei de man in de cape tegen de herbergier, die achter een hoge tafel stond die blijkbaar als bar diende. 'Er is mij verteld dat ik hem hier moest ontmoeten, maar ik ben bang dat ik zijn naam niet ken.'

De herbergier, een kleine man met een paar sprieten haar die rechtovereind op zijn hoofd stonden, bestudeerde de man met de cape. 'Iets drinken?' vroeg hij. Hij had geen tanden, maar zwarte stompjes.

Ik slikte mijn misselijkheid weg bij het zien van zijn gebit en deed een stap achteruit.

De man met de cape leek mijn walging niet te delen. Hij schudde zijn hoofd alleen maar. 'Ik moet deze man zo snel mogelijk vinden. Er is mij verteld dat u mij zou kunnen helpen.'

De verrotte glimlach van de barman verdween. 'Ja, ik kan u helpen, mijnheer. Maar heb vertrouwen in een oude man en neem eerst een drankje of twee. Iets om uw bloed op te warmen op een koude avond.' Hij schoof een klein glas naar de man toe.

De man, die zijn capuchon nog steeds op had, schudde zijn hoofd. 'Ik ben bang dat ik een beetje haast heb. Vertel mij waar ik hem kan vinden.' Hij schoof een paar vervormde munten over de tafel.

De herbergier deed de munten in zijn zak. Hij gebaarde met zijn hoofd naar de deur. 'Hij verblijft in het bos daarginds. Maar mijnheer? Wees voorzichtig. Men zegt dat het spookt in het bos. Men zegt dat de man die het bos in gaat, de man is die er nooit meer uitkomt.'

De man met de cape leunde over de tafel. 'Ik wil u een persoonlijke vraag stellen,' fluisterde hij. 'Betekent de Joodse maand Cheshvan iets voor u?'

'Ik ben geen Jood,' zei de herbergier kortaf, maar iets in zijn blik vertelde me dat dit niet de eerste keer was dat iemand hem die vraag stelde.

'De man die ik zoek vertelde me dat ik hem hier moest ontmoeten op de eerste nacht van Cheshvan. Hij zei dat ik hem een dienst moest bewijzen en dat die twee weken zou duren.'

De herbergier wreef over zijn kin. 'Twee weken is een lange tijd.'

'Te lang. Ik wilde niet komen, maar ik ben bang voor wat de man gaat doen als ik niet kom. Hij had het over mijn gezin, kende hun namen. Ik heb een prachtige vrouw en vier zoons. Ik wil niet dat hun iets overkomt.'

De herbergier leunde naar de man toe, alsof hij hem een schandalige roddel wilde vertellen. 'De man die u zoekt, is...' Hij stopte midden in zijn zin en keek achterdochtig om zich heen.

'Hij heeft ongebruikelijk veel macht,' zei de man met de cape. 'Ik heb zijn kracht eerder gezien. Het is een indrukwekkende man. Ik ben gekomen om hem om te praten. Hij kan niet van mij verwachten dat ik mijn verplichtingen en mijn gezin zo lang achterlaat. De man zal redelijk zijn.'

'Ik weet niets van de redelijkheid van deze man,' zei de herbergier.

'Mijn jongste zoon heeft de pest,' legde de man met de cape uit met een trillende en wanhopige stem. 'De artsen denken dat hij niet lang meer heeft. Mijn gezin heeft mij nodig. Mijn zoon heeft mij nodig.'

'Drink toch iets,' zei de herbergier zachtjes. Hij schoof het glas voor de tweede keer over de tafel.

De man met de cape draaide zich abrupt om en liep naar de achterdeur. Ik volgde hem.

Buiten liep ik op mijn blote voeten achter hem aan door de ijzige modder. Het regende nog steeds en ik moest voorzichtig zijn dat ik niet uitgleed. Ik wreef in mijn ogen en zag dat de man verdween achter de rij bomen aan de rand van het bos.

Ik rende hem achterna en aarzelde even bij de bosrand. Ik hield mijn natte haar vast, zodat het niet in mijn gezicht waaide en tuurde de schaduw in.

Ik zag een plotselinge beweging en ineens rende de man met de cape terug. Hij struikelde en viel. De takken bleven haken aan zijn cape en hij probeerde hem los te rukken van zijn nek. Hij slaakte een hoge en angstaanjagende gil. Hij sloeg wild met zijn armen en zijn hele lichaam schokte en kronkelde.

Ik liep naar hem toe. De takken van de bomen schraapten over mijn armen en de stenen staken in mijn blote voeten. Ik viel naast hem op mijn knieën. Zijn capuchon zat nog over zijn hoofd, maar ik kon zien dat zijn mond openstond in een verlamde schreeuw.

'Rol om!' zei ik. Ik trok aan zijn cape.

Maar hij kon me niet horen. Voor het eerst nam de droom een vertrouwde vorm aan. Net als in alle nachtmerries die ik ooit had gehad, lukte niets. Hoe harder ik iets probeerde, hoe verder het van mij weggleed.

Ik greep zijn schouders en schudde hem heen en weer. 'Rol om! Ik kan je hier wegkrijgen, maar je moet wel meewerken.'

'Ik ben Barnabas Underwood,' brabbelde hij. 'Weet je de weg naar de herberg? Goed zo, meisje,' zei hij. Hij aaide de lucht alsof hij een denkbeeldige wang aaide.

Ik verstijfde. Het was niet mogelijk dat hij mij zag. Hij hallucineerde over een ander meisje. Dat moest wel. Hoe kon hij mij zien als hij mij niet kon horen?

'Ren terug naar de herberg en vraag de herbergier om hulp,' ging hij verder. 'Zeg hem dat er geen man is. Zeg hem dat het een van de duivelsengelen is. Hij wil mijn lichaam overnemen en mijn ziel weggooien. Zeg hem dat hij een priester, heilig water en rozen moet sturen.'

Toen hij het woord 'duivelsengelen' zei, trok er een rilling over mijn rug.

Hij draaide zijn gezicht weer naar het bos en strekte zijn nek. 'De engel!' fluisterde hij in paniek. 'De engel komt!'

Zijn mond vertrok en maakte vreemde vormen. Het zag eruit alsof hij moest vechten om de controle over zijn eigen lichaam te houden. Zijn rug trok hol en zijn capuchon viel nu helemaal af.

Ik had de cape nog steeds vast, maar voelde hoe mijn handen

hem vanzelf loslieten. Ik staarde vol ongeloof naar de man die hier lag en hapte vol verbazing naar adem. Dit was Barnabas Underwood niet.

Dit was Hank Millar.

De vader van Marcie.

Ik knipperde met mijn ogen en werd wakker.

Zonnestralen schenen mijn slaapkamer binnen. Er zaten kieren in het kozijn en een lui briesje blies de eerste ochtendlucht over mijn huid. Mijn hart ging nog steeds tekeer van mijn nachtmerrie, maar ik haalde diep adem en verzekerde mezelf ervan dat alles een droom was. Nu ik weer helemaal in mijn eigen wereld was, vond ik het eerlijk gezegd vooral vreemd dat ik over Marcies vader had gedroomd. Ik wilde het zo snel mogelijk vergeten en duwde de droom uit mijn gedachten.

Ik haalde mijn telefoon onder mijn kussen vandaan en keek of ik berichtjes had. Patch had niet gebeld. Ik trok het kussen naar me toe en probeerde het holle gevoel in mijn buik te negeren. Hoeveel uren waren er voorbij sinds Patch was weggelopen? Twaalf. Hoeveel uren zou het nog duren voordat ik hem weer zou zien? Ik had geen idee en daar maakte ik me grote zorgen over. Hoe meer tijd er voorbijging, hoe dikker de muur van ijs tussen ons werd.

Probeer gewoon de dag door te komen, zei ik tegen mezelf, terwijl ik de brok in mijn keel doorslikte. Deze vreemde afstand tussen ons kon niet eeuwig duren. Het zou in ieder geval niet opgelost worden als ik de hele dag in bed bleef liggen. Ik zou Patch weer zien. Misschien kwam hij wel langs na school. Of ik kon hem bellen. Ik bleef deze belachelijke gedachten herhalen en weigerde om aan de aartsengelen te denken. Of aan de hel. Of aan hoe bang ik was dat Patch en ik problemen hadden die we nooit zouden kunnen oplossen.

Ik rolde uit bed, liep naar de badkamer en zag dat er een geeltje op de spiegel zat geplakt.

Het goede nieuws: ik heb met Lynn gepraat en Scott komt je niet ophalen. Het slechte nieuws: Lynn staat erop dat de rondleiding door Coldwater doorgaat. Het had geen zin om nee te zeggen. Vind je het erg om hem na school even wat dingen te laten zien? Hou het kort. Heel kort. Zijn nummer ligt op de keukentafel.

XXX Mam

PS Ik bel je vanavond

Ik kreunde en liet mijn hoofd tegen de spiegel vallen. Ik wilde geen minuut meer met Scott doorbrengen en al helemaal niet een paar uur.

Veertig minuten later had ik gedoucht, me aangekleed en een kom aardbeienhavermout naar binnen gewerkt. Er werd op de voordeur geklopt. Het was Vee, met een grote glimlach op haar gezicht. 'Klaar voor weer een fijne dag zomerschool?' vroeg ze.

Ik haalde mijn rugzak van het haakje in de kast in de gang. 'Laten we gewoon gaan, oké?'

'Wat ben jij chagrijnig. Ochtendhumeurtje?'

'Nee.'

'Wat is er dan gebeurd?'

'Scott Parnell.' *Patch.*

'Heeft hij je weer pissebedden laten eten?'

'Ik moet hem vanmiddag een rondleiding geven.'

'Een middagje alleen met een jongen. Wat is daar erg aan?'

'Je had hem moeten zien gisteravond. Het was echt bizar. Scotts moeder wilde ons vertellen over zijn problemen, maar

Scott onderbrak haar. En het leek zelfs alsof hij haar bedreigde. Toen ging hij naar het toilet, maar uiteindelijk bleek dat hij ons op de gang stond af te luisteren.' *En toen sprak hij tegen zijn moeders gedachten. Misschien.*

'Klinkt alsof hij erg gesteld is op zijn privacy. Klinkt alsof wij daar iets aan moeten doen.'

Ik liep voor haar uit naar buiten en kreeg ineens een briljant idee. Ik draaide me om. 'Waarom geef jij Scott de rondleiding niet? Nee, echt, Vee. Je vindt hem vast geweldig. Het is echt zo'n foute jongen die zich niet aan de regels houdt. Hij vroeg zelfs of we bier in huis hadden. Schandalig, toch? Ik denk dat hij echt perfect bij jou past.'

'Kan niet. Ik ga lunchen met Rixon.'

Ik voelde een onverwachte steek in mijn hart. Patch en ik hadden ook plannen om te gaan lunchen vandaag, maar ik betwijfelde of dat nog door zou gaan. Wat had ik gedaan? Ik moest hem bellen, met hem praten. Ik kon het niet zo laten eindigen. Het was absurd. Maar een klein stemmetje zei me dat hij mij ook niet had gebeld. Hij had net zoveel reden als ik om zijn excuses aan te bieden. Ik haatte dat stemmetje.

'Ik betaal je acht dollar en tweeëndertig cent als je Scott meeneemt. Laatste bod,' zei ik.

'Verleidelijk, maar nee. En dan nog iets. Patch gaat het waarschijnlijk niet tof vinden als jij en Scott er een gewoonte van maken om samen tijd door te brengen. Begrijp me niet verkeerd. Het kan me geen klap schelen wat Patch vindt en als jij hem gek wilt maken, ga je gang. Maar ik dacht, ik zeg het gewoon even.'

Ik was halverwege de verandatrap en gleed bijna uit toen ze Patch' naam noemde. Ik overwoog om Vee te vertellen dat ik het had uitgemaakt, maar ik was nog niet klaar om het hardop uit te spreken. Ik voelde mijn telefoon, waar foto's van Patch op stonden, branden in mijn zak. Ik wilde de telefoon wegsmijten, maar tegelijkertijd was ik er nog lang niet klaar voor om hem te verliezen. Bovendien kon ik het Vee ook niet vertellen, omdat ze dan gelijk zou denken dat ik klaar was om weer met andere jongens uit te gaan, wat niet zo was. Ik was niet op zoek naar iemand anders en Patch ook niet. Dit was gewoon een kleine hindernis. Onze eerste echte ruzie. We waren niet echt uit elkaar. In het heetst van de strijd hadden we allebei dingen gezegd die we niet meenden.

'Als ik jou was, zou ik het afzeggen,' zei Vee, die op hakken van tien centimeter de trap af liep. 'Dat doe ik ook altijd als ik ergens geen zin in heb. Bel Scott gewoon en zeg dat je kat een halve muis heeft uitgekotst en dat je naar de dierenarts moet.'

'Hij was hier gisteravond. Hij weet dat ik geen kat heb.'

'Nou, dan weet hij in ieder geval zeker dat je niet geïnteresseerd bent. Of hij moet wel een heel groot bord voor zijn kop hebben.'

Ik dacht erover na. Als ik Scott geen rondleiding hoefde te geven, kon ik Vee's auto misschien lenen en hem volgen. Ik had allerlei zinvolle redenen bedacht voor wat ik gisteren had gehoord, maar het bleef aan me knagen en ik dacht toch echt dat hij tegen zijn moeders gedachten had gesproken. Een jaar geleden had ik dit een belachelijk idee gevonden. Maar nu was alles anders. Patch had al heel vaak tegen mijn gedachten gesproken. En Chauncey (ook wel bekend als Jules), een Nephil uit mijn verleden, ook. Omdat gevallen engelen niet ouder werden en ik Scott al kende vanaf mijn vijfde, wist ik zeker dat hij geen gevallen engel was. Maar hij kon heel goed Nephilim zijn.

Maar wat deed hij dan in Coldwater? Waarom had hij een normaal tienerleven? Wist hij dat hij Nephilim was? Wist Lynn het? Had Scott al een gelofte van trouw gezworen aan een gevallen engel? Als dat zo was, was het dan mijn verantwoordelijkheid om hem te waarschuwen voor wat nog ging komen? Ik had het niet gelijk goed met Scott kunnen vinden, maar dat betekende nog niet dat ik vond dat hij het verdiende om zijn lichaam ieder jaar twee weken op te moeten geven.

Het kon natuurlijk ook dat hij helemaal niet Nephilim was. Misschien had ik me wel ingebeeld dat hij tegen zijn moeders gedachten praatte.

Na scheikunde ging ik naar mijn kluisje en verruilde mijn boek voor mijn rugzak en mijn telefoon. Ik liep naar de uitgang aan de zijkant van de school omdat ik daar een mooi uitzicht had over de parkeerplaats. Scott zat op de motorkap van zijn zeegroene Mustang. Hij had zijn hawaïpetje weer op en ik bedacht ineens dat ik hem zonder zijn petje niet zou herkennen. Ik wist niet eens wat voor kleur haar hij had. Ik haalde het briefje van mijn moeder uit mijn zak en belde zijn nummer.

'Dit moet Nora Grey zijn,' zei hij. 'Ik hoop niet dat je onze afspraak gaat afzeggen.'

'Slecht nieuws. Mijn kat is ziek. De dierenarts had nog een gaatje om halféén. We zullen die rondleiding een andere keer moeten doen. Sorry,' zei ik als laatste. Ik had niet verwacht dat ik me zo schuldig zou voelen. Het was tenslotte slechts een klein leugentje. En ik geloofde geen seconde dat Scott echt een rondleiding door Coldwater wilde. Tenminste, dat maakte ik mezelf wijs.

'Oké dan,' zei Scott, die gelijk ophing.

Ik had mijn telefoon net weer in mijn jas gedaan, toen ik merkte dat Vee achter me stond. 'Heb je die pipo afgewimpeld? Goed zo.'

'Mag ik de Neon vanmiddag lenen?' vroeg ik, terwijl ik zag hoe Scott van de Mustang sprong en iemand belde.

'Waarvoor?'

'Ik wil Scott volgen.'

'Waarom? Ik dacht dat je het zo'n droeftoeter vond?'

'Er klopt iets niet.'

'Ah ja, ik zie het. Hulk Hogan belde net. Hij wil zijn bril terug. Maar hoe dan ook, het kan niet. Ik ga lunchen met Rixon.'

'Ja, maar Rixon kan je toch komen ophalen? Dan kan ik de Neon meenemen,' zei ik. Ik keek weer uit het raam om te zien of Scott er nog was. Ik wilde niet dat hij wegging voordat ik Vee had overgehaald om mij de sleutels van de Neon te geven.

'Natuurlijk kan dat wel. Maar dan lijk ik zo afhankelijk en mannen willen een sterke, onafhankelijke vrouw.'

'Als ik de Neon mag lenen, krijg je hem met een volle tank weer terug.'

Vee keek ineens een stuk vriendelijker. 'Helemaal vol?'

'Helemaal vol.' Of hoeveel erin ging voor acht dollar en tweeëndertig cent.

Vee kauwde op haar lip. 'Oké,' zei ze langzaam. 'Maar misschien moet ik mee om je gezelschap te houden en te zorgen dat er niets ergs gebeurt.'

'En Rixon dan?'

'Dat ik een knap vriendje heb, wil nog niet zeggen dat ik mijn beste vriendin in de kou laat staan. Bovendien heb ik het gevoel dat je mijn hulp wel kunt gebruiken.'

'Er gaat niets ergs gebeuren. Ik wil hem alleen maar volgen. Hij zal er niets van merken.' Maar ik was dankbaar dat ze het aanbood. De afgelopen maanden hadden me veranderd. Ik was niet meer zo naïef en onoplettend als vroeger. Het was misschien wel goed als Vee meeging. Vooral als Scott Nephilim was. De enige andere Nephil die ik had gekend, had me geprobeerd te vermoorden.

Nadat Vee Rixon had gebeld en hun afspraak had afgezegd, wachtten we totdat Scott achter het stuur zat en de parkeerplaats afreed. We zagen hoe hij linksaf ging en renden naar Vee's paarse Dodge Neon uit 1995. 'Rij jij maar,' zei Vee, die de sleutels naar mij gooide. Een paar minuten later hadden we de Mustang in het zicht. We reden drie auto's achter hem. Scott ging de snelweg op en reed naar het oosten, richting de kust. Ik volgde hem.

Een halfuur later reed Scott de boulevard op en parkeerde zijn auto bij een rij winkels die op de zee uitkwam. Ik ging langzamer rijden en gaf hem de tijd om zijn auto op slot te doen en weg te lopen. Ik parkeerde een stukje verderop.

'Het ziet ernaar uit dat Scott de Broekplasser gaat winkelen,' zei Vee. 'Nu we het daar toch over hebben, vind je het erg als ik even een paar winkels in wip terwijl jij Sherlock Holmes speelt? Rixon zei laatst dat hij het leuk vindt als meisjes sjaals dragen, en ik heb bijna geen sjaals.'

'Ga je gang.'

Ik bleef een stukje achter Scott lopen en zag hoe hij een hippe kledingwinkel in liep. Hij kwam een kwartier later weer naar buiten met een plastic tas. Hij ging een andere winkel in en kwam tien minuten later weer naar buiten. Niets bijzonders. Niets waardoor ik kon denken dat hij Nephilim was. Na een derde winkel werd Scotts aandacht getrokken door een groepje studentes dat aan de overkant zat te lunchen. Ze zaten op een terras van een restaurant en droegen heel korte broekjes en heel kleine bikinitopjes. Scott haalde zijn telefoon uit zijn zak en maakte stiekem een paar foto's.

Ik draaide me om en grijnsde in het raam van een eetcafé en toen zag ik hem. Hij zat aan een tafeltje en had een kakibroek, een blauwe blouse en een ivoorkleurige linnen blazer aan. Zijn golvende blonde haar was langer en hij droeg het in een lage staart. Hij las de krant.

Mijn vader.

Hij vouwde de krant op en liep naar de andere kant van het café.

Ik rende over de stoep en duwde de deur van het café open. Mijn vader was verdwenen in de menigte. Ik rende naar de andere kant van het café en keek uitzinnig om me heen. De zwart-wit geblokte vloer van de hal kwam uit bij de toiletten. De herentoiletten links en de damestoiletten rechts. Er was geen andere uitgang, dus kon mijn vader nergens anders zijn dan op het herentoilet.

'Wat doe je?' vroeg Scott, die ineens recht achter me stond.

Ik draaide me met een ruk om. 'Hoe... wat... wat doe jij hier?'

'Ik wilde jou net hetzelfde vragen. Ik weet dat je me gevolgd bent. Kijk niet zo verrast. Ik heb toch een achteruitkijkspiegel. Is er een specifieke reden dat je me stalkt?'

Ik was zo in de war dat het me niets kon schelen wat hij zei. 'Ga de herentoiletten binnen en kijk of je daar een man met een blauwe blouse ziet.'

Scott klopte op mijn voorhoofd. 'Drugs? Een gedragsstoornis? Je lijkt wel schizofreen.'

'Doe het nou maar.'

Scott schopte tegen de deur aan, die openvloog. Ik hoorde hoe hij de deuren van de toiletten opendeed, en even later was hij weer terug.

'Noppes.'

'Ik zag hier een man met een blauwe blouse lopen. Er is geen andere uitgang.' Ik keek naar de deur aan de andere kant van de gang. De enige andere deur. Ik liep de damestoiletten in en deed iedere deur open. Mijn hart klopte in mijn keel. Alle drie de toiletten waren leeg.

Ik realiseerde me dat ik mijn adem inhield en ademde uit. Mijn gevoelens, voornamelijk teleurstelling en angst, waren een chaos. Ik dacht dat ik mijn vader had gezien. Maar mijn eigen verbeelding had me op een heel wrede manier voor de gek gehouden. Mijn vader was dood. Hij zou nooit meer terugkomen en ik moest een manier verzinnen om dat te accepteren. Ik liet me tegen de muur aan naar beneden zakken en voelde mijn hele lichaam schokken van de tranen.

Hoofdstuk 5

Scott stond in de deuropening van het damestoilet met zijn armen over elkaar. 'Dus zo ziet het eruit bij de dames. Ik moet zeggen, het is hier een stuk schoner.'

Ik hield mijn hoofd gebogen en veegde mijn neus af met de achterkant van mijn hand. 'Wil je me even met rust laten?'

'Ik ga niet weg voordat je me vertelt waarom je me bent gevolgd. Ik weet dat ik een fascinerende jongen ben, maar dit begint steeds meer op een ongezonde obsessie te lijken.'

Ik krabbelde overeind en gooide koud water in mijn gezicht. Ik vermeed Scotts blik in de spiegel, pakte een papieren handdoekje en droogde mijn gezicht af.

'En je gaat me ook vertellen naar wie je op zoek was in het herentoilet,' zei Scott.

'Ik dacht dat ik mijn vader zag,' snauwde ik. Ik legde al mijn woede in mijn antwoord om de pijn die ik diep vanbinnen voelde steken, te verbergen. 'Oké? Tevreden met het antwoord?' Ik maakte een prop van het handdoekje en gooide het in de prullenbak. Ik wilde de toiletten uit lopen, maar Scott liet de deur dichtvallen. Hij ging met zijn rug tegen de deur staan en hield me tegen.

'Als ze degene vinden die dit heeft gedaan en hem voor de rest van zijn leven opsluiten, zul je je beter voelen.'

'Bedankt voor het slechtste advies ooit,' zei ik verbitterd; ik zou me alleen maar beter voelen als ik mijn vader terug zou krijgen.

'Geloof me. Mijn vader zit bij de politie. Het moment dat hij familieleden kan vertellen dat hij de moordenaar heeft gevonden, vindt hij het mooiste onderdeel van zijn beroep. Ze zullen hem vinden en hij zal ervoor boeten. Een leven voor een leven. Dan pas zul je er vrede mee hebben. Laten we hier weggaan. Ik voel me een beetje een viezerik als man op de damestoiletten.' Hij wachtte. 'Dat zei ik om je aan het lachen te maken.'

'Ik ben niet in de stemming.'

Hij legde zijn handen boven op zijn hoofd en haalde zijn schouders op. Hij voelde zich duidelijk niet op zijn gemak, alsof hij een hekel had aan ongemakkelijke momenten en niet wist hoe hij ze op moest lossen. 'Luister, ik ga vanavond poolen in een kroeg in Springvale. Zin om mee te gaan?'

'Nee.' Ik was niet in de stemming om te poolen. Ik zou alleen maar aan Patch moeten denken. Ik herinnerde me die eerste avond, toen ik hem had opgezocht om een opdracht voor biologie af te maken en ik in de kelder van Bo's was beland, waar hij aan het poolen was. Ik herinnerde me dat hij me had geleerd om te poolen. Ik herinnerde me de manier waarop hij achter me stond, zo dichtbij dat het voelde als elektriciteit.

Ik herinnerde me vooral dat hij er altijd was geweest als ik hem nodig had. Maar ik had hem nu nodig. Waar was hij? Dacht hij aan me?

Ik stond op de veranda en zocht in mijn handtas naar mijn sleutels. Mijn natte schoenen piepten op de houten vloer. Mijn spijkerbroek was ook zeiknat van de regen en hij schuurde en jeukte. Nadat ik klaar was met het achtervolgen van Scott, had Vee me allerlei boetiekjes in gesleept om mijn mening te vragen over sjaals. En terwijl ik haar mijn mening gaf over een zijden paarse sjaal en eentje in neutrale tinten, was er een storm op komen zetten vanaf zee. We hadden een sprintje getrokken naar de auto, maar we waren toch helemaal doorweekt geraakt. We hadden de verwarming in de Neon op haar allerhoogst gezet, maar mijn tanden klapperden, mijn kleren voelden als ijs op mijn huid en ik was nog steeds helemaal van slag, omdat ik dacht dat ik mijn vader had gezien.

Ik duwde met mijn schouder tegen de natte deur en zocht met mijn hand naar de lichtknop. Boven in de badkamer trok ik al mijn koude kleren uit en hing ze over het doucherekje. Buiten schoot de bliksem door de lucht, gevolgd door zo'n harde knal dat het leek alsof er iemand op het dak bonsde.

Ik was wel vaker alleen thuis geweest als het buiten stormde, maar dat betekende niet dat ik het niet eng vond. Vanmiddag was geen uitzondering. Vee zou nu hier moeten zijn om te komen logeren, maar ze had besloten om nog een paar uurtjes met Rixon door te brengen, omdat ze hun afspraak eerder op de dag had afgezegd. Ik wilde dat ik terug kon reizen in de tijd, zodat ik Scott in mijn eentje had kunnen achtervolgen en zij nu gewoon hier was geweest.

Het licht in de badkamer knipperde twee keer en viel toen helemaal uit. Het was helemaal donker. De regen sloeg tegen het raam en liep er in stroompjes af. Ik stond even stil en hoopte dat de stroom vanzelf weer aan zou springen. De regen werd hagel en die sloeg zo hard tegen de ramen dat ik bang was dat het glas zou breken.

Ik belde Vee. 'De stroom is hier net uitgevallen.'

'Ja, ik zag de straatverlichting ook al uitgaan. Slechte zaak.'

'Zin om terug te rijden en mij gezelschap te houden?'

'Even denken. Nee.'

'Je hebt beloofd dat je kwam logeren.'

'Ik heb met Rixon afgesproken bij Taco Bell. Ik ga hem niet twee keer op één dag afbellen. Geef me een paar uurtjes en dan ben ik helemaal van jou. Ik bel je als ik klaar ben. Ik ben er in ieder geval voor middernacht.'

Ik hing op en probeerde te bedenken waar de lucifers lagen. Het was nog niet zo donker dat ik kaarsen nodig had, maar ik wilde dat alles zo licht mogelijk was, vooral omdat ik alleen was. Als het licht was, was de kans kleiner dat ik me enge dingen in mijn hoofd zou halen.

Er stonden kandelaars op de eettafel, herinnerde ik me. Ik sloeg een handdoek om mezelf heen en liep de trap af. Er lagen kaarsen in de la in de keuken. Maar waar waren de lucifers?

Op het veld achter het huis bewoog een schaduw. Ik keek snel naar het keukenraam. De regen stroomde van de ramen en vervormde de wereld buiten. Ik liep naar het raam toe om beter te kunnen kijken. Wat ik ook gezien had, het was nu weg.

Een coyote, vertelde ik mezelf, terwijl de adrenaline door mijn lijf gierde. *Gewoon een coyote.*

Ik hoorde het schelle geluid van de telefoon in de keuken en greep de hoorn gelijk beet, omdat ik hoopte een bekende stem te horen. Ik hoopte dat het Vee was, om te zeggen dat ze zich had bedacht.

'Hallo?'

Ik wachtte.

'Hallo?'

Ik hoorde alleen maar geruis.

'Vee? Mam?' Aan de rand van mijn blikveld zag ik weer een schaduw door het veld trekken. Ik ademde diep in en herinnerde mezelf eraan dat het absoluut niet zo kon zijn dat ik echt in gevaar was. Patch was dan misschien mijn vriendje niet meer, maar hij was nog steeds mijn beschermengel. Als ik gevaar zou lopen, zou hij hier zijn. Maar terwijl ik dat dacht, vroeg ik me af of ik nog wel op Patch kon rekenen.

Hij haatte me waarschijnlijk, wilde vast niets meer met mij te maken hebben. Hij was waarschijnlijk nog steeds woedend en had daarom nog geen poging gedaan om contact met me op te nemen.

Zodra ik eraan dacht, werd ik weer boos. Ik maakte me zorgen om hem, maar hij maakte zich, waar hij ook was, waarschijnlijk totaal geen zorgen om mij. Hij had gezegd dat hij mijn beslissing om het uit te maken niet zomaar zou accepteren, maar dat was precies wat hij wel had gedaan. Hij had me niet ge-sms't en niet gebeld. Hij had helemaal níéts gedaan. En het was niet zo dat hij geen reden had om contact met mij op te nemen. Wat mij betreft mocht hij op de stoep staan om uit te leggen wat hij twee avonden geleden bij Marcie deed. Of me vertellen waarom hij er als een idioot vandoor was gegaan toen ik had gezegd dat ik van hem hield.

Ja, ik was boos. Alleen ging ik er deze keer wat aan doen.

Ik gooide de telefoon in de keuken weer op de haak, pakte mijn mobiel en zocht Scotts nummer. Ik zou zijn aanbod om te gaan poolen aannemen. Ik wist dat ik het helemaal om de verkeerde redenen deed, maar ik wilde met Scott afspreken. Ik wilde een lange neus maken naar Patch. Als hij dacht dat ik thuis zou gaan zitten huilen, dan had hij het mis. We waren uit elkaar. Ik mocht met andere jongens afspreken. En als ik dan toch bezig was, kon ik gelijk even testen of Patch wel goed op mij lette. Misschien was Scott wel echt Nephilim. Misschien was hij gewoon een slechte jongen. Het soort jongen bij wie je uit de buurt moest blijven. Ik glimlachte toen ik me realiseerde dat het niet uitmaakte wat ik deed of wat Scott zou doen. Patch moest me beschermen.

'Ben je al in Springvale?' vroeg ik Scott, nadat ik zijn nummer had ingetoetst.

'Je vindt het dus toch niet zo erg om een avondje met mij door te brengen?'

'Als je het er zo inwrijft, ga ik niet mee.'

Ik hoorde dat hij glimlachte. 'Kalm aan, Grey, ik maakte maar een grapje.'

Ik had mijn moeder beloofd om bij Scott uit de buurt te blijven, maar ik maakte me geen zorgen. Als Scott iets zou doen, zou Patch me moeten redden.

'Nou?' zei ik. 'Kom je me nog ophalen?'

'Ik ben er rond een uur of zeven.'

Springvale is een klein vissersdorpje. Alle winkels en bedrijven zitten op Main Street: het postkantoor, een paar friettenten, een hengelsportwinkel en Poolcafé Z.

Z was een gebouw met twee verdiepingen, met een groot raam van spiegelglas waardoor je de pooltafels en de bar kon zien. De stoep voor de voordeur lag bezaaid met onkruid en afval. Twee mannen met kaalgeschoren hoofden en sikjes stonden op de stoep te roken. Ze maakten hun sigaretten uit en verdwenen naar binnen.

Scott parkeerde zijn auto vlak bij de ingang. 'Ik ga even naar een pinautomaat een paar straten verderop,' zei hij, terwijl hij de motor uitzette.

Ik bestudeerde het bordje boven het raam. POOLCAFÉ Z. Het kwam me bekend voor.

'Waar ken ik deze tent van?' vroeg ik.

'Een paar weken geleden was er een gevecht. Een van de vechters bloedde dood op een van de tafels. Dat was overal op het nieuws.'

O.

'Ik loop wel even met je mee,' bood ik aan.

Hij stapte uit en ik volgde zijn voorbeeld. 'Nee,' riep hij boven het geluid van de regen uit. 'Dan word je zeiknat. Wacht binnen maar. Ik ben er over tien minuten.' Zonder me nog een kans te geven om met hem mee te lopen, rende hij met zijn handen in zijn zakken de straat in.

Ik veegde de regen van mijn gezicht en ging onder het afdakje van het gebouw staan. Ik overwoog mijn opties. Ik kon alleen naar binnen gaan of ik kon hier wachten op Scott. Ik stond er nog geen vijf seconden en kreeg meteen al de kriebels. Er waren weinig mensen op straat, maar het was niet helemaal verlaten. De mensen die wel buiten liepen, droegen flanellen blouses en werkschoenen. Ze zagen er groter, stoerder en gemener uit dan de mannen die op Main Street in Coldwater liepen. Sommigen keken naar me.

Ik keek de kant op waar Scott heen was gelopen en zag hem nog net een zijsteegje in rennen. Mijn eerste gedachte was dat er waarschijnlijk geen pinautomaat in een steegje zou zitten. Mijn tweede gedachte was dat hij misschien tegen me gelogen had. Misschien ging hij helemaal niet pinnen. Maar wat moest hij dan in een steegje in de regen? Ik wilde hem volgen, maar wist niet hoe ik dat ongemerkt kon doen. Het laatste wat ik wilde, was dat hij mij nog een keer zou betrappen terwijl ik hem bespioneerde. Dat zou niet echt bevorderlijk zijn voor het vertrouwen tussen ons.

Ik bedacht dat ik misschien kon zien wat hij aan het doen was door een van de zijramen in de Z. Ik deed de deur open.

De lucht binnen was koel en het rook er naar sigaretten en zweet. Het plafond was laag en de muren waren van beton. Er hingen een paar posters van auto's, een kalender van *Sports Illustrated* en een spiegel van Budweiser. Voor de rest hing er niets aan de muur. Er zaten geen ramen in de muur aan de zijkant, dus kon ik Scott niet zien. Ik liep verder de schaduw in en probeerde de rook niet al te veel in te ademen. Toen ik achter in het café kwam, zag ik een achterdeur die op een steegje uitkwam. Het was niet zo handig als een raam, maar ik zou het ermee moeten doen. Als Scott me betrapte, kon ik gewoon doen alsof ik even naar buiten was gegaan voor frisse lucht. Toen ik zeker wist dat er niemand keek, deed ik de deur open en stak ik mijn hoofd naar buiten.

Twee sterke handen grepen de kraag van mijn spijkerjasje, trokken me naar buiten en duwden me tegen de stenen muur.

'Wat doe jij hier?' wilde Patch weten. Achter hem stroomde de regen van de metalen luifel.

'Poolen,' stamelde ik. Ik was zo geschrokken dat het leek alsof mijn hart stilstond.

'Poolen,' herhaalde hij. Het was duidelijk dat hij er niets van geloofde.

'Ik ben hier met een vriend. Scott Parnell.'

Zijn uitdrukking verhardde.

'Heb je daar een probleem mee?' snauwde ik. 'We zijn uit elkaar, weet je nog? Ik mag best op stap met andere jongens als ik dat wil.' Ik was boos. Boos op de aartsengelen, op ons lot, op de gevolgen. Ik was boos dat ik hier met Scott was en niet met Patch. En ik was boos op Patch, omdat hij mij niet in zijn armen nam en me vertelde dat hij alles wat er de afgelopen vierentwintig uur met ons was gebeurd, achter zich wilde laten. Dat alles wat tussen ons in stond, was weggespoeld en dat het vanaf nu gewoon hij en ik was, en niets anders.

Patch keek naar de grond en kneep in zijn neusrug. Ik zag dat hij probeerde geduldig te blijven, maar dat het hem heel veel moeite kostte. 'Scott is Nephilim. Een volbloed, eerstegeneratie Nephilim. Net als Chauncey.'

Ik knipperde met mijn ogen. Het was dus waar. 'Bedankt voor de info, maar ik vermoedde al zoiets.'

Hij maakte een gebaar alsof hij van mij walgde. 'Hou eens op met dat dappere spelletje van je. Hij is Nephilim.'

'Niet iedere Nephil is Chauncey Langeais hoor,' zei ik geïrriteerd. 'Niet iedere Nephil is kwaadaardig. Als je Scott een kans geeft, zal je zien dat hij echt heel...'

'Scott is niet zomaar een Nephil,' onderbrak Patch mij. 'Hij behoort tot een zeer machtig bloedgenootschap van Nephilim. Het genootschap wil ervoor zorgen dat de Nephilim worden bevrijd en tijdens Cheshvan niet meer onderworpen worden aan gevallen engelen. Ze werven overal nieuwe leden om terug te vechten tegen gevallen engelen en er dreigt oorlog uit te breken tussen de twee kanten. Als het genootschap genoeg macht krijgt, zullen de gevallen engelen zich terugtrekken. Ze zullen mensen in plaats van Nephilim gaan gebruiken als hun onderdanen.'

Ik beet om mijn lip en keek hem ongemakkelijk aan. Ineens dacht ik aan mijn droom van gisteravond. Cheshvan. Nephilim. Gevallen engelen. Ik kon er niet aan ontsnappen.

'Waarom nemen gevallen engelen nooit bezit van mensenlichamen?' vroeg ik. 'Waarom kiezen ze voor Nephilim?'

'Mensenlichamen zijn niet zo sterk en veerkrachtig als die van Nephilim,' antwoordde Patch. 'Een mens gaat dood als er twee weken lang bezit van hem genomen wordt, dus zouden er elke Cheshvan tienduizenden mensen sterven.

En het is ook veel moeilijker om bezit te nemen van een mens,' ging hij door. 'Gevallen engelen kunnen mensen geen gelofte van trouw laten zweren. Ze moeten ze overhalen om hun lichamen op te geven. Dat kost tijd en overredingskracht. Mensenlichamen bederven ook sneller. Er zijn niet veel gevallen engelen die moeite willen doen om een mensenlichaam te bezitten als het na een week al sterft.'

Er trok een rilling over mijn rug, maar ik zei: 'Dat is een zielig verhaal, maar daar kan ik Scott en alle andere Nephilim moeilijk de schuld van geven. Ik zou ook niet willen dat er ieder jaar twee weken lang bezit van mijn lichaam werd genomen. Het klinkt niet echt als een probleem van de Nephilim. Het klinkt als een probleem van de gevallen engelen.'

Hij klemde zijn kaken stijf op elkaar. 'De Z is niets voor jou. Ga naar huis.'

'Ik ben er net.'

'Vergeleken met deze tent is Bo's een kinderspeelplaats.'

'Bedankt voor de tip, maar ik ben niet echt in de stemming om de hele avond zwelgend van zelfmedelijden in mijn eentje thuis te zitten.'

Patch sloeg zijn armen over elkaar en keek me bedachtzaam aan. 'Breng jij jezelf in gevaar vanwege mij?' zei hij. 'Ik weet niet of je het bent vergeten, maar ik ben niet degene die het heeft uitgemaakt.'

'Denk vooral niet dat dit over jou gaat.'

Patch haalde zijn sleutels uit zijn zak. 'Ik breng je naar huis.' Hij klonk alsof ik hem enorm tot last was en dat hij hier totaal geen zin in had.

'Ik hoef geen lift. Ik heb je hulp niet nodig.'

Hij lachte zonder humor. Het was een cynisch lachje. 'Jij stapt nu in de jeep en als je dat niet doet, sleep ik je er zelf naartoe. Je blijft hier niet. Het is te gevaarlijk.'

'Je kunt me niet commanderen.'

Hij staarde me alleen maar aan. 'En je gaat ook niet meer met Scott om.'

Ik voelde mijn woede omhoogborrelen. Hoe durfde hij te denken dat ik zwak en hulpeloos was? Hoe durfde hij de baas over mij te spelen en me te vertellen waar ik wel en niet heen mocht en wie ik wel en niet mocht zien? Hoe durfde hij te doen alsof ik niets voor hem betekende?

Ik keek hem kil aan. 'Je hoeft niets voor me te doen. Ik heb er nooit om gevraagd. En ik wil ook niet meer dat je mijn beschermengel bent.'

Patch boog over mij heen en een regendruppel gleed van zijn haar en landde als ijs op mijn sleutelbeen. Ik voelde hoe de druppel over mijn huid liep en mijn shirt in gleed. Zijn ogen volgden de regendruppel en ik begon te trillen. Ik wilde hem vertellen dat ik spijt had van alles wat ik had gezegd. Ik wilde hem vertellen dat Marcie mij niets kon schelen en dat het me niet uitmaakte wat de aartsengelen van ons vonden. Ik gaf om ons. Maar de kille, harde waarheid was dat ik er niets aan kon veranderen. Ik kón niet om ons geven. Niet als ik Patch in de buurt wilde houden. Niet als ik niet wilde dat hij verbannen zou worden naar de hel. Hoe vaker we ruzie hadden, hoe makkelijker het was om opgeslokt te worden door haat en mezelf ervan te overtuigen dat hij niets voor mij betekende en dat ik door kon zonder hem.

'Dat neem je terug,' zei Patch zachtjes.

Ik durfde hem niet aan te kijken en ik durfde het ook niet terug te nemen. Ik keek langs hem naar de regen. Ik haatte het dat ik te trots was om het terug te nemen.

'Neem het terug, Nora,' herhaalde Patch. Hij klonk kwaad.

'Ik kan niet doen wat ik wil met jou in mijn leven,' zei ik. Ik baalde ervan dat hij zag hoe mijn kin trilde. 'Het zal voor iedereen makkelijker zijn als we gewoon... ik wil dat we echt helemaal uit elkaar zijn. Ik heb hierover nagedacht.' Dat had ik niet. Ik had hier helemaal niet over nagedacht. Ik had dit niet willen zeggen. Maar een klein, verschrikkelijk en verachtelijk deel van mij wilde Patch net zoveel pijn doen als hij mij had gedaan. 'Ik wil je uit mijn leven. Helemaal.'

Na een moment van zware stilte stak Patch zijn hand uit en stopte iets in de achterzak van mijn spijkerbroek. Misschien verbeeldde ik het me wel, maar het leek alsof hij zijn hand iets langer dan nodig was in mijn zak hield.

'Geld,' legde hij uit. 'Dat ga je nodig hebben.'

Ik haalde de briefjes er weer uit. 'Ik wil je geld niet.' Toen hij de stapel briefjes die ik naar hem uitstak niet aannam, duwde ik ze tegen zijn borst. Ik wilde langs hem heen weer naar binnen lopen, maar Patch pakte mijn hand en legde hem tegen zijn lichaam.

'Neem het geld aan.' Zijn stem vertelde me dat ik er niets van snapte. Dat ik hem en zijn wereld niet begreep. Ik was een vreemdeling en zou er nooit bij horen. 'De helft van de gasten hier draagt een wapen. Als er iets gebeurt, gooi het geld dan op tafel en ren naar buiten. Niemand zal je volgen als er een stapel geld voor het oprapen ligt.'

Ik moest denken aan Marcie. Probeerde hij me nu te vertellen dat iemand me neer zou kunnen steken? Ik moest er bijna om lachen. Dacht hij nou echt dat ik daar bang voor was? Het maakte helemaal niet uit of ik hem wel of niet als beschermengel wilde. Niets wat ik zei of deed kon zijn plicht wegnemen. Hij móést mij beschermen. Het feit dat hij hier nu was, was daar het bewijs van.

Hij liet mijn hand los en trok aan de deurklink. Ik zag hoe de spieren in zijn arm zich aanspanden. De deur sloeg met een harde klap achter hem dicht.

Hoofdstuk 6

Scott stond bij een van de voorste pooltafels. Hij leunde op zijn keu en keek met een ernstige blik op zijn gezicht naar de ballen op de tafel.

'Pinautomaat gevonden?' vroeg ik, terwijl ik mijn klamme spijkerjasje op een stoel hing.

'Ja, maar niet voordat ik tien liter regen had ingeslikt.' Hij deed zijn hawaïpetje af en schudde zijn hoofd om te benadrukken hoe nat hij was geworden. Misschien was hij wel echt wezen pinnen, maar niet nadat hij klaar was met wat hij moest doen in het steegje. En hoe graag ik ook wilde weten wat dat was, ik zou er waarschijnlijk niet achter komen. Toen Patch me naar zich toe had getrokken om me te vertellen dat ik naar huis moest gaan omdat het hier te gevaarlijk was, had ik mijn kans gemist om Scott te bespieden.

Ik legde mijn handen op de rand van de pooltafel en leunde nonchalant voorover. Ik hoopte dat het eruitzag alsof ik me helemaal thuis voelde, maar de waarheid was dat ik mijn hart in mijn keel voelde kloppen. Ik had net weer ruzie met Patch gehad en bovendien zag iedereen er in deze kroeg onvriendelijk uit. En hoe ik het ook probeerde, ik kon niet vergeten dat er iemand was doodgebloed op een van deze tafels. Was het deze tafel? Ik liet de tafel los en veegde mijn handen aan mijn broek af.

'We gaan net met een potje beginnen,' zei Scott. 'Voor vijftig dollar mag je meedoen. Pak een keu.'

Ik was helemaal niet in de stemming om te poolen en wilde veel liever gewoon kijken, maar ik zag dat Patch aan de pokertafel achterin zat. Hoewel zijn lichaam zo gedraaid was dat hij mij niet recht aan kon kijken, wist ik dat hij me in de gaten hield. Hij hield iedereen hier in de gaten. Hij ging nooit ergens heen zonder een uitgebreide en gedetailleerde inschatting van zijn omgeving te maken.

Met dit in mijn achterhoofd probeerde ik zo oogverblindend mogelijk naar Scott te glimlachen. 'Prima.' Ik wilde niet dat Patch wist hoe naar en gekwetst ik me voelde. Ik wilde niet dat hij zag dat ik het niet naar mijn zin had met Scott.

Maar voordat ik naar het rek met keus kon lopen, kwam er een kleine man met een bril en een giletje naast Scott staan. Hij zag er in alle opzichten uit alsof hij hier niet hoorde: hij was keurig gekleed, zijn broek was gestreken en zijn leren schoenen waren gepoetst. 'Hoeveel?' zei hij tegen Scott, zo zachtjes dat hij bijna niet te horen was.

'Vijftig,' antwoordde Scott geïrriteerd. 'Hetzelfde als altijd.'

'Bij dit spel moet je minstens honderd inleggen.'

'Sinds wanneer?'

'Laat me het anders zeggen. Jíj moet minstens honderd inleggen.'

Scott kreeg een rood hoofd. Hij pakte zijn drankje, dat op de rand van de tafel stond, en sloeg het in één keer achterover. Toen pakte hij zijn portemonnee en haalde er een paar briefjes uit. Hij stopte de briefjes in het zakje op de voorkant van de blouse van de man. 'Hier heb je vijftig. Ik betaal de andere helft nadat we uitgespeeld zijn. En wil je me nu met rust laten, met je slechte adem? Dan kan ik me concentreren op het spel.'

De kleine man tikte met een potlood tegen zijn onderlip. 'Je zult eerst je rekening met Dew moeten vereffenen. Hij begint ongeduldig te worden. Hij is behoorlijk mild geweest tot nu toe.'

'Vertel hem maar dat ik het geld aan het eind van de avond heb.'

'Dat excuus had je een week geleden ook. Daar gaat Dew niet mee akkoord.'

Scott deed een stap richting de man en stond nu vlak voor hem. 'Ik ben hier niet de enige die Dew nog wat is verschuldigd.'

'Maar bij de anderen maakt hij zich geen zorgen of hij nog wel terugbetaald gaat worden.' De kleine man haalde het geld dat Scott net in zijn zak had gedaan er weer uit en liet de briefjes op de grond dwarrelen. 'Zoals ik al zei... Dew wordt ongeduldig.' Hij trok zijn wenkbrauwen betekenisvol omhoog en liep weg.

'Hoeveel ben je Dew verschuldigd?' vroeg ik.

Scott staarde me aan.

Oké, volgende vraag. 'Hoe zijn de tegenstanders?' Ik fluisterde een beetje en keek de ruimte rond. De andere spelers stonden rondom de andere pooltafels. Tweederde van hen rookte en driekwart had tatoeages van messen, geweren en andere wapens op de armen. Op iedere andere avond zou ik bang zijn geweest, of had ik me tenminste ongemakkelijk gevoeld, maar Patch zat er nog steeds en zolang hij er was, wist ik dat ik veilig was.

Scott snoof. 'Het zijn allemaal amateurs hier. Zelfs als ik een slechte dag had, zou ik ze nog kunnen verslaan. Mijn echte tegenstanders zijn daar.' Hij keek naar een gang aan het einde van het gedeelte waar we nu stonden. De gang was smal en donker en kwam uit op een oranje verlichte ruimte. In de deuropening hing een kraalgordijn en er stond één tafel met ingewikkeld houtsnijwerk.

'Dus daar wordt voor het grote geld gespeeld?' zei ik.

'Ik verdien daar met één potje wat ik hier met vijftien keer spelen verdien.'

Uit mijn ooghoek zag ik dat Patch naar me keek. Ik deed alsof ik het niet zag en haalde een paar dollarbiljetten uit mijn achterzak, terwijl ik naar Scott toe boog. 'Je hebt honderd dollar nodig voor het volgende potje, toch? Hier heb je vijftig,' zei ik, terwijl ik hem snel de twee briefjes van twintig en het briefje van tien gaf die Patch me had gegeven. Ik wilde Patch bewijzen dat ik mezelf echt wel kon redden in deze kroeg. Ik paste hier wel. Of ik kon er in ieder geval voor zorgen dat niemand mij lastigviel. En als het eruitzag alsof ik flirtte met Scott, dan was dat maar zo. *Stik er maar in*, dacht ik, hoewel ik wist dat Patch me niet kon horen.

Scott keek naar het geld in mijn hand. 'Is dit een grap?'

'Als jij wint, delen we de opbrengst.'

Scott keek zo begerig naar het geld dat ik ervan schrok. Hij had het geld nodig. Hij was hier vanavond niet voor de lol. Hij was gokverslaafd.

Hij greep het geld en rende naar de kleine man met het giletje, die ijverig bonnetjes aan het schrijven was voor de andere spelers. Ik wierp een blik op Patch om zijn reactie te zien, maar hij keek naar de pokertafel en ik kon niet zien wat hij dacht.

De man met het giletje telde Scotts geld en legde de biljetten zo neer dat ze allemaal dezelfde richting op lagen. Toen hij klaar was, glimlachte hij met zijn lippen op elkaar naar Scott. Het leek erop dat we mee mochten doen.

Scott kwam terug met een keu die hij aan het krijten was. 'Je moet mijn keu kussen. Dat brengt geluk.' Hij stak het ding naar mij toe.

Ik deed een stap achteruit. 'Ik ga geen biljartkeu kussen.'

Scott wapperde met zijn armen en maakte kakelgeluiden.

Ik keek snel de andere kant op, in de hoop dat Patch deze beschamende vertoning niet zou zien en toen zag ik haar: Marcie Millar. Ze stond achter Patch, leunde naar voren en sloeg haar armen om zijn nek.

Mijn hart stopte.

Scott zei iets en tikte met de keu tegen mijn voorhoofd, maar de woorden gleden langs me heen. Ik probeerde mijn ademhaling weer onder controle te krijgen en concentreerde me op de betonnen muur om de schok en het verraad te laten bezinken. Dus dit bedoelde hij toen hij zei dat het puur zakelijk was tussen hem en Marcie? Want zo zag het er niet uit! En wat deed zij hier? Ze was toch neergestoken bij Bo's? Voelde ze zich veilig omdat Patch in de buurt was? Heel even vroeg ik me af of hij dit deed om mij jaloers te maken. Maar als dat zo was, moest hij geweten hebben dat ik hier zou zijn vanavond. En dat had hij niet kunnen weten, tenzij hij mij bespioneerd had. Had hij mij de afgelopen vierentwintig uur in de gaten gehouden?

Ik stak mijn nagels diep in mijn hand en probeerde me op die pijn te concentreren en niet op het verstikkende, beschamende gevoel dat ik had. Ik stond als aan de grond genageld en probeerde ondertussen mijn tranen tegen te houden. Ineens werd mijn blik getrokken naar de deuropening bij de gang. Een jongen in een strak rood shirt leunde tegen de deurpost. Er klopte iets niet aan de huid van zijn keel. Die zag er bijna misvormd uit. Voordat ik hem beter kon bekijken, werd ik overvallen door een déjà vu. Op een vreemde manier kwam hij me heel bekend voor, ook al wist ik zeker dat we elkaar nog nooit hadden ontmoet. Ik wilde wegrennen, maar tegelijkertijd voelde ik een sterke behoefte om erachter te komen waar ik hem van kende.

Hij pakte een witte bal van de dichtstbijzijnde pooltafel en gooide hem een paar keer nonchalant in de lucht.

'Kom op,' zei Scott, die met de keu voor mijn gezicht zwaaide. De andere jongens die om de tafel stonden, lachten. 'Doe het nou maar, Nora,' zei Scott. 'Gewoon een klein kusje. Dat brengt geluk.'

Hij stak de keu onder de rand van mijn T-shirt en trok hem zo omhoog.

Ik sloeg de keu weg. 'Flikker op.'

Ik zag de jongen in het rode shirt bewegen. Het ging zo snel dat het niet gelijk tot me doordrong wat er gebeurde. Hij boog zijn arm en wierp de witte bal keihard naar de andere kant van de ruimte. Een moment later barstte de spiegel aan de muur in duizend stukjes. Het regende glasscherven.

Het werd doodstil. Het enige geluid was de rockmuziek uit de speakers.

'Jij,' zei de jongen in het rode shirt. Hij richtte een pistool op de man in het giletje. 'Geef me het geld.' Hij gebaarde met zijn pistool dat de man dichterbij moest komen. 'Hou je handen waar ik ze kan zien.'

Scott, die naast mij stond, liep naar hen toe. 'Doe normaal, man. Dat is ons geld.' Er klonk instemmend geschreeuw uit de menigte.

De man in het rode shirt hield zijn pistool op de kleine man gericht, maar keek naar Scott. Hij grijnsde en liet al zijn tanden zien. 'Niet meer.'

'Als je het geld pakt, vermoord ik je.' Scott klonk woedend en kalm tegelijk, en klonk ook alsof hij het meende. Ik stond als aan de grond genageld en durfde amper adem te halen. Ik was doodsbang, want ik twijfelde er geen seconde aan dat het pistool geladen was.

De man met het pistool glimlachte. 'O ja?'

'Niemand gaat ervandoor met ons geld,' zei Scott. 'Doe jezelf een plezier en leg je wapen neer.'

Er klonk weer een instemmend gemompel.

Ondanks het feit dat de sfeer steeds dreigender werd, krabde de man in het rode shirt nonchalant met de loop van het pistool aan zijn nek. Hij leek zich nergens zorgen om te maken. 'Nee.' Hij richtte het pistool nu op Scott. 'Ga op de tafel staan.'

'Flikker op.'

'Ga op de tafel staan!'

De man in het rode shirt hield het pistool nu met twee handen vast en richtte op Scotts borstkas. Heel langzaam deed Scott zijn handen in de lucht. Hij liep achteruit naar de pooltafel. 'Je komt hier nooit levend weg. Het is dertig tegen één.'

De man liep met drie grote passen naar Scott. Hij stond recht voor hem en had zijn vinger op de trekker. Er liep een zweetdruppel langs Scotts gezicht. Ik snapte niet waarom hij het pistool niet wegsloeg. Wist hij dan niet dat hij niet kon sterven? Wist hij niet dat hij Nephilim was? Patch had gezegd dat hij lid was van een bloedgenootschap van Nephilim. Hoe kon hij dat niet weten?

'Je begaat een grote fout,' zei Scott. Zijn stem was nog steeds kalm, maar er klonk nu ook een klein beetje paniek in door.

Ik vroeg me af waarom niemand aanstalten maakte om hem te helpen. De man in het rode shirt was, zoals Scott al had opgemerkt, in zijn eentje. Maar hij leek op de een of andere manier enorm machtig en gevaarlijk. Hij leek... van een andere wereld. Ik vroeg me af of de rest hem net zo eng vond als ik.

Ik vroeg me ook af of hij een gevallen engel was. Misschien

had ik daarom dat vreemde, ongemakkelijke gevoel dat ik hem kende. Of misschien was hij Nephilim.

Ik keek naar de menigte en ineens zag ik Marcie. We staarden elkaar aan. Ze had een verbijsterde en gefascineerde blik op haar gezicht. Ik zag aan haar dat ze geen idee had wat er stond te gebeuren. Ze wist niet dat Scott Nephilim was en in één hand meer kracht had dan een mens in zijn hele lichaam. Ze had nooit gezien hoe Chauncey, de eerste Nephil die ik ooit had ontmoet, met één hand mijn mobieltje had verpulverd. Ze was er niet bij geweest toen hij me 's nachts achterna had gezeten door de gangen van school. En de man in het rode shirt? Of hij nu Nephilim was of een gevallen engel, hij was waarschijnlijk even machtig. Wat er ook ging gebeuren, het zou in ieder geval geen normaal gevecht zijn.

Ze had haar lesje moeten leren bij Bo's en thuis moeten blijven. En ik ook.

De man in het rode shirt duwde Scott met zijn pistool. Scott viel achterover op de tafel en was zo verrast, of bang, dat hij naar zijn biljartkeu greep. De man in het rode shirt pakte de houten keu van hem af. Hij sprong op de tafel, richtte de keu op Scotts gezicht en ramde de keu in de tafel, een centimeter van Scotts oor. Hij deed dat met zoveel kracht dat de keu door het vilt heen ging en er aan de onderkant van de tafel weer uit kwam.

Ik onderdrukte een gil.

Scotts adamsappel trilde. 'Je bent gek, man,' zei hij.

Plotseling vloog er een barkruk door de lucht, die de man in het rode shirt raakte. Hij verloor zijn evenwicht en sprong van de tafel.

'Pak hem!' schreeuwde iemand in de menigte.

Er klonk iets van een oorlogskreet en meer mensen grepen barkrukken. Ik dook naar beneden en op mijn handen en knieën keek ik door het bos van benen waar de dichtstbijzijnde uitgang was. Een eindje verderop zag ik een man die een soort holster om zijn enkel had, met daarin een pistool. Hij greep ernaar en een moment later klonk het oorverdovende geluid van schoten. Wat volgde was geen stilte, maar nog meer herrie. Mensen scholden en schreeuwden en sloegen elkaar met hun blote vuisten. Ik kwam overeind en rende naar de achteruitgang.

Ik was net buiten toen iemand me bij een van de lusjes van mijn spijkerbroek greep. Patch.

'Neem de jeep,' zei hij, terwijl hij zijn autosleutels in mijn hand duwde. Ik zweeg. 'Waar wacht je nog op?'

De tranen sprongen in mijn ogen, maar ik knipperde ze weg. 'Waarom doe je alsof ik je enorm in de weg loop? Ik heb nooit om jouw hulp gevraagd!'

'Ik heb je gezegd dat je hier vanavond niet moest zijn. Je zou niet in de weg lopen als je naar me had geluisterd. Dit is jouw wereld niet. Dit is mijn wereld. Je wilt zo graag bewijzen dat je het aankan dat je straks nog iets doms doet en wordt gedood.'

Ik was het daar niet mee eens en opende mijn mond om iets te zeggen.

'De jongen in het rode shirt is Nephilim,' zei Patch, die niet van plan was om mij aan het woord te laten. 'Het brandmerk dat hij heeft, betekent dat hij sterke banden heeft met het bloedgenootschap waar ik je eerder over vertelde. Hij heeft trouw gezworen aan hen.'

'Brandmerk?'

'Bij zijn sleutelbeen.'

Dus dat litteken was een brandmerk? Ik keek door het kleine raam in de deur. Binnen vlogen de lichamen over de pooltafels. Ik zag de man in het rode shirt niet meer, maar ik begreep nu wel waarom ik hem had herkend. Hij was Nephilim. Hij deed me denken aan Chauncey, terwijl Scott me niet aan hem deed denken. Ik vroeg me af of dit betekende dat de man in het rode shirt kwaadaardig was, net als Chauncey. En misschien was Scott dat daarom niet.

Er klonk zo'n harde knal dat mijn trommelvliezen leken te scheuren. Patch trok me naar de grond. Glasscherven vielen om ons heen. Het raam van de achterdeur was kapotgeschoten.

'Ga nu weg,' zei Patch, die me naar de straat duwde.

Ik draaide me om. 'Waar ga jij dan heen?'

'Marcie is nog binnen. Ik rij wel met haar mee naar huis.'

Het leek alsof mijn longen op slot sprongen en er geen lucht meer in of uit kon. 'En ik dan? Je bent mijn beschermengel.'

Patch keek me met een doordringende blik aan. 'Niet meer, engel.' Voordat ik er iets tegenin kon brengen, glipte hij weer naar binnen en verdween in de chaos.

Eenmaal in de straat deed ik de jeep open, zette de stoel naar voren en racete weg. Was hij mijn beschermengel niet meer? Meende hij dat? Was dat alleen omdat ik hem verteld had dat ik het niet meer wilde? Of had hij het alleen maar gezegd om mij bang te maken? Om ervoor te zorgen dat ik spijt kreeg van mijn woorden? Nou, als hij mijn beschermengel niet meer was, dan kwam dat alleen doordat ik een verstandige keuze had gemaakt! Ik probeerde het voor ons allebei makkelijker te maken, zodat de aartsengelen hem niets konden maken. Ik had hem precies verteld waarom ik het had gedaan en nu deed hij net alsof het allemaal mijn schuld was. Even overwoog ik terug te rijden en hem te vertellen dat ik niet hulpeloos was, geen pion in zijn grote, boze wereld. En ik was ook niet blind. Ik zag heus wel dat er iets speelde tussen hem en Marcie, dat was wel duidelijk. Maar ik moest het vergeten. Ik was beter af zonder hem. Hij was een slijmbal. En een klootzak. Een onbetrouwbare klootzak. Ik had hem niet nodig. Nergens voor.

Ik parkeerde de jeep voor de boerderij. Mijn benen trilden nog steeds en mijn adem kwam hortend uit mijn longen. Ik was me heel erg bewust van de stilte om me heen. De jeep was altijd een toevluchtsoord geweest, maar vanavond voelde hij vreemd en geïsoleerd en veel te groot voor één persoon. Ik liet mijn hoofd op het stuur zakken en huilde. Ik probeerde niet aan Patch te denken, die Marcie naar huis reed in haar auto. Ik liet de warme lucht van de verwarming over mijn huid blazen en ademde Patch' geur in.

Ik bleef zo zitten, voorovergebogen en snikkend, totdat ik zag dat het pijltje van de benzinemeter een stukje naar beneden zakte. Ik depte mijn ogen droog en slaakte een diepe zucht. Ik stond op het punt om de motor uit te zetten toen ik Patch op de veranda zag staan. Hij leunde tegen een van de steunbalken.

Heel even dacht ik dat hij was gekomen om te kijken hoe het met me ging en er sprongen tranen van opluchting in mijn ogen. Maar ik had zijn jeep. Hij was natuurlijk gekomen om zijn auto terug te halen. Na de manier waarop hij mij had behandeld vanavond, kon ik niet geloven dat er een andere reden was.

Hij liep naar de auto en opende de deur aan de bestuurderskant. 'Gaat het?'

Ik knikte. Ik wilde ja zeggen, maar mijn stem werkte niet mee. De Nephil met de kille ogen zat nog vers in mijn geheugen en ik vroeg me af wat er was gebeurd nadat ik weg was gegaan. Was Scott weggekomen? En Marcie?

Natuurlijk was Marcie weggekomen. Daar had Patch vast wel voor gezorgd.

'Waarom wilde de Nephil in het rode shirt geld?' vroeg ik, terwijl ik opschoof naar de passagiersstoel. Het regende nog steeds en hoewel ik wist dat Patch niets voelde van de koude druppels, voelde het verkeerd om hem buiten te laten staan.

Na een paar seconden stapte hij in en deed de deur dicht. Twee dagen geleden had dit gebaar nog intiem gevoeld. Nu was het alleen maar gespannen en ongemakkelijk. 'Hij was geld aan het inzamelen voor het bloedgenootschap van de Nephilim. Wist ik maar wat ze van plan waren. Als ze geld nodig hebben, is dat waarschijnlijk voor hulpmiddelen. Of om gevallen engelen af te kopen. Maar hoe, wie en waarom weet ik niet.' Hij schudde zijn hoofd. 'Ik heb iemand nodig die voor mij spioneert. Voor het eerst in mijn leven werkt het niet in mijn voordeel dat ik een engel ben. Ze willen mij natuurlijk niet in de buurt.'

Heel even dacht ik dat hij mij misschien om hulp vroeg, maar ik was amper Nephilim. Er stroomde een verwaarloosbaar kleine hoeveelheid Nephilimbloed door mijn aderen, dat vierhonderd jaar terug te voeren was naar Chauncey Langeais, mijn Nephilimvoorouder. Ik was eigenlijk gewoon menselijk, en had even weinig kans om binnen te dringen bij het genootschap als Patch.

'Je zei dat Scott en de Nephil in het rode shirt allebei lid zijn van het bloedgenootschap,' zei ik, 'maar ze leken elkaar niet te kennen. Weet je zeker dat Scott er iets mee te maken heeft?'

'Ja, hij is lid van het genootschap.'

'Maar hoe kan het dan dat ze elkaar niet kennen?'

'Ik weet het niet, maar ik gok dat de leider van het genootschap de leden uit elkaar houdt. Zonder solidariteit is de kans op een coup het kleinst. Bovendien kunnen de Nephilim geen informatie doorspelen aan de vijand als ze niet weten hoe groot de groep is. Gevallen engelen kunnen nergens achter komen als de leden van het genootschap zelf niets weten.'

Dat moest ik even verwerken. Ik wist niet zeker aan wiens kant ik stond. Aan de ene kant walgde ik van het idee dat gevallen engelen iedere Cheshvan bezit namen van de lichamen van de Nephilim. Aan de andere kant was ik blij dat ze de Nephilim aanvielen en geen mensen. Mij niet. De mensen van wie ik hield niet.

'En Marcie?' zei ik zo nonchalant mogelijk.

'Ze speelt graag poker,' zei Patch op neutrale toon. Hij zette de jeep in zijn achteruit. 'Ik moet gaan. Red jij je vanavond? Is je moeder weg?'

Ik draaide me naar hem om zodat ik hem recht aankeek. 'Marcie had haar armen om jou heen geslagen.'

'Zo is Marcie gewoon. Dat doet ze bij iedereen.'

'Dus nu ben je ineens een Marcie-expert?'

Zijn ogen werden donkerder en ik wist dat ik dit niet moest zeggen, maar het kon me niets schelen. 'Wat speelt er tussen jullie? Het zag er nogal persoonlijk uit.'

'Ik was aan het pokeren toen ze ineens achter me stond en haar armen om me heen sloeg. Het is niet de eerste keer dat een meisje dat doet en het zal ook wel niet de laatste keer zijn.'

'Je had haar weg kunnen duwen.'

'Het ene moment had ze haar armen om me heen en een seconde later gooide de Nephil de biljartbal. Ik dacht niet aan Marcie. Ik rende naar buiten om te kijken of hij misschien meer Nephilim bij zich had.'

'Maar je kwam terug voor haar.'

'Ik wilde haar daar niet achterlaten.'

Ik bleef nog even zitten op mijn stoel. De knoop in mijn maag werd zo strak aangetrokken dat het pijn deed. Was hij teruggegaan uit beleefdheid? Plichtsbesef? Of iets veel ergers?

'Ik heb gisteravond over Marcies vader gedroomd.' Ik wist niet eens zeker waarom ik het zei. Misschien wel omdat ik Patch duidelijk wilde maken dat mijn pijn zo diep zat dat die zelfs mijn dromen binnendrong. Ik had wel eens gelezen dat je in dromen verwerkt wat er in je leven gebeurt en als dat waar was, vertelde mijn droom me dat ik nog niet verwerkt had wat er tussen Patch en Marcie gebeurde. Ik had niet voor niets gedroomd over gevallen engelen, Cheshvan en Marcies vader.

'Heb je over Marcies vader gedroomd?' Patch' stem was kalm als altijd, maar de blik in zijn ogen verraadde dat hij een klein beetje verrast was. Misschien zelfs verontrust.

'Ik was volgens mij in Engeland. Lang geleden. Marcies vader was in een bos en iemand zat hem achterna. Maar hij kon niet wegkomen, omdat zijn cape vastzat in de bomen. Hij bleef maar zeggen dat er een gevallen engel was die bezit van hem wilde nemen.'

Patch dacht hier even over na. Zijn stilte vertelde me dat ik iets had gezegd wat hij interessant vond. Maar ik had geen idee wat.

Hij keek op zijn horloge. 'Moet ik je huis even checken?'

Ik keek naar de duistere, lege ramen van de boerderij. Het was donker en het regende nog steeds, waardoor er een mistroostige en griezelige sfeer hing. Ik wist niet wat ik erger vond: dat ik alleen naar binnen moest of dat ik hier alleen met Patch moest blijven zitten, bang dat hij weg zou gaan. Naar Marcie Millar.

'Ik was in de auto blijven zitten, omdat ik niet nat wilde worden. Moest jij niet ergens heen?' Ik duwde de deur open en zwaaide een been naar buiten. 'En onze relatie is trouwens voorbij, mocht je dat zijn vergeten. Je hoeft dat soort dingen niet meer voor me te doen.'

Hij staarde me aan.

Ik had het gezegd om hem te kwetsen, maar ik was degene met een brok in de keel. Voordat ik iets kon zeggen wat hem nog dieper zou raken, rende ik naar de veranda, met mijn armen boven mijn hoofd om mijn haar te beschermen tegen de regen.

Binnen leunde ik tegen de voordeur en luisterde hoe Patch wegreed. De tranen liepen over mijn wangen en ik sloot mijn ogen. Ik wilde dat Patch terug zou komen. Ik wilde hem hier. Ik wilde dat hij mij tegen zich aan zou drukken en dat koude, lege gevoel weg zou kussen, zodat ik niet meer het gevoel had dat ik van binnenuit bevroor. Maar het geluid van piepende autobanden op de natte weg kwam niet.

Ineens moest ik denken aan onze laatste avond samen. De avond voordat alles in elkaar stortte. Ik probeerde de herinnering uit mijn gedachten te krijgen, maar het lukte niet. Het probleem was dat ik het me wílde herinneren. Ik had een manier nodig om Patch dicht bij me te houden. Ik hield het niet meer tegen en voelde zijn lippen op de mijne. Eerst zachtjes en daarna harder. Ik voelde zijn warme, stevige lichaam tegen het mijne. Zijn handen om mijn hals, het moment dat hij het zilveren kettinkje bij mij omdeed. Hij had beloofd dat hij altijd van me zou houden...

Ik draaide het nachtslot op de deur. *Val. Dood.* Ik bleef de woorden herhalen, zo vaak als maar nodig was.

In de keuken deed ik de lichtschakelaar omhoog. Ik was opgelucht dat er weer elektriciteit was. Het antwoordapparaat knipperde en ik luisterde de berichten af.

'Nora,' zei mijn moeders stem. 'Het gaat hier in Boston enorm regenen en ze hebben besloten om de rest van de veilingen uit te stellen. Ik ben onderweg naar huis en ben er rond een uur of elf. Je kunt Vee wel naar huis sturen als je dat wilt. Ik hou van je. Tot zo.'

Ik keek op de klok. Vijf voor tien. Ik had nog een uur voor mezelf.

Hoofdstuk 7

De volgende ochtend sleepte ik mezelf met moeite uit bed en na een snel bezoekje aan de badkamer, waar ik de kringen onder mijn ogen probeerde te verbergen met een camouflagestift en haarspray op mijn krullen spoot, slenterde ik naar de keuken. Mijn moeder zat al aan tafel. Ze had een kop kruidenthee voor zich en haar haar zat door de war van het slapen, wat bij haar eigenlijk betekende dat ze eruitzag als een stekelvarken. Ze nam een slok van haar thee. 'Goedemorgen,' zei ze.

Ik ging op de stoel tegenover haar zitten en deed wat cornflakes in een kom. Mijn moeder had aardbeien en een kan melk op tafel gezet. Ik probeerde te letten op wat ik at, maar dat leek altijd makkelijker te gaan als mijn moeder thuis was. Zij lette er tenminste op dat ik een fatsoenlijke maaltijd naar binnen kreeg.

'Lekker geslapen?' vroeg ze.

Ik knikte, terwijl ik een hap van mijn cornflakes nam.

'Ik was het gisteravond vergeten te vragen,' zei mijn moeder. 'Heb je Scott nog rondgeleid?'

'Ik heb het afgezegd.' Het was waarschijnlijk het beste om het daarbij te laten. Ik wist niet zeker hoe ze zou reageren als ze erachter zou komen dat ik hem had gevolgd naar de boulevard en dat ik daarna de avond met hem had doorgebracht in een poolcafé in Springvale.

Mijn moeder rimpelde haar neus. 'Ik ruik... rook. Hoe kan dat?'

O, shit.

'Ik heb vanochtend een paar kaarsen gebrand in mijn kamer,' zei ik. Ik had er nu al spijt van dat ik niet had gedoucht voordat ik naar de keuken was gekomen. Ik wist zeker dat de geur van de Z in mijn kleren, mijn lakens en mijn haar hing.

Ze fronste. 'Ik ruik toch echt sigarettenrook.' Ze schoof haar stoel naar achteren en stond op. Ze was duidelijk van plan om dit tot op de bodem uit te zoeken.

Het had geen zin om eromheen te draaien. Ik krabde nerveus aan mijn wenkbrauw. 'Ik ben gisteravond naar een poolcafé geweest.'

'Patch?' We hadden een regel dat als zij weg was, ik niet alleen met Patch op stap mocht.

'Hij was daar ook.'

'En?'

'Ik ben er niet met Patch heen gegaan. Ik was met Scott.' Aan de blik op haar gezicht te zien, vond ze dit nog erger. 'Maar voordat je ontploft,' ging ik snel verder, 'wil ik nog even zeggen dat ik gek word van nieuwsgierigheid. Ik weet gewoon zeker dat de Parnells alles doen om Scotts verleden te verbergen. Elke keer dat mevrouw Parnell haar mond opendoet om iets te zeggen, staat Scott recht achter haar. Waarom houdt hij haar zo in de gaten? Wat kan hij gedaan hebben dat zo erg was?'

Ik verwachtte dat mijn moeder zou schreeuwen dat ik tot de volgende zomervakantie huisarrest had, maar ze zei: 'Dat was mij ook al opgevallen.'

'Ligt het aan mij, of lijkt ze bang voor hem?' ging ik door, opgelucht dat ze het blijkbaar interessanter vond om over Scott te praten dan over het feit dat ik de avond had doorgebracht in een vaag poolcafé.

'Welke moeder is er nou bang voor haar eigen zoon?' vroeg mijn moeder zich hardop af.

'Ik denk dat ze zijn geheim kent. Ze weet wat hij gedaan heeft. En hij weet dat zij het weet.' Misschien was Scotts geheim wel gewoon dat hij Nephilim was, maar dat geloofde ik niet. Ik had zijn reactie gezien toen hij werd aangevallen door de Nephil in het rode shirt en ik vermoedde dat hij niet wist wat hij was of waar hij toe in staat was. Hij had misschien wel gemerkt dat hij ongelofelijk sterk was en dat hij tegen de gedachten van mensen kon praten, maar hij kon dat waarschijnlijk niet verklaren. Maar als Scott en zijn moeder zijn Nephilim-afkomst niet probeerden te verbergen, wat verborgen ze dan wel? Wat had hij gedaan?

Een halfuur later liep ik het scheikundelokaal binnen. Marcie zat al aan ons tafeltje. Ze was aan het bellen en trok zich duidelijk niets aan van het bordje aan de muur met GEEN MOBIELTJES, GEEN UITZONDERINGEN. Toen ze mij zag, draaide ze haar rug naar mij toe en deed haar hand voor haar mond. Ze wilde duidelijk niet dat ik iets hoorde van haar gesprek. Alsof het mij iets kon schelen. Toen ik ging zitten, hoorde ik nog net het laatste gedeelte van haar gesprek. 'Ik hou ook van jou,' zei ze verleidelijk.

Ze deed haar telefoon in haar tas en lachte naar me. 'Mijn vriendje. Hij zit niet op school.'

Ik werd onmiddellijk onzeker en vroeg me af of het mogelijk was dat ze Patch aan de telefoon had gehad, maar hij had gezworen dat er niets was tussen hem en Marcie. Ik kon mezelf gek maken van jaloezie, of ik kon hem geloven. Ik knikte begripvol. 'Dat moet lastig zijn, een jongen die zijn school niet heeft afgemaakt.'

'Ha, ha. Trouwens, ik stuur na de les een sms'je naar iedereen die is uitgenodigd voor mijn jaarlijkse zomerfeest dinsdagavond. Jij staat ook op de lijst,' zei ze nonchalant. 'Als je mijn feestje mist, kun je je sociale leven wel vergeten de rest van het jaar. Niet dat jij ooit een sociaal leven hebt gehad hier op school...'

'Jaarlijkse zomerfeest? Nog nooit van gehoord.'

Ze haalde een poederdoosje uit haar achterzak en deed wat poeder op haar neus. 'Dat komt omdat ik je nog nooit heb uitgenodigd.'

Oké. Wacht eens even. Waarom nodigde Marcie mij uit? Haar IQ was ongeveer de helft van het mijne, maar ze moest toch gemerkt hebben dat we geen vriendinnen waren. We hadden niet eens gezamenlijke vrienden. Of interesses. 'Wow, Marcie. Dat is echt heel aardig van je. Onverwachts, maar aardig. Ik zal mijn best doen om te komen.' Maar niet heel hard.

Marcie boog naar mij toe. 'Ik zag je gisteravond.'

Mijn hart ging sneller slaan, maar het lukte me om kalm en neutraal te klinken. 'Ja, ik zag jou ook.'

'Dat was... nogal raar, toch?' Ze stelde een vraag, alsof ze wilde dat ik het verder uit zou leggen.

'Ja, een beetje wel.'

'Een beetje wel? Zag je die biljartkeu door de tafel gaan? Ik heb nog nooit zoiets gezien. Die tafels zijn toch van hout?'

'Ik stond ergens achteraan. Ik heb het niet zo goed gezien. Sorry.' Ik probeerde niet expres vaag te doen, maar ik wilde deze discussie niet aangaan. En was dit de reden dat ze me uitnodigde? Om vriendschap en vertrouwen op te bouwen, zodat ik haar zou vertellen wat ik wist over wat er gisteravond was gebeurd?

'Heb je niets gezien?' herhaalde Marcie fronsend.

'Nee. Heb je geleerd voor de toets van vandaag? Ik ken het grootste gedeelte van het periodiek systeem wel, maar ik vergeet de onderste rij steeds.'

'Heeft Patch je daar wel eens eerder mee naartoe genomen? Is er wel eens eerder zo'n vechtpartij geweest?'

Ik negeerde haar en sloeg mijn boek open.

'Ik hoorde dat jij en Patch uit elkaar zijn,' zei ze, het over een andere boeg gooiend.

Ik ademde diep in. Te laat, want mijn gezicht voelde al warm.

'Wie heeft het uitgemaakt?' vroeg Marcie.

'Maakt dat iets uit?'

Marcie fronste. 'Weet je, als jij niet gaat praten, mag je ook niet naar mijn feest komen.'

'Ik was toch al niet van plan om te gaan.'

Ze rolde met haar ogen. 'Ben je boos omdat ik gisteravond met Patch in de Z was? Want hij betekent niets voor me, hoor. We hebben gewoon lol samen. Niets serieus.'

'Ja, zo zag het er ook echt uit,' zei ik cynisch.

'Doe niet zo jaloers, Nora. Patch en ik zijn gewoon heel, heel goede vrienden. Mijn moeder kent trouwens een heel goede relatietherapeut. Laat maar weten of ik iets voor je moet regelen. Of wacht, ze is wel heel duur. Ik bedoel, ik weet dat je moeder een leuk baantje heeft...'

'Vraagje voor jou, Marcie.' Mijn stem was kalm, maar mijn handen trilden in mijn schoot. 'Wat zou jij doen als je morgen wakker werd en erachter kwam dat je vader was vermoord? Denk je dat het deeltijdbaantje van je moeder bij JC Penney de rekeningen kan betalen? Probeer je de volgende keer dat je mijn familie afzeikt, eens een keer te verplaatsen in mijn situatie. Al is het maar een minuutje.'

Ze staarde me aan, maar er zat geen gevoel in haar blik. Ik

vroeg me af of ze me wel had begrepen. De enige persoon met wie Marcie kon meeleven was ze zelf.

Na de les zag ik Vee op de parkeerplaats. Ze lag op de motorkap van de Neon. Ze had haar mouwen opgerold en probeerde bruin te worden. 'We moeten praten,' zei ze, toen ik bij de auto aankwam. Ze ging zitten en deed haar zonnebril omlaag zodat ze mij recht aan kon kijken. 'Ik hoorde dat jij en je lover geen setje meer zijn. Klopt dat?'

Ik klom op de motorkap en ging naast haar zitten. 'Van wie heb je dat gehoord?'

'Van Rixon. En je mag best weten dat dat pijn deed. Ik hoor zoiets toch niet te horen van een vriend van een vriend? Of van de vriend van een ex-vriendje?' voegde ze eraan toe, nadat ze er even over na had gedacht. Ze legde een hand op mijn schouder en kneep zachtjes. 'Hoe gaat het?'

Tamelijk slecht. Maar ik probeerde mijn gevoelens te verbergen en dat lukte niet als ik erover praatte. Ik leunde achterover tegen de voorruit en hield mijn multomap omhoog tegen de zon. 'Weet je wat het ergst is?'

'Dat ik gelijk had en dat ik je daar nu constant aan ga herinneren?'

'Grappig.'

'Ik heb altijd geweten dat Patch geen goede jongen was. Het is echt zo'n typische foute gast die gered moet worden. Maar weet je wat het is, de meeste foute jongens willen niet gered worden. Ze vinden het prima om fout te zijn. Ze houden van hun macht en genieten ervan dat ze de moeders van hun vriendinnetjes slapeloze nachten bezorgen.'

'Dat was... zeer verhelderend.'

'Niets te danken, lieverd. En bovendien...'

'Vee.'

Ze wapperde met haar armen. 'Laat me even uitpraten. Dit is het belangrijkst. Ik denk dat het tijd is dat jij op zoek gaat naar een ander type jongen. We moeten een aardige padvinder voor je vinden. Een jongen die je laat inzien hoe fijn het is om een lief vriendje te hebben. Zo iemand als Rixon, bijvoorbeeld.'

Ik keek haar vol ongeloof aan.

'Kijk niet zo,' zei Vee. 'Rixon is echt een heel fatsoenlijke jongen.'

Ik staarde haar weer aan.

'Oké, misschien is hij geen padvinder,' zei Vee. 'Maar ik bedoel gewoon dat het fijn is om een aardige jongen als vriendje te hebben. Iemand wiens garderobe uit meer dan zwarte kleding bestaat. Ik bedoel, wat denkt hij wel niet? Dat hij een ninja is of zo?'

'Ik zag Marcie en Patch samen gisteravond,' zei ik zuchtend. Zo. Dat was eruit.

Vee knipperde een paar keer met haar ogen. 'Wat?' zei ze. Haar mond viel open.

Ik knikte. 'Ik heb ze gezien. Ze had haar armen om hem heen. Ze waren samen in een poolcafé in Springvale.'

'Ben je ze gevolgd?'

Waar zie je me voor aan, wilde ik zeggen, maar alles wat ik zei was: 'Scott had me uitgenodigd om te gaan poolen. Ik ben met hem meegegaan en daar kwam ik ze tegen.' Ik wilde Vee zo graag alles vertellen, maar net als met Marcie waren er gewoon dingen die ik niet uit kon leggen. Hoe kon ik haar vertellen over de Nephil in het rode shirt en hoe hij een biljartkeu door de tafel had geramd?

Vee keek alsof ze niet zo goed wist wat ze moest zeggen. 'Nou, ja. Zoals ik al zei, je hebt een lief vriendje nodig. Misschien kent Rixon nog wel iemand. Behalve Patch dan...' voegde ze er ongemakkelijk aan toe.

'Ik wil geen vriendje. Ik wil een baan.'

Vee trok een lelijk gezicht. 'Jij met je baan. Ik snap niet waarom je dat wilt.'

'Ik heb een auto nodig en een auto kost geld. Vandaar de baan.' Ik had al een lijstje gemaakt met redenen om de Volkswagen Cabriolet te kopen: het was een kleine auto dus makkelijk te parkeren, hij reed zuinig en dat kwam goed uit want ik zou niet veel geld meer hebben nadat ik duizend dollar voor de auto had betaald. En hoewel ik wist dat het belachelijk was om iets te voelen voor een levenloos ding als een auto, zag ik de Volkswagen als een metafoor voor verandering in mijn leven. De vrijheid om te gaan waar ik wilde, wanneer ik wilde. De vrijheid om opnieuw te beginnen. De vrijheid om los te komen van Patch en al die herinneringen die ik maar niet kon vergeten.

'Mijn moeder is bevriend met een van de managers bij Enzo's en ze zijn nog op zoek naar barista's,' stelde Vee voor.

'Een barista, dat is toch een koffie-expert? Ik weet niets van koffie.'

Vee haalde haar schouders op. 'Je zet koffie. Je schenkt hem in. Je brengt hem naar de klanten. Hoe moeilijk kan dat zijn?'

Drie kwartier later waren Vee en ik bij de kust. We liepen over de promenade en staarden naar de etalages van de winkels. Omdat we allebei geen baan hadden en dus geen geld, waren we heel goed geworden in etalages kijken. Aan het eind van de straat zat een bakker. Ik kon bijna horen hoe het water Vee in de mond liep. Ze duwde haar gezicht tegen het glas en staarde naar de donuts met glazuur.

'Het is volgens mij al meer dan een uur geleden dat ik heb gegeten,' zei ze. 'Donuts, ik kom eraan, lievelingen.' Ze rende naar de deur.

'Ik dacht dat je wilde afvallen om in bikini te kunnen? Ik dacht dat je er beter uit wilde zien voor Rixon?'

'Jij weet wel hoe je de sfeer moet verpesten, zeg. Eén kleine donut kan echt geen kwaad.'

Ik had Vee nog nooit slechts één donut zien eten, maar hield mijn mond.

We bestelden zes donuts met glazuur en we hadden net plaatsgenomen aan een tafeltje bij het raam, toen ik Scott zag. Hij had zijn voorhoofd tegen de andere kant van het raam geplakt en glimlachte. Naar mij. Ik schrok en sprong op uit mijn stoel. Hij gebaarde met zijn hand dat ik naar buiten moest komen.

'Ik ben zo terug,' zei ik tegen Vee.

Ze volgde mijn blik. 'Dat is toch Scott? Dat lekkere ding?'

'Noem hem niet zo. Hij heet Scotty de Broekplasser.'

'Wat wil hij van je?' Ze keek alsof ze zich ineens iets realiseerde. 'O, nee. Dat ga je niet doen. Je gaat Scott niet gebruiken om over Patch heen te komen. Het is een foute gast, dat heb je zelf gezegd. We gaan een padvinder voor je zoeken, weet je nog?'

Ik sloeg mijn handtas om mijn schouder. 'Ik gebruik hem niet. Wat?' zei ik als reactie op haar blik. 'Wil je dat ik hier blijf zitten en hem negeer?'

Ze gooide haar handen in de lucht. 'Schiet op, want ik sta niet in voor jouw donuts.'

Buiten liep ik de hoek om en vond Scott leunend tegen een bankje. Hij had zijn handen in zijn zakken. 'Heb je het overleefd gisteren?' vroeg hij.

'Ik ben hier nu toch?'

Hij lachte. 'Je bent zeker niet gewend aan zoveel actie?'

Ik wilde hem eraan herinneren dat hij degene was die op de pooltafel had gelegen, met een biljartkeu die een centimeter naast zijn oor door de tafel was gegaan, maar zei niets.

'Sorry dat ik je in de steek heb gelaten,' zei Scott. 'Maar volgens mij had je zelf een lift naar huis geregeld, toch?'

'Ja hoor, maakt niet uit,' zei ik. Het lukte me niet om mijn irritatie uit mijn stem te houden. 'Nu weet ik in ieder geval dat ik nooit meer met jou uit zal gaan.'

'Ik maak het goed. Heb je tijd om iets te eten nu?' Hij wees naar een toeristenrestaurant aan de overkant van de straat. Alfeo's. Ik had daar jaren geleden wel eens met mijn vader gegeten en ik herinnerde me dat het er behoorlijk prijzig was. Het enige wat minder dan vijf dollar kostte, was water. Of een cola, als je geluk had. Ik had geen zin om daar met Scott heen te gaan. Mijn laatste herinnering aan hem was dat hij mijn shirt omhoog probeerde te duwen met zijn biljartkeu. Ik wilde terug naar mijn donuts.

'Ik kan niet. Ik ben hier met Vee,' zei ik. 'Wat is er gisteravond nog gebeurd nadat ik weg was?'

'Ik heb mijn geld teruggekregen.' Uit de manier waarop hij het zei, kon ik opmaken dat het waarschijnlijk niet zo gemakkelijk was gegaan.

'Ons geld,' verbeterde ik hem.

'Jouw helft ligt bij mij thuis,' mompelde hij. 'Ik breng het vanavond wel even langs.'

Ja, ja. Ik had het gevoel dat hij het allang had opgemaakt.

'En de jongen in het rode shirt?' vroeg ik.

'Die is ontsnapt.'

'Hij leek heel sterk. Vond jij dat ook? Hij leek zo… anders.'

Ik was hem aan het testen. Ik probeerde erachter te komen hoeveel hij wist, maar hij zei alleen maar: 'Ja, dat zal wel. Trouwens, mijn moeder blijft maar zeuren dat ik nieuwe vrienden moet maken. En ik wil je niet beledigen, Grey, maar ik ben op zoek naar mannelijke vrienden. Niet huilen, hoor. Denk maar aan alle mooie momenten die we samen hebben gehad.'

'Heb je me naar buiten geroepen om een einde te maken aan onze vriendschap? Waar heb ik dat aan verdiend?'

Scott lachte. 'Hoe zit het met dat vriendje van je? Hoe heet hij eigenlijk? Ik wil hem wel eens ontmoeten, maar ik begin bijna te denken dat je hem verzonnen hebt. Ik zie jullie nooit samen.'

'Het is uit.'

Er verscheen een gemeen glimlachje op zijn gezicht. 'Ja, dat had ik gehoord, maar ik wilde het even checken bij jou.'

'Hoe weet jij van mij en Patch?'

'Ik kwam iemand tegen die je kent. Marcie. Best een lekker wijf. Ze kwam naar me toe bij het tankstation en stelde zichzelf voor. Ze vond jou een enorme loser, trouwens.'

'Marcie heeft jou verteld over mij en Patch?' Ik verstijfde.

'Zal ik je een tip geven? Vergeet Patch. Laat hem met rust. Zoek iemand die dezelfde interesses heeft als jij. Huiswerk maken, schaken, dode insecten verzamelen... dat soort dingen. En misschien is het ook een goed idee als je je haar een keer verft.'

'Pardon?'

Scott legde zijn hand voor zijn mond om zijn glimlach te verbergen. 'Meisjes met rood haar zijn een blok aan je been. Dat weet iedereen.'

Ik kneep mijn ogen samen. 'Ik heb geen rood haar.'

Hij grijnsde nu voluit. 'Het had erger gekund. Het had ook oranje kunnen zijn. Dan was je pas echt een heks geweest.'

'Ben je altijd zo'n klootzak? Want dan verbaast het me niets dat je geen vrienden hebt.'

'Ik zeg alleen hoe het is.'

Ik duwde mijn zonnebril in mijn haar zodat ik hem recht aan kon kijken. 'Ik schaak niet en ik verzamel geen insecten. Dat je het even weet.'

'Maar je maakt je huiswerk. Dat weet ik gewoon. Ik ken jouw soort. Je bent gewoon een nerd met dwangneuroses.'

Mijn mond viel open. 'Oké, misschien maak ik af en toe mijn huiswerk. Maar ik ben niet saai.' Tenminste, dat hoopte ik. 'Jij kent me duidelijk totaal niet.'

'Ja, ja.'

'Prima,' zei ik verdedigend. 'Noem dan eens iets waar jij in geïnteresseerd bent en waarvan je denkt dat ik het nooit zou doen? Hou op met lachen. Ik meen het. Noem één ding.'

Scott krabde aan zijn oor. 'Ben je wel eens bij Battle of the Bands geweest? Keiharde muziek? Een onhandelbare, luidruchtige menigte? Seks op de toiletten? Tien keer zoveel adrenaline dan bij de Z?'

'Nee,' zei ik aarzelend.

'Ik haal je zondagavond op. Neem een valse identiteitskaart mee.' Hij trok zijn wenkbrauwen op en gaf me een egoïstische, spottende grijns.

'Geen probleem,' zei ik, terwijl ik zo normaal mogelijk probeerde te kijken. Ik had mezelf eigenlijk voorgenomen om nooit meer met Scott uit te gaan, maar ik pikte het niet dat hij mij een saaie nerd noemde. Een roodharige nerd nog wel. 'Wat moet ik aan?'

'Zo weinig mogelijk.'

Ik verslikte me bijna. 'Ik wist niet dat je zo van bandjes hield,' zei ik, toen ik weer normaal kon ademen.

'In Portland speelde ik bas in een bandje dat Geezer heet. Ik wil een nieuwe band vinden. Ik hoop zondag iets leuks te zien.'

'Klinkt tof,' loog ik. 'Ik ga mee.' Ik kon er altijd nog onderuit. Daar was maar één sms'je voor nodig. Ik wilde nu alleen maar dat Scott me niet meer zag als een nerd met dwangneuroses.

Scott en ik liepen ieder een andere kant op en ik ging terug naar Vee, die nog een halve donut voor mij had achtergelaten.

'Zeg niet dat ik je niet gewaarschuwd heb,' zei ze, toen ze zag hoe beteuterd ik naar mijn bordje keek. 'Wat wilde Scotty?'

'Hij heeft me uitgenodigd voor Battle of the Bands.'

'O, o.'

'Voor de laatste keer, ik wil niets met hem.'

'Als jij het zegt.'

'Nora Grey?'

Vee en ik keken op en zagen een van de medewerkers van de bakkerij bij ons tafeltje staan. Haar werkuniform bestond uit een lavendelkleurige polo en een bijpassend naamplaatje waar MADELINE op stond. 'Sorry, maar ben jij Nora Grey?' vroeg ze voor de tweede keer.

'Ja,' zei ik, terwijl ik me afvroeg hoe ze dat wist.

Ze hield een bruine envelop vast. 'Deze is voor jou,' zei ze, terwijl ze de envelop naar me uitstak.

'Wat is het?' vroeg ik, terwijl ik hem aannam.

Ze haalde haar schouders op. 'Er kwam net een man binnen en die vroeg of ik deze aan jou wilde geven.'

'Wat voor man?' vroeg Vee, die haar hals uitstrekte en de bakkerij rondkeek.

'Hij is alweer weg. Hij zei dat het belangrijk was dat Nora de envelop kreeg. Ik dacht dat het misschien je vriendje was. Er was een keer een jongen die hier bloemen liet bezorgen voor zijn vriendin. Ze zat aan dat tafeltje daar in de hoek.' Ze wees en glimlachte. 'Dat weet ik nog goed.'

Ik deed de envelop open en voelde wat erin zat. Een vel papier en een grote ring. Verder niets.

Ik keek naar Madeline, die een veeg bloem op haar wang had. 'Weet je zeker dat dit voor mij is?'

'Hij wees jou aan en zei "Geef dit aan Nora Grey." Jij bent Nora Grey, toch?'

Ik begon het vel papier uit de envelop te halen, maar Vee

legde haar hand op de mijne. 'Sorry,' zei ze tegen Madeline, 'maar we willen graag een beetje privacy.'

'Van wie zou dit zijn?' vroeg ik aan Vee, nadat Madeline weg was.

'Geen idee, maar ik kreeg kippenvel toen ze je de envelop gaf.'

Terwijl Vee het zei, voelde ik ook een koude rilling over mijn lijf lopen. 'Denk je dat het van Scott was?'

'Ik weet het niet. Wat zit erin?' Ze ging op de stoel naast me zitten zodat ze goed kon meekijken.

Ik haalde de ring eruit. We bestudeerden het sieraad in stilte. Ik kon zien dat hij zelfs te groot zou zijn voor mijn duim. Het was duidelijk een mannenring. Hij was gemaakt van ijzer en op de plek waar normaal gesproken een steen zat, zat een gestempelde afbeelding van een hand. De hand was gebald tot een dreigende vuist. Op de plaats van de vuist was de ring zwart, alsof hij in brand gestoken was.

'Wat is dat in hemels...' begon Vee.

Ze brak haar zin af toen ik het vel papier eruit haalde. Met zwarte fineliner stond er geschreven:

Deze ring is van de Zwarte Hand. Hij heeft jouw vader vermoord.

Hoofdstuk 8

Vee was de eerste die opstond.

Ik rende haar achterna, de deur van de bakkerij uit. De zon was verblindend en we schermden onze ogen af en keken naar links en naar rechts de promenade af. We renden naar het strand en deden daar hetzelfde. Er waren overal mensen, maar ik zag niet één bekend gezicht.

Mijn hart klopte in mijn keel. 'Denk je dat het een grap was?' vroeg ik Vee.

'Ik kan er niet om lachen.'

'Was het Scott?'

'Misschien. Hij was tenslotte wel hier.'

'Of Marcie?' Marcie was de enige andere persoon die dit misschien grappig zou vinden.

Vee keek me verbaasd aan. 'Denk je dat ze een geintje met je uithaalt? Misschien.'

Maar was Marcie zo wreed? En zou ze al die moeite willen nemen? Dit was wel even iets anders dan een botte opmerking in de klas. Het briefje, de ring en zelfs de manier van bezorgen. Het had vast veel tijd gekost om dat te plannen. Marcie leek me iemand die na vijf minuten al genoeg had van een plan.

'We gaan dit tot op de bodem uitzoeken,' zei Vee, die terugliep naar de bakkerij. Binnen zocht ze Madeline. 'We moeten even praten. Hoe zag die man eruit? Klein? Groot? Bruin haar? Blond?'

'Hij droeg een pet en een zonnebril,' antwoordde Madeline. Ze keek naar de andere medewerkers, die Vee nu ook hadden opgemerkt. 'Hoezo? Wat zat er in de envelop?'

'Hier kunnen we niets mee, natuurlijk,' zei Vee. 'Wat droeg hij precies? Zat er een logo op zijn pet? Had hij een baard of een snor?'

'Ik weet het niet meer,' stamelde Madeline. 'Een zwarte pet. Of bruin, misschien. Hij had volgens mij een spijkerbroek aan.'

'Zeker weten?'

'Kom,' zei ik, terwijl ik aan Vee's arm trok. 'Ze weet het niet meer.' Ik keek naar Madeline. 'Bedankt voor je hulp.'

'Hulp?' zei Vee. 'Ze heeft helemaal niet geholpen. Ze kan toch niet zomaar enveloppen aannemen van vreemde mannen en dan vervolgens niet meer weten hoe ze eruitzien!'

'Ze dacht dat het mijn vriend was,' zei ik.

Madeline knikte heftig. 'Ja! Het spijt me zo! Ik dacht dat het een cadeau was! Zat er iets vervelends in de envelop? Zal ik de politie bellen?'

'We willen alleen maar dat je je herinnert hoe die psychopaat eruitzag,' zei Vee.

'Zwarte spijkerbroek!' zei Madeline ineens. 'Ik herinner me dat hij een zwarte spijkerbroek droeg. Ik weet het bijna zeker.'

'Bijna?' zei Vee.

Ik trok haar mee naar buiten, de straat op. Nadat ze was afgekoeld, zei ze: 'Het spijt me zo. Ik had eerst in de envelop moeten kijken. Mensen zijn stom. En degene die jou deze envelop heeft gegeven, is de stomste van iedereen. Als we erachter komen wie het is, gooi ik een ninjaster naar hem.'

Ik wist dat ze de sfeer wat luchtiger probeerde te maken,

maar mijn gedachten waren al vijf stappen verder. Ik dacht niet meer aan de dood van mijn vader. We waren nu bij een steegje tussen twee winkels en ik trok haar erin. 'Luister, ik moet met je praten. Gisteren dacht ik dat ik mijn vader zag. Hier, op de boulevard.'

Vee staarde me aan, maar zei niets.

'Het was hem echt, Vee. Het was hem echt.'

'Lieverd...' begon ze sceptisch.

'Ik denk dat hij nog leeft.' Bij de begrafenis van mijn vader zat de kist dicht. Misschien was er een fout gemaakt. Misschien was het een misverstand en was het mijn vader niet die die nacht was gestorven. Misschien leed hij aan geheugenverlies en kwam hij daarom niet thuis. Misschien was het iets anders. Of iemand anders...

'Ik weet niet hoe ik dit moet zeggen,' zei Vee, die naar boven en naar beneden keek, alles om mij niet aan te hoeven kijken. 'Maar hij komt niet meer terug.'

'Hoe kun je dan verklaren wat ik heb gezien?' zei ik verdedigend. Het deed pijn dat mijn beste vriendin me niet geloofde. De tranen brandden in mijn ogen en ik veegde ze snel weg.

'Het was iemand anders. Een man die op je vader leek.'

'Jij was er niet bij. Ik heb hem gezien!' Het was niet mijn bedoeling om zo te snauwen, maar ik wilde me er niet zomaar bij neerleggen. Niet na alles wat ik had meegemaakt. Twee maanden geleden had ik mezelf van de balken aan het plafond in de gymzaal gestort. Ik wist zeker dat ik toen dood was gegaan. Ik kon niet ontkennen wat ik me herinnerde van die avond. En toch.

Toch leefde ik nu nog.

De kans bestond dat mijn vader ook nog leefde. Ik had hem gisteren gezien. Echt. Misschien probeerde hij met mij te communiceren en had hij mij een boodschap gestuurd. Hij wilde me laten weten dat hij nog leefde. Hij wilde niet dat ik hem op zou geven.

Vee schudde haar hoofd. 'Dit moet je niet doen.'

'Ik geef hem niet op. Niet totdat ik de waarheid weet. Ik moet erachter komen wat er die avond is gebeurd.'

'Nee, dat hoef je niet,' zei Vee streng. 'Laat je vader rusten. Je kunt het verleden niet veranderen. Je zult het alleen maar allemaal opnieuw meemaken.'

Mijn vader laten rusten? En ik dan? Hoe moest ik rusten voordat ik de waarheid kende? Vee begreep het niet. Haar vader was niet op onverklaarbare, gewelddadige wijze uit haar leven gerukt. Haar familie was niet kapotgemaakt. Zij had alles nog.

Alles wat ik nog had, was hoop.

Ik bracht de zondagmiddag door bij Enzo's Bistro, in het gezelschap van het periodiek systeem der elementen. Ik richtte al mijn aandacht op mijn huiswerk, zodat ik maar niet hoefde te denken aan mijn vader of de envelop en het bericht dat de Zwarte Hand verantwoordelijk was voor zijn dood. Het moest wel een grap zijn. De envelop, de ring, het briefje... iemand haalde een heel slechte grap met mij uit. Misschien Scott, misschien Marcie. Maar eerlijk gezegd dacht ik niet dat het een van hen was. Scott had oprecht geklonken toen hij mij en mijn moeder condoleerde. En Marcie was wreed, maar op een onvolwassen en spontane manier.

Omdat ik toch al achter een ingelogde computer zat, typte ik 'Zwarte Hand' in het zoekscherm. Ik wilde mezelf bewijzen dat de boodschap niets waard was. De ring kwam waarschijnlijk van een tweedehandswinkel en toen had iemand bedacht dat Zwarte Hand een logische naam was. Hij was mij gevolgd naar de boulevard en had toen aan Madeline gevraagd om mij de envelop te geven. Als ik er nu over nadacht, maakte het helemaal niet uit dat Madeline zich niet kon herinneren hoe de man eruitzag, want hij was waarschijnlijk niet degene die hierachter zat. De persoon die dit had gedaan, had waarschijnlijk zomaar iemand aangehouden op straat en hem een paar dollar betaald om de envelop te bezorgen. Dat zou ik gedaan hebben. Als ik een gestoorde gek was die ervan genoot om andere mensen te kwetsen.

Er verscheen een pagina met links naar de Zwarte Hand. De eerste link verwees naar een geheim genootschap dat aartshertog Frans Ferdinand van Oostenrijk in 1914 zou hebben vermoord, wat tot de Eerste Wereldoorlog had geleid. De volgende link ging over een rockband. De Zwarte Hand was ook de naam van een groep vampiers in een rollenspel. En ergens aan het begin van de twintigste eeuw was er een Italiaanse bende geweest in New York met die naam. Er stond nergens iets over Maine. En er stond ook nergens een afbeelding van een ring met een vuist.

Zie je nou wel? vertelde ik mezelf. *Een grap.*

Ik realiseerde me dat ik nu toch bezig was met datgene waar ik niet aan wilde denken, dus richtte ik me weer op het huiswerk dat voor me lag. Ik moest snappen hoe scheikundige formules werkten en hoe je atomische massa kon berekenen. Mijn eerste praktijktoets kwam eraan en met Marcie als partner moest ik me voorbereiden op het ergste. Ik toetste een paar getallen in op mijn rekenmachine en schreef de uitkomst in mijn schrift. Ik herhaalde het antwoord een paar keer voor mezelf en probeerde niet aan de Zwarte Hand te denken.

Om vijf uur belde ik mijn moeder, die in New Hampshire was. 'Hoe is het?' zei ik. 'Hoe is je werk?'

'Zelfde als altijd. En jij?'

'Ik ben bij Enzo's. Ik probeer te studeren, maar de mangosmoothies roepen mijn naam.'

'Ik krijg er honger van.'

'Honger genoeg om naar huis te komen?'

Ze slaakte een ik-wilde-dat-het-kon-zucht. 'Dat kan helaas niet. Weet je wat, we maken volgende week zondag wafels en smoothies voor bij de brunch.'

Om zes uur belde Vee, die me overhaalde om mee te gaan naar een spinningles in de sportschool. Om halfacht zette ze me weer af bij de boerderij. Ik had net gedoucht en stond voor de koelkast, op zoek naar de roerbakschotel die mijn moeder hier gisteren neer had gezet, toen er op de deur werd geklopt.

Ik keek door het kijkgaatje. Aan de andere kant van de deur stond Scott. Hij maakte een V-teken met zijn hand.

'Battle of the Bands!' zei ik hardop. Ik sloeg mijn hand tegen mijn voorhoofd, omdat ik helemaal vergeten was af te zeggen. Ik keek naar mijn pyjamabroek.

Na een mislukte poging om mijn natte haar in model te brengen, haalde ik het slot van de deur en deed open.

Scott keek naar mijn pyjama. 'Je bent het vergeten.'

'Doe normaal! Ik kijk hier de hele dag al naar uit. Ik ben alleen een beetje laat.' Ik wees naar de trap. 'Ik ga me even omkleden. Als jij nu even… een roerbakschotel opwarmt. In het blauwe tupperware-doosje in de koelkast.'

Ik rende met twee treden tegelijk de trap op, deed mijn slaapkamerdeur dicht en belde Vee.

'Je moet nú hierheen komen,' zei ik. 'Ik ga zo naar Battle of the Bands met Scott.'

'Bel je om me jaloers te maken?'

Ik legde mijn oor tegen de deur. Het klonk alsof Scott in de keuken bezig was. Misschien was hij wel op zoek naar drugs of bier. Beide zou hij hier niet vinden, of hij moest high willen worden van mijn ijzertabletten. 'Ik wil je niet jaloers maken. Ik wil niet alleen gaan.'

'Zeg dan dat je niet meegaat.'

'Maar ik wil eigenlijk wel.' Ik had geen idee waar dit plotselinge verlangen vandaan was gekomen, maar wist wel dat ik geen zin had om alleen te zijn vanavond. Ik had de hele dag huiswerk gemaakt en was ook nog naar de sportschool geweest. Het laatste wat ik wilde was thuisblijven en kijken of ik nog dingen kon doen van de lijst klusjes die mijn moeder had achtergelaten. Ik had me de hele dag voorbeeldig gedragen. Eigenlijk gedroeg ik me mijn hele leven al voorbeeldig. Ik verdiende het om een beetje lol te trappen. Scott was dan wel niet de leukste jongen van de wereld, maar hij was tenminste ook niet dood. 'Kom je nog, of niet?'

'Ik moet toegeven, het klinkt een stuk beter dan de hele avond Spaanse werkwoorden vervoegen. Ik bel Rixon wel even. Misschien wil hij ook mee.'

Ik hing op en rende naar mijn kast. Ik koos een crèmekleurig hemdje, een minirok, een panty en een paar ballerina's. Ik spoot wat parfum in de lucht en liep erdoorheen voor een subtiele grapefruitgeur. Ik vroeg me af waarom ik mijn best deed voor Scott. Hij had een zooitje gemaakt van zijn leven, we hadden niets gemeen en onze gesprekken bestonden voornamelijk uit beledigingen. Bovendien had Patch me gezegd bij hem uit de buurt te blijven. En toen snapte ik het ineens. Het had natuurlijk een diepgewortelde psychologische reden dat ik me aangetrokken voelde tot Scott. Het had alles te maken met ongehoorzaamheid en wraak. Het draaide allemaal om Patch.

Zoals ik het zag, kon ik twee dingen doen: thuiszitten en Patch mijn leven laten bepalen of mijn brave zondagsschoolimago dumpen en een beetje lol trappen. En al wilde ik het niet toegeven, ik hoopte stiekem dat Patch erachter zou komen dat ik naar Battle of the Bands ging met Scott. Ik hoopte dat de gedachte aan mij met een andere jongen hem gek maakte.

Ik gooide mijn haar naar voren en föhnde het net genoeg om mijn krullen erin te krijgen. Ik liep weer naar de keuken.

'Klaar,' zei ik tegen Scott.

Voor de tweede keer die avond bekeek hij me van top tot teen, maar deze keer voelde ik me stukken zekerder. 'Ziet er goed uit, Grey,' zei hij.

'Jij ook,' zei ik met een glimlach. Ik probeerde het vriendschappelijk over te laten komen, maar voelde me nerveus. Wat nergens op sloeg, want dit was Scott. We waren vrienden. We waren eigenlijk niet eens vrienden. Kennissen.

'Entree is tien dollar.'

Ik zweeg even. 'O. Oké. Dat wist ik. Ik moet onderweg nog even pinnen.' Ik had vijftig dollar verjaardagsgeld op mijn rekening. Dat geld was eigenlijk bedoeld voor de Cabriolet, maar tien dollar zou niet zoveel uitmaken. Met het tempo waarin ik nu spaarde, kon ik die auto waarschijnlijk toch pas kopen als ik vijfentwintig was.

Scott gooide een rijbewijs op het aanrecht, waar mijn jaarboekfoto op zat. 'Ben je er klaar voor, Marlene?'

Marlene?

'Dat van die valse identiteitskaart was geen grapje. Je krabbelt toch niet terug ineens?' Hij grijnsde alsof hij wist hoe mijn hart tekeerging bij de gedachte aan een illegaal rijbewijs en hij had er waarschijnlijk al zijn geld om verwed dat ik al na vijf seconden zou zeggen dat ik niet meer mee wilde. *Vier, drie, twee...*

Ik griste het rijbewijs van het aanrecht. 'Ik ben er klaar voor.'

Scott reed zijn Mustang door het centrum van Coldwater, naar de andere kant van de stad. We gingen het spoor over en reden door een paar steegjes. Hij stopte bij een pakhuis van vier verdiepingen dat overwoekerd werd door onkruid. Er stond een lange rij mensen te wachten. Het zag eruit alsof de ramen van binnenuit waren bekleed met zwart papier. Tussen de stukken papier zag ik kleine strookjes licht. Boven de deur hing een neonblauw bord met de woorden THE DEVIL'S HANDBAG.

Ik was één keer eerder in dit gedeelte van Coldwater geweest, toen ik acht was. Een van de huizen hier was omgetoverd tot spookhuis en mijn ouders hadden Vee en mij erheen gebracht voor Halloween. Ik was nog nooit bij The Devil's Handbag geweest. Ik wist zeker dat mijn moeder niet zou willen dat ik hier kwam. Ik moest ineens denken aan Scotts beschrijving. Keiharde muziek. Een onhandelbare, luidruchtige menigte. Seks op de toiletten.

O, o.

'Ik laat je er hier uit,' zei Scott, die de auto langs de stoeprand parkeerde. 'Zoek maar een mooi plekje voor ons. Dicht bij het podium. In het midden.'

Ik stapte uit en liep naar het eind van de rij. Ik was nog nooit in een club geweest waar je entree moest betalen. Ik was eigenlijk sowieso nog nooit in een club geweest. Mijn nachtleven bestond uit films en ijs met Vee.

Mijn telefoon ging en ik hoorde aan de ringtone dat het Vee was.

'Ik hoor muziek, maar ik zie alleen een spoorwegovergang en een paar verlaten goederenwagons.'

'Je bent er bijna. Zit je nog in de Neon of loop je?'

'Ik zit nog in de Neon.'

'Ik loop wel naar je toe.'

Ik stapte uit de rij, die met de minuut langer werd. Aan het einde van de straat ging ik de hoek om, richting de spoorwegovergang waar Scott en ik overheen waren gereden. De stoeptegels waren gebarsten en ongelijk en er was niet veel straatverlichting, dus moest ik oppassen dat ik niet struikelde. De pakhuizen waren donker en verlaten. De ramen leken wel lege ogen. Toen maakten de pakhuizen plaats voor verlaten stenen woonhuizen die onder de graffiti zaten. Honderd jaar geleden was dit waarschijnlijk een chique buurt geweest. Nu niet meer. De maan wierp een griezelig, doorschijnend licht op dit kerkhof van gebouwen.

Ik vouwde mijn armen over elkaar en ging sneller lopen. Aan het eind van de straat verscheen een gedaante in de mistige duisternis.

'Vee?' riep ik.

De vorm kwam op me af met gebogen hoofd en zijn handen in zijn zakken. Het was Vee niet. Het was een lange, slanke man met brede schouders en een loopje dat me vaag bekend voorkwam. Ik vond het een beetje eng dat ik hier alleen liep en dat ik een man tegenkwam. Ik haalde mijn telefoon uit mijn zak en stond op het punt om Vee te bellen en te vragen waar ze was, toen de man onder een straatlantaarn doorliep. Hij droeg mijn vaders leren bomberjack.

Ik bleef staan.

Hij leek zich er niet van bewust dat ik er was, liep een trap op en verdween in een van de verlaten woonhuizen.

De haren in mijn nek gingen rechtovereind staan. 'Papa?'

Ik begon te rennen en stak de straat over zonder te kijken of er een auto aankwam. Ik wist toch zeker dat er geen verkeer was. Toen ik bij het huis was waar hij naar binnen was gegaan, trok ik aan alle deuren. Alles zat op slot. Ik trok nog een keer aan de voordeur. Hij gaf niet mee. Ik zette mijn handen om mijn ogen heen en tuurde naar binnen door een van de ramen naast de deur. De lichten waren uit, maar ik kon zien dat er meubels stonden met lakens eroverheen. Mijn hart sloeg op hol. Leefde mijn vader nog? Had hij al die tijd hier gewoond?

'Papa!' schreeuwde ik door het glas. 'Ik ben het. Nora!'

Aan het eind van de woonkamer was een trap en ik zag nog

net hoe hij naar boven klom. 'Papa!' schreeuwde ik, terwijl ik op het glas bonsde. 'Ik ben hier!'

Ik deed een paar stappen naar achteren en keek naar de ramen op de eerste verdieping. Ik wachtte tot ik zijn schaduw zou zien.

De achterdeur.

Die gedachte kwam ineens in me op en ik rende gelijk achterom door het smalle steegje tussen twee huizen. Natuurlijk. De achterdeur. Als hij niet op slot was, kon ik naar binnen. Naar mijn vader.

Ineens was het alsof er een ijsklontje in mijn nek viel. De kou trok door mijn ruggengraat en ik verstijfde helemaal. Ik was nu aan het eind van het steegje en keek naar de achtertuin. De struiken wuifden zachtjes heen en weer in de wind. Het lage hekje stond open en de scharnieren knarsten. Heel langzaam deed ik een stap naar achteren. Ik vertrouwde de stilte niet, geloofde niet dat ik alleen was. Ik had me eerder zo gevoeld en dit betekende gevaar.

Nora, we zijn niet alleen. Er is hier nog iemand. Ga terug!

'Papa?' fluisterde ik. Mijn hoofd tolde.

Zoek Vee. Je moet hier nu weg! Ik zal je weer vinden. Schiet op!

Het kon me niet schelen wat hij zei. Ik ging niet weg. Niet voordat ik wist wat er aan de hand was. Niet voordat ik hem had gezien. Hoe kon hij van mij verwachten dat ik weg zou gaan? Hij was hier. Ik voelde me opgelucht en nerveus en opgewonden. Mijn angst was helemaal verdwenen.

'Papa? Waar ben je?'

Niets.

'Papa?' probeerde ik weer. 'Ik ga niet weg.'

Deze keer kwam er wel antwoord.

De achterdeur is niet op slot.

Ik legde mijn hand op mijn hoofd en voelde hoe zijn woorden daar weerkaatsten. Ze klonken anders dan daarnet, maar ik wist niet precies op welke manier. Killer misschien? Scherper? 'Papa?' fluisterde ik zachtjes.

Ik ben binnen.

Zijn stem was luider nu, een echt geluid. Niet alleen in mijn hoofd, maar ook in mijn oren. Ik keek naar het huis en wist zeker dat zijn stem uit het raam kwam. Ik liep van het pad af en legde mijn hand voorzichtig tegen het raam. Ik wilde zo graag dat hij het was, maar tegelijkertijd had ik overal kippenvel. Dit kon een truc zijn. Een val.

'Papa?' Mijn stem trilde. 'Ik ben bang.'

Aan de andere kant van het glas verscheen nu ook een hand. Vijf vingers tegen het raam, op dezelfde plek als de mijne. Aan de ringvinger zat mijn vaders gouden trouwring. Mijn hart klopte zo snel dat ik duizelig werd. Het was hem echt. Mijn vader was een paar centimeter van mij verwijderd. En hij leefde.

Kom maar naar binnen. Ik zal je niets doen. Kom maar, Nora.

Ik schrok van de dwingende toon in zijn stem. Ik ging met mijn hand over het raam en probeerde de klink te vinden. Ik wilde zo graag mijn armen om hem heen slaan. Hij mocht nooit meer weggaan. De tranen liepen over mijn wangen. Ik bedacht dat ik ook naar de achterdeur kon lopen, maar ik wilde niet bij hem weg, zelfs niet een paar seconden. Ik wilde hem niet nog een keer kwijtraken.

Ik drukte mijn hand weer tegen het raam, harder dit keer. 'Ik ben hier, papa!'

Deze keer bevroor het glas onder mijn aanraking. Kleine lijntjes ijs verspreidden zich over het glas en maakten een broos, krakend geluid. Ik schrok van de plotselinge kou die door mijn arm trok en trok mijn hand weg, maar mijn huid zat vast aan het glas. Bevroren. Ik schreeuwde en probeerde mezelf met mijn andere hand los te maken. De hand van mijn vader smolt door het raam en pakte de mijne vast. Hij hield me vast, zodat ik niet weg kon rennen. Hij trok me hardhandig naar zich toe. Mijn kleren bleven haken aan de bakstenen en mijn arm verdween op een onmogelijke manier in het raam. Ik zag mijn gezicht weerspiegeld. De doodsangst stond in mijn ogen en mijn mond stond open in een stille schreeuw. De enige gedachte die door mijn hoofd bonsde, was dat dit mijn vader niet kon zijn.

'Help!' schreeuwde ik. 'Vee! Kun je me horen? Help!'

Ik bewoog naar links en rechts en probeerde me op die manier los te rukken. Er schoot een snijdende pijn door de arm die hij vasthield en het beeld van een mes sprong in mijn gedachten. Het was zo intens dat ik het gevoel had dat mijn hoofd in tweeën barstte. Mijn onderarm brandde... *hij sneed me open.*

'Hou op!' gilde ik. 'Je doet me pijn!'

Ik voelde zijn aanwezigheid in mijn hoofd. Zijn eigen zicht overschaduwde het mijne. Er was overal bloed. Zwart en glibberig... en van mij. Mijn maag draaide zich om en ik kokhalsde.

'Patch!' gilde ik, met een stem vol doodsangst en wanhoop.

De hand liet me los en ik viel achterover op de grond. Ik legde mijn gewonde arm automatisch tegen mijn jas, om het bloeden te stelpen, maar tot mijn verbazing zag ik geen bloed en geen snee.

Ik hapte naar lucht en keek naar het raam. Het was nog helemaal heel en het weerspiegelde de boom die achter me stond en waarvan de takken heen en weer waaiden in de nachtlucht. Ik krabbelde overeind en strompelde naar de stoep. Ik rende in de richting van The Devil's Handbag en keek steeds achterom. Ik verwachtte dat ik mijn vader zou zien, of zijn dubbelganger, en dat hij op me af zou komen met een mes. Maar de stoep bleef leeg.

Ik keek weer voor me en botste bijna tegen iemand op.

'Daar ben je,' zei Vee, die een hand op mijn schouder legde om me tegen te houden. Ik moest me inhouden om niet heel hard te gillen. 'We zijn elkaar misgelopen. Ik was al bij The Devil's Handbag en ben toen teruggelopen om jou te vinden. Gaat het wel? Je ziet eruit alsof je op het punt staat om over te geven.'

Ik wilde niet meer in deze straat zijn. Ik wilde hier weg. Wat er net was gebeurd, deed me te veel denken aan die keer dat ik Chauncey had geraakt met de Neon. Ik had een ongeluk gehad en toen was de auto ineens weer helemaal normaal. Maar deze keer was het persoonlijk. Deze keer was het mijn vader. Mijn ogen brandden en mijn kaak trilde toen ik sprak: 'Ik... ik dacht weer dat ik mijn vader zag.'

Vee sloeg haar armen om me heen. 'Ach, lieverd.'

'Ik weet het. Het was niet echt. Het was niet echt,' herhaalde ik, terwijl ik mezelf gerust probeerde te stellen. Ik knipperde een paar keer met mijn ogen. Door mijn tranen leek alles wazig. *Maar het had echt gevoeld. Zo echt...*

'Wil je erover praten?'

Wat viel er te zeggen? Ik werd achtervolgd. Iemand speelde met mijn gedachten. Iemand bemoeide zich met mij. Een gevallen engel? Een Nephil? De geest van mijn vader? Of waren het mijn eigen gedachten die me voor de gek hielden? Dit was niet de eerste keer dat ik dacht dat ik mijn vader zag, dat hij me iets probeerde te vertellen, maar misschien was dit wel een zelfverdedigingsmechanisme. Misschien zag ik dingen, omdat ik weigerde te accepteren dat hij weg was. Misschien werd de leegte in mij op die manier opgevuld, omdat dat makkelijker was dan hem te laten gaan.

Wat er daar ook was gebeurd, het was niet echt. Het was mijn vader niet geweest. Hij zou mij nooit pijn doen. Hij hield van mij.

'Laten we teruggaan naar de club,' zei ik. Ik slaakte een diepe zucht en wilde zo snel mogelijk weg van dat huis. Ik vertelde mezelf weer dat het mijn vader niet geweest was daar.

Het geluid van drumstellen en gitaren werd harder en hoewel het paniekgevoel nog niet weg was, werd ik wel rustiger. Ik vond het wel een geruststellend idee om opgeslokt te worden door honderden lichamen in een pakhuis. Ik wilde niet naar huis en ik wilde niet alleen zijn. Ik wilde opgaan in de massa.

Ineens greep Vee mijn pols. 'Is dat wie ik denk dat het is?'

Een stukje verderop in de straat stapte Marcie Millar een auto in. Ze droeg een zwart jurkje dat zo kort was dat haar zwarte kanten kousen en jarretels zichtbaar waren. Lange kniehoge laklaarzen en een zwarte hoed maakten haar outfit af. Maar het was niet haar outfit die mijn aandacht trok. Het was de auto. Een glimmende, zwarte Jeep Commander. De motor sloeg aan en de jeep reed de hoek om, uit het zicht.

Hoofdstuk 9

'Godallemachtig,' fluisterde Vee. 'Zag ik dat nou goed? Zag ik Marcie echt in Patch' jeep stappen?'

Ik opende mijn mond om iets te zeggen, maar het voelde alsof iemand spijkers in mijn keel had gestopt.

'Lag het nou aan mij,' zei Vee, 'of zag ik haar rode string onder haar jurk vandaan komen?'

'Dat was geen jurk,' zei ik, terwijl ik tegen een gebouw aanleunde.

'Je hebt gelijk. Dat was inderdaad geen jurk. Dat was een zwart hemdje, dat ze over die magere heupen van haar had getrokken. Het enige wat dat ding ervan weerhoudt om terug te springen tot boven haar navel, is zwaartekracht.'

'Ik moet overgeven,' zei ik. De spijkers in mijn keel zakten naar mijn maag.

Vee legde haar handen op mijn schouders en dwong me te gaan zitten op de stoep. 'Diep ademhalen.'

'Hij heeft iets met Marcie.' Het was bijna te afschuwelijk om te geloven.

'Marcie is een slet,' zei Vee. 'Dat is de enige reden. Ze is een varken. Een rat.'

'Hij zei dat ze niets hadden.'

'Je kunt een hoop zeggen van Patch, maar niet dat hij eerlijk is.'

Ik keek naar de plek waar de jeep had gestaan. Ik voelde een onverklaarbare drang om ze achterna te rennen en iets te doen waar ik spijt van zou krijgen, zoals Marcie wurgen met haar stomme rode string.

'Dit is jouw schuld niet,' zei Vee. 'Hij is hier de klootzak. Hij heeft je gewoon gebruikt.'

'Ik moet naar huis,' zei ik verdoofd.

Net op dat moment stopte er een politieauto voor de ingang van de club. Een lange, slanke agent in een zwarte katoenen broek en een nette blouse stapte uit. De straat was donker, maar ik herkende hem onmiddellijk. Rechercheur Basso. Ik had al een paar keer eerder met hem te maken gehad en had geen zin in nog een keer. En al helemaal niet omdat ik er vrij zeker van was dat hij een hekel aan mij had.

Rechercheur Basso baande zich een weg door de rij en liet zijn insigne zien aan de uitsmijter. Hij liep naar binnen zonder de reactie van de uitsmijter af te wachten.

'Zo hé,' zei Vee. 'Was dat een agent?'

'Ja en hij is veel te oud, dus zet hem gelijk maar weer uit je hoofd. Ik wil naar huis. Waar staat je auto?'

'Hij ziet er echt niet veel ouder uit dan dertig. Sinds wanneer is dertig te oud?'

'Hij heet rechercheur Basso. Hij heeft mij ondervraagd na dat incident met Jules op school.' Ik vond het goed van mezelf dat ik het dat 'incident' noemde, in plaats van wat het echt was geweest. Een moordaanslag.

'Basso. Klinkt goed. Kort en sexy, net als mijn naam. Heeft hij je gefouilleerd?'

Ik keek haar zijdelings aan en toen weer naar de deur van de club. 'Nee. Hij heeft me ondervraagd.'

'Door hem zou ik wel in de boeien geslagen willen worden. Vertel dat maar niet aan Rixon.'

'Laten we gaan. Als de politie hier is, is het vast gevaarlijk.'

'Ik hou van gevaar,' zei ze. Ze haakte haar arm door de mijne en trok me mee naar de ingang van de club.

'Vee...'

'Er zijn waarschijnlijk een paar honderd mensen binnen. Het is donker. Hij ziet je heus niet, als hij je al herkent. Waarschijnlijk is hij je al vergeten. Bovendien gaat hij je echt niet arresteren. Je hebt niets illegaals gedaan. Nou ja, behalve een vals identiteitsbewijs, maar dat doet iedereen. En als hij van plan was om iedereen te arresteren, had hij wel ondersteuning meegebracht. Hij kan in zijn eentje niet de hele tent opdoeken.'

'Hoe weet je dat ik een vals identiteitsbewijs heb?'

Ze gaf me een ik-ben-niet-zo-dom-als-ik-eruitzie-blik. 'Je bent hier, toch?'

'Hoe wil jij dan naar binnen komen?'

'Op dezelfde manier als jij.'

'Heb jij ook een vals rijbewijs?' Ik kon het niet geloven. 'Sinds wanneer?'

Vee knipoogde. 'Rixon kan veel meer dan goed zoenen. Kom, laten we gaan. Ik ben niet voor niets stiekem het huis uit gevlucht, met risico op huisarrest. Bovendien heb ik Rixon al gebeld en hij is onderweg.'

Ik kreunde. Maar dit was niet Vee's schuld. Ik was degene die had bedacht dat het een goed idee was om hier vanavond heen te gaan. 'Vijf minuten, meer niet.'

De rij ging snel. De mensen stroomden het gebouw in en tegen beter weten in betaalde ik de entree en volgde Vee het donkere, plakkerige, oorverdovende pakhuis in. Op een vreemde manier voelde het goed om te dwalen door de duisternis van de club. De muziek stond zo hard dat ik niet eens kon nadenken, dus zelfs als ik het wilde, zou het me nog niet lukken om aan Patch te denken en wat hij op dit moment met Marcie deed.

Achterin was een zwartgeverfde bar met metalen krukken. Boven de bar hingen lampen. Vee en ik gingen op de laatste twee vrije krukken zitten.

'Kunnen jullie je identificeren?' vroeg de barman.

Vee schudde haar hoofd. 'Ik wil gewoon een cola light, alsjeblieft.'

'Voor mij een kersencola,' zei ik.

Vee porde me in mijn ribben. 'Zag je dat? Hij wilde onze identiteitsbewijzen zien. Hoe cool is dat? Ik durf te wedden dat hij onze namen wilde weten, maar dat hij te verlegen was om het te vragen.'

De barman vulde twee glazen en schoof ze over de bar, waar ze precies voor ons stopten.

'Wat een coole truc,' schreeuwde Vee naar hem over de muziek heen.

De barman negeerde haar en richtte zich op de volgende klant.

'Hij is toch te klein voor mij,' zei ze.

'Heb je Scott al gezien?' vroeg ik. Ik rechtte mijn rug en probeerde over de menigte heen te kijken. Hij had meer dan genoeg tijd gehad om zijn auto te parkeren, maar ik zag hem niet. Misschien wilde hij niet betaald parkeren en was hij een stukje verder gereden naar een straat waar het gratis was. Maar dan nog. Zelfs als hij een paar kilometer verder had geparkeerd, had hij er al moeten zijn.

'O, nee. Raad eens wie er net binnenkomt?' Vee keek naar iemand achter mij en fronste. 'Marcie Millar.'

'Ik dacht dat ze weg was!' Er schoot een steek van woede door me heen. 'Is ze met Patch?'

'Zo te zien niet.'

Ik probeerde zo rechtop mogelijk te zitten. 'Ik ben kalm. Ik kan dit aan. Ze ziet ons waarschijnlijk niet eens. En als ze ons wel ziet, komt ze toch nooit naar ons toe.' Ik geloofde er niets van, maar toch voegde ik eraan toe: 'Er is vast een of andere vreemde verklaring waarom ze in zijn jeep stapte.'

'Kun je dan ook verklaren waarom ze zijn pet draagt?'

Ik legde mijn handen plat op de bar en draaide me om. Ja hoor, daar was Marcie, die zich een weg door de menigte baande. Haar roodblonde haar golfde onder Patch' baseballpetje vandaan. Als dat geen bewijs was dat ze samen waren, dan wist ik het ook niet meer.

'Ik vermoord haar,' zei ik tegen Vee. Ik draaide me weer naar de bar en greep mijn cola. Ik voelde het bloed naar mijn wangen stromen.

'Vanzelfsprekend. En hier is je kans, want ze komt naar ons toe.'

Een moment later beval Marcie de man op de kruk naast ons dat hij weg moest gaan en ging ze zitten. Ze deed Patch' pet af, schudde haar haar los en drukte de pet tegen haar gezicht. Ze haalde diep adem. 'Ruikt hij niet fantastisch?'

'Hé, Nora,' zei Vee. 'Patch had toch luizen vorige week?'

'Waar ruikt het naar?' vroeg Marcie, zonder een antwoord te verwachten. 'Versgemaaid gras? Exotische specerijen? Of misschien... munt?'

Ik zette mijn cola iets te hard neer en morste op de bar.

'Echt heel milieuvriendelijk van je,' zei Vee tegen Marcie. 'Dat je Nora's afgelikte boterham als vriendje neemt, in plaats van er zelf een te zoeken.'

'Grappig dat jij weer over boterhammen begint, vetklep,' zei Marcie.

'Vetklep?' zei Vee en ze pakte mijn cola en gooide de inhoud van het glas richting Marcie. Maar iemand uit de menigte stootte Vee aan, zodat de cola niet alleen op Marcie, maar op ons alle drie terechtkwam.

'Kijk nou wat je doet!' zei Marcie, die zo hard van de kruk sprong, dat deze omviel. Ze veegde de cola van haar jurk. 'Deze jurk is van Bebe! Weet je hoeveel hij kost? Tweehonderd dollar!'

'Zoveel is hij nu niet meer waard,' zei Vee. 'En ik snap niet waarom je zo moeilijk doet, want je hebt hem waarschijnlijk toch gestolen.'

'Ja? Dus? Wat wil je daarmee zeggen?'

'Je bent gewoon een ordinaire winkeldief, met de nadruk op ordinair.'

'Jij bent een dikke koe!'

Vee kneep haar ogen samen. 'Je gaat dood. Hoor je me? Dóód.'

Marcie keek naar mij. 'Trouwens, Nora, dit wil je misschien wel weten. Patch vertelde me dat hij het had uitgemaakt omdat je niet met hem naar bed wilde.'

Vee sloeg Marcie tegen haar hoofd met haar handtas.

'Waarom doe je dat?' gilde Marcie, die haar hoofd vastgreep.

Vee sloeg haar nog een keer, nu aan de andere kant. Marcie wankelde achteruit. Haar ogen stonden even wazig, maar ze herstelde zich snel. 'Jij vuile...' begon ze.

'Hou op!' schreeuwde ik. Ik probeerde mezelf tussen ze te wringen en stak mijn armen uit. We hadden de aandacht van de menigte inmiddels getrokken en steeds meer mensen keken naar ons, hopend op een gevecht. Het kon me niets schelen wat er met Marcie gebeurde, maar Vee was een ander verhaal. Als ze zou vechten, zou rechercheur Basso haar meenemen. En als haar ouders erachter kwamen dat ze niet alleen stiekem uit was gegaan, maar ook nog eens gearresteerd was, zou ze haar huis nooit meer uit mogen. 'Laten we elkaar allemaal met rust laten. Vee, haal de Neon. Ik zie je buiten.'

'Ze noemde me een dikke koe. Ze verdient het om te sterven. Dat vind jij toch ook?' Vee's ademhaling was oppervlakkig.

'En hoe wil je me vermoorden?' snauwde Marcie. 'Door op me te gaan zitten?'

En toen ontplofte de boel. Vee greep haar eigen cola en bracht haar arm naar achteren om haar glas te gooien. Marcie probeerde weg te rennen, maar in haar haast struikelde ze over de omgevallen barkruk. Ze landde op de grond. Ik draaide me om naar Vee, in de hoop haar over te kunnen halen om weg te gaan toen iemand me keihard in mijn knieholte trapte. Ik viel achterover en ineens zat Marcie boven op me.

'Dit is omdat je Tod Bérot van mij hebt afgepakt,' zei ze, terwijl ze me keihard op mijn oog sloeg.

Ik schreeuwde het uit van de pijn en greep naar mijn oog. 'Tod Bérot?' schreeuwde ik. 'Waar heb je het over? Dat was in groep vijf!'

'En dit is omdat je vorig jaar een foto van mij met een enorme puist op mijn kin op de voorkant van de schoolkrant hebt gezet!'

'Dat was ik niet!'

Oké, misschien had ik wel enige inspraak in de fotoselectie, maar ik was heus niet de enige. En waar sloeg dat op? Het was een jaar geleden. Waarom zat ze daar nog mee?

'En dit,' schreeuwde Marcie, 'is voor die hoer van een vriendin van je!'

'Je bent gek!' Deze keer lukte het me om haar klap tegen te houden. Ik greep de poot van de dichtstbijzijnde barkruk en duwde hem omver zodat hij op haar viel.

Marcie duwde de barkruk aan de kant. Voordat ik overeind kon krabbelen, greep ze een drankje van een voorbijganger en gooide het in mijn gezicht.

'Oog om oog,' zei ze. 'Als jij mij vernedert, verneder ik jou.'

Ik veegde de cola uit mijn ogen. Mijn rechteroog bonsde van de pijn. Ik voelde hoe de blauwe plek zich onder mijn huid verspreidde, als een blauw-paarse tatoeage. Mijn haar droop van de cola, mijn mooiste hemdje was gescheurd en ik voelde me zwak, verslagen... en afgewezen. Patch had iets met Marcie Millar. En Marcie had het er maar wat graag bij mij ingewreven.

Mijn gevoelens waren geen excuus voor wat ik nu deed, maar ze waren misschien wel de aanleiding. Ik had geen idee hoe ik moest vechten, maar ik balde mijn hand tot een vuist en sloeg Marcie op haar kaak. Ze was zo verrast dat ze doodstil stond. Maar toen kwam ze op me af gerend. Ze had haar handen nog op haar kaak en ik voelde me gesterkt door mijn kleine overwinning, dus haalde ik weer naar haar uit. Maar mijn vuist raakte haar niet, want iemand stak zijn handen onder mijn oksels en trok mij naar achteren.

'Je moet hier nu weg,' zei Patch in mijn oor, terwijl hij mij naar de deur sleepte.

'Ik vermoord haar!' zei ik, terwijl ik me probeerde los te rukken.

Er stond nu een behoorlijke menigte om ons heen. 'Vechten! Vechten!' schreeuwden ze. Patch duwde ze aan de kant en sleepte me erdoorheen. Ik zag hoe Marcie opstond en haar middelvinger naar mij opstak. Ze grijnsde en trok haar wenkbrauwen op. De boodschap was duidelijk. Kom maar op.

Patch duwde me naar Vee en liep toen terug de menigte in, waar hij een hand op Marcies bovenarm legde. Voordat ik kon zien waar hij haar mee naartoe nam, trok Vee me mee naar de dichtstbijzijnde nooduitgang. We kwamen uit in een steegje.

'Ik vond het echt vermakelijk om jou met Marcie te zien vechten, maar ik bedacht dat een nacht in de cel niet zo leuk zou zijn,' zei Vee.

'Ik haat haar!' Mijn stem klonk nog steeds hysterisch.

'Rechercheur Basso kwam eraan toen Patch jou meesleurde. Dat leek me een mooi moment om weg te gaan.'

'Waar heeft hij Marcie mee naartoe genomen? Ik zag dat Patch haar vastpakte.'

'Wat maakt het uit? Ik hoop dat ze allebei worden meegenomen naar het bureau.'

Onze schoenen kraakten op het grind in het steegje. We renden naar Vee's auto. Toen we de rode en blauwe zwaailichten van een politieauto zagen, drukten we onze ruggen tegen het pakhuis.

'Nou, dat was spannend,' zei Vee, toen we eenmaal in de Neon zaten.

'Ja, enorm,' zei ik met mijn kaken op elkaar geklemd.

Vee nam een likje van mijn arm. 'Je smaakt echt lekker. Ik krijg dorst van al die cola.'

'Dit is allemaal jouw schuld!' zei ik. 'Jij bent degene die mijn cola op Marcie gooide! Als jij er niet was geweest, had ik nooit gevochten.'

'Gevochten? Je lag op de grond en liet het gebeuren. Je had wel even wat vechtlessen van Patch mogen krijgen, voordat je het uitmaakte.'

Mijn telefoon ging en ik rukte hem uit mijn tas. 'Wat?' snauwde ik. Toen er geen antwoord volgde, realiseerde ik me dat ik zo in de war was dat ik niet had gehoord dat het een sms'je was in plaats van dat er iemand belde.

Ik had één bericht van een onbekend nummer. BLIJF THUIS VANAVOND.

'Dat is eng,' zei Vee, die naar mij toe boog om het te kunnen lezen. 'Aan wie heb jij je nummer allemaal gegeven de afgelopen tijd?'

'Het is waarschijnlijk een foutje. Voor iemand anders bedoeld.' Natuurlijk dacht ik aan het huis, mijn vader en het visioen dat ik had gehad dat hij mijn arm opensneed.

Ik gooide de telefoon weer in mijn tas en legde mijn handen op mijn hoofd. Mijn oog bonsde. Ik was bang, alleen, in de war en stond op het punt om in huilen uit te barsten.

'Misschien was het van Patch,' zei Vee.

'Waarom stond er dan "onbekend nummer"? Het is een grap.' Kon ik mezelf er maar van overtuigen dat dat waar was. 'Kunnen we gaan? Ik heb een aspirientje nodig.'

'Ik vind dat we rechercheur Basso moeten bellen. De politie is gek op enge stalkers.'

'Je wilt hem alleen maar bellen zodat je met hem kunt flirten.'

Vee zette de Neon in zijn achteruit. 'Ik wil alleen maar helpen.'

'Misschien had je dat tien minuten geleden moeten bedenken, toen je mijn drankje op Marcie gooide.'

'Ik had er tenminste het lef voor.'

Ik draaide me naar haar om en staarde haar aan. 'Beschuldig je mij er nu van dat ik niet voor mezelf op durf te komen?'

'Ze heeft je vriendje afgepakt, of niet? Als Marcie mijn vriendje had gestolen, dan had ze pas echt een probleem.'

Ik wees naar de straat. 'Rij nou maar!'

'Weet je wat? Jij hebt echt een nieuw vriendje nodig. Een avondje zoenen met een jongen op de bank en je bent weer helemaal relaxed.'

Waarom vond iedereen toch dat ik een nieuw vriendje nodig

had? Ik wilde geen vriendje meer. Ik had al genoeg vriendjes gehad.

Het enige waar een vriendje goed voor was, was een gebroken hart.

Hoofdstuk 10

Een uur later had ik een paar crackers met smeerkaas gegeten, de keuken opgeruimd en een beetje tv gekeken. Ergens in een donker hoekje van mijn gedachten lukte het me niet om het sms'je te vergeten met de waarschuwing dat ik thuis moest blijven. Toen ik veilig en wel in Vee's auto zat, was het makkelijker geweest om het af te doen als een grap of iemand die het verkeerde nummer had ingetoetst, maar nu ik alleen was, was ik daar niet meer zo zeker van. Ik overwoog een cd van Chopin op te zetten om de stilte te doorbreken, maar ik wilde alles goed kunnen horen. Het laatste wat ik nodig had, was dat er ineens iemand achter me stond…

Doe normaal! zei ik tegen mezelf. *Er komt hier echt niemand binnen vanavond.*

Na een tijdje, toen er niets leuks meer op tv was, ging ik naar mijn slaapkamer. Mijn kamer was schoon, dus legde ik mijn kleding op kleur. Ik deed alles om maar bezig te blijven en niet in slaap te vallen. Als ik weg zou dommelen, zou ik kwetsbaar zijn en ik wilde dat moment zo lang mogelijk uitstellen. Ik stofte mijn bureau af en zette mijn boeken op alfabetische volgorde. Ik vertelde mezelf dat er niets zou gebeuren. Waarschijnlijk zou ik morgen wakker worden en me realiseren hoe belachelijk paranoïde ik was geweest.

Maar misschien was het sms'je wel van iemand die mijn keel door wilde snijden in mijn slaap. Op een griezelige avond als deze leek alles mogelijk.

Een tijdje later werd ik wakker in het donker. De gordijnen aan de andere kant van de kamer stonden bol omdat de ventilator nog aanstond en die kant op blies. De lucht leek overdreven warm en mijn hemdje en onderbroek plakten aan mijn huid. Omdat ik veel te bang was dat er iemand binnen zou komen, durfde ik het raam niet open te zetten. Ik keek opzij en zag dat het iets voor drieën was.

De rechterkant van mijn hoofd bonsde en ik kreeg mijn rechteroog moeilijk open. Ik deed iedere lamp in het huis aan en liep op blote voeten naar de vriezer, waar ik ijsklontjes pakte die ik vervolgens in een boterhamzakje deed. Daarna liep ik naar de badkamer en keek voorzichtig in de spiegel. Ik kreunde. Van mijn wenkbrauw naar mijn jukbeen liep een grote paarsrode plek.

'Hoe heb je dit kunnen laten gebeuren?' vroeg ik mijn spiegelbeeld. 'Hoe kon je toelaten dat Marcie je in elkaar sloeg?'

Ik schudde de laatste twee aspirientjes uit het potje, slikte ze door en ging weer naar bed. Het ijs prikte op mijn oog en ik kreeg koude rillingen. Terwijl ik wachtte tot de aspirientjes gingen werken, kwam het beeld van Marcie die in Patch' auto stapte steeds weer voorbij in mijn hoofd. Het leek wel een film, die steeds werd teruggespoeld en opnieuw werd afgespeeld. Ik woelde en draaide en trok zelfs het kussen over mijn hoofd om het te laten stoppen, maar de film bleef door mijn gedachten dwalen.

Nadat ik mezelf ongeveer een uur lang had uitgeput met gedachten hoe ik Marcie en Patch zou kunnen vermoorden, viel ik eindelijk in slaap.

Ik werd wakker van het geluid van een slot dat werd opengedraaid.

Ik opende mijn ogen, maar mijn blik was troebel. Alles leek zwart-wit, net als toen ik droomde over het Engeland van honderden jaren geleden. Ik probeerde het weg te knipperen en mijn normale gezichtsvermogen weer terug te krijgen, maar de wereld bleef van rook en ijs.

Beneden ging de voordeur krakend open.

Ik verwachtte mijn moeder zaterdagochtend pas weer thuis, dus was dit iemand anders. Iemand die hier niet hoorde.

Ik keek om me heen of ik iets zag wat ik als wapen zou kunnen gebruiken. Op mijn nachtkastje stonden een paar kleine fotolijstjes en een goedkope plastic lamp.

Er klonken voetstappen in de gang. Een paar seconden later liep er iemand de trap op. De inbreker stond nergens stil en vroeg zich dus blijkbaar niet af of iemand hem hoorde. Hij wist precies waar hij heen ging. Ik rolde voorzichtig uit bed en pakte mijn panty van de vloer. Ik hield hem strak gespannen tussen mijn handen en ging met mijn rug tegen de muur staan, precies naast de slaapkamerdeur. Druppeltjes zweet liepen over mijn gezicht en het was zo stil dat ik mezelf kon horen ademen.

Hij kwam door de deur en ik sloeg de panty om zijn nek en trok hem met al mijn kracht naar achteren. Er was even een gevecht, voordat mijn gewicht naar voren gerukt werd en ik oog in oog stond met Patch.

Hij keek van de maillot die hij had afgepakt naar mij. 'Waar slaat dit nou weer op?'

'Wat doe je hier?' wilde ik weten. Mijn ademhaling sloeg op hol. Ik dacht ineens aan het sms'je. 'Was dat sms'je van jou vanavond? Dat ik thuis moest blijven? Sinds wanneer heb jij een onbekend nummer?'

'Ik moest een nieuwe telefoon kopen. Eentje die veiliger is.'

Ik wilde het niet weten. Waarom al die geheimzinnigheid? Waar was Patch bang voor? Dat de aartsengelen hem afluisterden?

'Is het wel eens in je opgekomen dat je ook gewoon kunt aanbellen?' zei ik, terwijl mijn hart nog steeds tekeerging. 'Ik dacht dat je iemand anders was.'

'Verwacht je iemand?'

'Eigenlijk wel, ja!' Een psychopaat die anonieme sms'jes stuurde dat ik thuis moest blijven.

'Het is al ver na middernacht,' zei Patch. 'Ik weet niet op wie je wacht, maar zo belangrijk kan hij niet zijn, want je bent in slaap gevallen.' Hij glimlachte. 'Je slaapt nog steeds.' Hij had een tevreden blik op zijn gezicht. Gerustgesteld zelfs, alsof iets waar hij al heel lang over na had gedacht, eindelijk werkte.

Ik knipperde met mijn ogen. Sliep ik nog? Waar had hij het over? Wacht. Natuurlijk. Daarom waren alle kleuren zo vaag en zag ik alles zwart-wit. Patch was niet echt in mijn slaapkamer. Hij was in mijn droom.

Maar droomde ik over hem of wist hij dat hij hier was? Deelden we dezelfde droom?

'Als je het per se wilt weten, ik wachtte op Scott.' Ik had geen idee waarom ik dat zei. Het floepte er gewoon uit.

'Scott,' herhaalde hij.

'Begin nou niet over Scott, zeg! Ik zag Marcie nota bene in jouw auto stappen!'

'Ze wilde een lift.'

Ik zette mijn handen op mijn heupen. 'Was dat het enige wat ze wilde? Een lift?'

'Natuurlijk,' zei hij langzaam.

'Natuurlijk! Wat voor kleur had haar string?' Dat was een test en ik hoopte dat hij het niet wist.

Hij zei niets, maar aan de blik in zijn ogen zag ik dat hij het antwoord wist.

Ik liep stampvoetend naar het bed, greep een kussen en gooide het naar hem. Hij stapte opzij en het kussen vloog tegen de muur. 'Je hebt tegen me gelogen,' zei ik. 'Je zei dat er niets was tussen jou en Marcie, maar als twee mensen niets hebben, dan delen ze hun kleding niet en dan stappen ze niet 's avonds laat bij elkaar in de auto in korte jurkjes en rode strings!' Ik was me ineens bewust van mijn eigen kleding, of het gebrek daaraan. Ik stond slechts een meter van Patch verwijderd, met niets meer aan dan een hemdje en een onderbroek. Nou ja, ik kon er nu niet zoveel meer aan doen.

'Kleding delen?'

'Ze droeg jouw pet!'

'Ze had een bad hair day.'

Mijn mond viel open. 'Is dat wat ze je wijs heeft gemaakt? En jij bent daarin getrapt?'

'Ze is niet zo slecht als jij denkt.'

Dat kon hij niet menen.

Ik wees naar mijn oog. 'Niet zo slecht? Zie je dit? Dat heeft zij gedaan! Wat doe je hier?' vroeg ik weer. Ik was werkelijk woedend.

Patch leunde tegen mijn bureau en sloeg zijn armen over elkaar. 'Ik kwam kijken hoe het met je ging.'

'Nogmaals, ik heb een blauw oog,' snauwde ik.

'IJs nodig?'

'Ik heb maar één ding nodig! En dat is dat jij oprot uit mijn droom!' Ik pakte weer een kussen en gooide het hard naar hem toe. Deze keer ving hij het.

'The Devil's Handbag. Blauw oog. Dat hoort erbij.' Hij duwde het kussen naar mij toe, alsof hij zijn woorden kracht bij wilde zetten.

'Verdedig jij Marcie?'

Hij schudde zijn hoofd. 'Niet nodig. Ze kan zichzelf prima redden. Jij daarentegen...'

Ik wees naar de deur. 'Ga weg.'

Toen hij niet bewoog, liep ik naar hem toe en duwde het kussen tegen hem aan. 'Ik zei, rot op uit mijn droom, jij liegende, bedriegende...'

Hij rukte het kussen uit mijn handen en liep naar me toe. Ik liep achteruit totdat ik tegen de muur stond. Zijn motorlaarzen raakten mijn tenen. Ik nam een hap adem om mijn zin af te maken en hem uit te schelden voor het ergste wat ik kon bedenken, toen Patch de rand van mijn broekje vastpakte en me nog dichter naar zich toe trok. Zijn ademhaling was langzaam en hij ademde diep in. Daar stond ik dan, tussen hem en de muur. Mijn hart ging tekeer en ik werd me steeds meer bewust van zijn lichaam en de mannelijke geur van leer en munt op zijn huid. Ik voelde mijn weerstand wegebben.

Het enige wat me op dat moment iets kon schelen, was mijn eigen verlangen en ik greep zijn blouse en trok hem nog dichter naar me toe. Het voelde zo goed om hem weer tegen me aan te voelen. Ik had hem zo erg gemist, maar hoe erg had ik me tot op dit moment niet gerealiseerd.

'Zorg ervoor dat ik hier geen spijt van krijg,' zei ik ademloos.

'Je hebt nog nooit spijt van mij gehad.' Zijn mond raakte de mijne en ik beantwoordde zijn kus zo vurig dat ik dacht dat ik mijn lippen kapot zou maken. Ik zette mijn handen in zijn haar en trok hem nog dichter naar me toe. Mijn mond zat helemaal op de zijne, wild en uitgehongerd. Alle ingewikkelde gevoelens die ik had gehad nadat het uit was gegaan, vielen weg en ik verdronk in de grillige en dwingende behoefte om bij hem te zijn.

Zijn handen gingen onder mijn hemdje en gleden naar mijn rug. Ik zat vast tussen de muur en zijn lichaam en probeerde haastig de knoopjes van zijn blouse los te krijgen. Mijn vingers raakten zijn harde spieren.

Ik rukte zijn blouse van zijn schouders en negeerde het stemmetje in mijn gedachten dat zei dat ik een grote fout beging. Ik wilde het niet horen, wilde niet weten wat er zou kunnen gebeuren. Ik wist dat dit me alleen maar meer zou kwetsen, maar ik kon hem niet weerstaan. Ik dacht maar aan één ding: als Patch echt in mijn droom was, kon deze nacht ons geheim zijn. De aartsengelen konden ons niet zien. Hier golden geen regels. We konden doen wat we wilden en ze zouden er nooit achter komen. Niemand zou er ooit achter komen.

Patch schudde zijn blouse verder uit en gooide hem op de grond. Ik liet mijn handen over zijn perfect gespierde buik glijden en werd gek van verlangen. Ik wist dat hij dit niet kon voelen, maar ik maakte mezelf wijs dat zijn liefde zo groot was dat hij het wel kon voelen. Zijn liefde voor mij. Ik wilde er niet aan denken dat hij mijn aanraking niet kon voelen of hoeveel of hoe weinig deze ontmoeting voor hem betekende. Ik wilde hem gewoon. Nu.

Hij tilde me op en ik sloeg mijn benen om zijn middel. Ik zag dat hij een vluchtige blik wierp op de kast en toen op het bed en mijn hart maakte een sprongetje van verlangen. Ik kon niet meer helder nadenken. Ik wist alleen dat ik alles zou doen wat nodig was om in deze overweldigende roes te kunnen blijven. Alles gebeurde veel te snel, maar de wilde zekerheid van wat er zou gaan gebeuren was een troost voor de koude, vernietigende woede die ik de afgelopen week had voelen borrelen.

Dit was het laatste wat ik dacht voordat mijn vingertoppen de plek op zijn rug raakten waar zijn vleugels zaten.

Voordat ik mezelf kon tegenhouden, werd ik zijn herinneringen in gezogen.

Ik rook leer en voelde het plakken aan de onderkant van mijn bovenbenen, dus nog voordat mijn ogen zich volledig hadden aangepast aan de duisternis, wist ik dat ik in Patch' jeep was. Ik zat op de achterbank. Patch zat achter het stuur en Marcie zat voorin op de passagiersstoel. Ze droeg dezelfde nauwsluitende jurk en lange laarzen waar ik haar drie uur geleden in had gezien.

Het was dus vanavond. Patch' geheugen had mij slechts een paar uur teruggezwiept.

'Ze heeft mijn jurk geruïneerd,' zei Marcie, die aan de stof plukte die om haar dijen hing. 'Ik heb het ijskoud. En ik ruik naar kersencola.'

'Wil je mijn jas?' vroeg Patch, die zijn ogen op de weg hield.

'Waar is-ie?'

'Achterbank.'

Marcie maakte haar gordel los, draaide zich om en greep Patch' jas, die vlak naast me lag. Toen ze weer recht zat, trok ze haar jurk over haar hoofd en gooide hem op de grond. Op haar ondergoed na, was ze volledig naakt.

Ik verslikte me bijna.

Ze stak haar armen in Patch' jas en ritste hem dicht. 'De volgende links,' zei ze.

'Ik weet waar je woont,' zei Patch, die rechts afsloeg.

'Ik wil niet naar huis. Neem straks de tweede straat links.'

Maar Patch bleef rechtdoor rijden.

'Nou, jij bent ook niet gezellig,' zei Marcie pruilend. 'Ben je niet nieuwsgierig waar ik je mee naartoe wilde nemen?'

'Het is laat.'

'Wijs je me af?' zei ze gemaakt verlegen.

'Ik zet je af en dan ga ik naar mijn eigen huis.'

'Waarom mag ik niet mee?'

'Een andere keer misschien.'

O, echt? wilde ik naar Patch roepen. *Dat is meer dan je mij ooit hebt beloofd!*

'Wanneer is een andere keer?' vroeg Marcie met een aanstellerig lachje. Ze legde haar voeten op het dashboard, waardoor haar blote benen goed zichtbaar werden.

Patch zei niets.

'Morgenavond dus,' zei Marcie. Ze was even stil en zei toen met zwoele stem: 'Je hoeft toch nergens anders heen. Ik weet dat Nora het heeft uitgemaakt.'

Patch kneep hard in het stuur.

'Ik hoorde dat ze nu met Scott Parnell is. Je weet wel, die nieuwe jongen. Hij is schattig, maar haalt het niet bij jou.'

'Ik heb geen zin om over Nora te praten.'

'Mooi. Ik ook niet. Ik heb het liever over ons.'

'Ik dacht dat jij een vriendje had.'

'Hád.'

Patch sloeg rechtsaf en reed Marcies oprit op. 'Welterusten, Marcie.'

Ze bleef even zitten en lachte toen. 'Loop je niet met me mee naar de deur?'

'Die kun je zelf ook wel vinden.'

'Als mijn pappie kijkt, zal hij niet blij zijn,' zei ze. Ze boog naar hem toe en trok de kraag van zijn blouse recht. Ze hield haar hand te lang op zijn nek.

'Hij kijkt niet.'

'Hoe weet je dat?'

'Geloof me.'

Marcie ging nog zachter en zwoeler praten: 'Weet je, ik heb echt bewondering voor jouw wilskracht. Je bent mysterieus en daar hou ik van. Maar laat ik over één ding heel duidelijk zijn. Ik ben niet op zoek naar een relatie. Ik hou er niet van als het rommelig en ingewikkeld wordt. Ik wil geen gekwetste gevoelens, verwarrende signalen of jaloezie… ik wil alleen maar een beetje lol maken. Gewoon een pleziertje. Hou dat in gedachten.'

Voor het eerst draaide Patch zich naar Marcie toe en keek haar aan. 'Ik zal het onthouden,' zei hij uiteindelijk.

Ik zag aan haar houding dat Marcie glimlachte. Ze leunde naar Patch toe en gaf hem een langzame, hete zoen. Hij trok zich eerst terug, maar stopte toen. Hij had de kus op ieder moment kunnen afbreken, maar deed het niet.

'Morgenavond,' mompelde Marcie, die zich eindelijk van hem lostrok. 'Jouw huis.'

'Je jurk,' zei hij, terwijl hij naar het hoopje stof op de grond wees.

'Was hem uit en geef hem morgenavond aan me terug.' Ze duwde de deur van de jeep open, rende naar de voordeur en glipte naar binnen.

Mijn armen verslapten en gleden van Patch' nek af. Ik was zo van slag door wat ik had gezien, dat ik geen woord kon uitbrengen. Het was alsof hij een emmer ijswater over me heen had gegooid. Mijn lippen waren opgezwollen van zijn ruige kus en mijn hart stond in brand.

Patch was in mijn droom. We deelden dit samen. Op de een of andere manier was dit echt. Het was een griezelig en bijna onmogelijk idee, maar het moest wel waar zijn. Als hij hier niet was, als hij zichzelf niet stiekem in mijn droom had binnengelaten, had ik zijn littekens niet kunnen aanraken en was ik niet zijn geheugen in gezogen.

Maar dat was wel gebeurd. De herinnering was levendig en echt.

Patch merkte aan mijn reactie dat ik iets gezien had wat niet goed was. Hij legde zijn handen stevig op mijn schouders en staarde naar het plafond. 'Wat heb je gezien?' vroeg hij zachtjes.

Het enige geluid was het bonzen van mijn hart.

'Je hebt Marcie gezoend,' zei ik, op mijn lip bijtend om de tranen tegen te houden.

Hij haalde zijn hand over zijn gezicht en kneep in de rug van zijn neus.

'Zeg dat het niet echt is. Zeg dat het een truc is. Zeg me alsjeblieft dat zij jou in haar macht heeft en dat je er niets aan kunt doen.'

'Het is ingewikkeld.'

'Nee,' zei ik, terwijl ik mijn hoofd schudde. 'Het is niet ingewikkeld. Niets is meer ingewikkeld. Niet na wat wij allemaal hebben meegemaakt. Wat wil je van haar?'

Hij keek me met een ernstige blik aan. 'Geen liefde.'

Een leegheid knaagde aan mijn maag. Alles viel op zijn plek en ineens begreep ik het. Dat hij met Marcie was, was niets anders dan goedkope bevrediging. Het was egoïstisch. Hij zag ons echt als veroveringen. Hij was een *player*. Elk meisje was een nieuwe uitdaging, gewoon een manier om zijn horizon te verbreden. Hij was goed in verleiden. Hij gaf niets om het midden of het eind van het verhaal, alleen om het begin. En net als al die andere meisjes had ik de fout gemaakt om verliefd op hem te worden. Zodra dat duidelijk werd, rende hij weg. Nou, met Marcie hoefde hij zich daar echt geen zorgen over te maken. Die hield alleen van zichzelf.

'Ik walg van je,' zei ik met trillende stem.

Patch ging op zijn hurken zitten en begroef zijn hoofd in zijn handen. 'Ik ben hier niet gekomen om je pijn te doen.'

'Waarom ben je dan wel gekomen? Om een beetje te rotzooien zonder dat de aartsengelen het kunnen zien? Om me nog meer te kwetsen dan je al hebt gedaan?' Ik wachtte niet op een antwoord. Ik greep de zilveren ketting die hij mij had gegeven en rukte hem met al mijn kracht van mijn nek. Dat deed ik zo hard dat ik zou moeten schreeuwen van pijn, maar ik had al zoveel pijn dat ik het amper merkte. Ik had de ketting aan hem terug moeten geven toen ik het uitmaakte, maar realiseerde me nu ineens dat ik de hoop nog niet had opgegeven. Ik had nog steeds in ons geloofd, had vastgehouden aan de hoop dat we het goed zouden maken en dat Patch bij me terug zou komen. Wat een tijdverspilling.

Ik gooide de ketting naar hem toe. 'En ik wil mijn ring terug.'

Hij staarde me met zijn donkere ogen aan en pakte zijn blouse van de grond. 'Nee.'

'Wat bedoel je "nee"? Ik wil de ring terug!'

'Je hebt hem aan mij gegeven,' zei hij zachtjes maar streng.

'Nou, ik ben van gedachten veranderd!' Mijn wangen waren vuurrood en mijn hele lichaam kolkte van woede. Hij hield de ring omdat hij wist hoe belangrijk die voor mij was. Hij hield de ring omdat zijn ziel net zo zwart was als de eerste dag dat ik hem ontmoette, ook al was hij nu een beschermengel. En de grootste fout die ik had gemaakt, was dat ik had geloofd dat hij veranderd was. 'Ik heb je de ring gegeven toen ik zo stom was om te geloven dat ik van je hield!' Ik stak mijn hand naar hem uit. 'Geef terug. Nu.' De gedachte dat ik mijn vaders ring zou verliezen aan Patch was te veel. Hij verdiende het niet. Hij verdiende het niet om het enige aandenken dat ik had aan echte liefde, van mij af te pakken.

Patch negeerde mijn verzoek en liep weg.

***

Ik opende mijn ogen.

Ik deed de lamp aan en zag alles weer in kleur. Toen ik rechtop zat, voelde ik de adrenaline door mijn lichaam stromen. Ik legde mijn hand op mijn nek om te voelen of de ketting van Patch er nog zat, maar die was weg. Ik ging met mijn hand over mijn lakens. Misschien was hij tijdens mijn slaap afgegleden.

Maar de ketting was weg.

De droom was echt.

Patch had een manier gevonden om mij te bezoeken in mijn slaap.

Hoofdstuk 11

Die maandag zette Vee me na school af bij de bibliotheek. Voordat ik naar binnen ging, belde ik mijn moeder even voor ons dagelijkse gesprekje. Ze vertelde me zoals altijd dat ze druk was met werk en ik vertelde haar dat ik druk was met school.

Binnen nam ik de lift naar de computerruimtes op de tweede verdieping. Ik checkte mijn mail en mijn Facebook en las een paar berichtjes op de site van Perez Hilton. Om mezelf te kwellen, googelde ik de Zwarte Hand weer. Dezelfde resultaten verschenen op mijn scherm. Had ik iets anders verwacht? Ik had nu genoeg uitstelgedrag vertoond. Ik opende mijn scheikundeboek en begon met leren.

Tegen de tijd dat ik besloot ermee op te houden en op zoek ging naar een snoepautomaat, was het al laat. Ik keek uit de ramen aan de westkant van de bibliotheek en zag dat de zon al onder was. Ik nam de trap in plaats van de lift naar beneden, omdat ik wel wat beweging kon gebruiken. Van de hele dag binnen zitten waren mijn benen gaan tintelen.

In de gang beneden gooide ik een paar dollar in de snoepautomaat. Ik kocht een zakje zoutjes en een blikje cranberrysap en ging weer terug naar boven. Toen ik in de computerruimte kwam, zat Vee op mijn bureau. Ze had haar glimmende hoge hakken op mijn stoel gezet. Ze keek vrolijk, maar ook een tikkeltje geïrriteerd. Ze zwaaide met een zwarte envelop in de lucht.

'Deze is voor jou,' zei ze, terwijl ze de envelop op het bureau gooide. 'En deze ook.' Ze hield een bruine papieren zak omhoog. 'Ik dacht dat je misschien honger zou hebben.'

Als ik moest afgaan op de uitdrukking op Vee's gezicht, betekende de envelop niet veel goeds. Ik had geen zin om hem open te maken en keek eerst in de bruine zak. 'Muffins!'

Vee grijnsde. 'De vrouw van de bakkerij zei dat ze biologisch waren. Ik weet niet precies hoe je biologische muffins maakt en ik snap niet helemaal waarom ze duurder zijn dan normale, maar ze zijn voor jou.'

'Je bent mijn held.'

'Hoelang ben je hier nog bezig?'

'Een halfuurtje hoogstens.'

Ze legde de sleutels van de Neon naast mijn rugzak. 'Rixon en ik gaan even een hapje eten, dus ben je je eigen chauffeur vanavond. De Neon staat in de ondergrondse parkeergarage. Rij B. De tank zit niet meer al te vol, dus doe geen gekke dingen.'

Ik pakte de sleutels en probeerde de onaangename steek in mijn hart te negeren. Ik was jaloers. Jaloers op Vee's relatie met Rixon. Jaloers dat ze uit eten gingen. Jaloers dat zij nu dichter bij Patch was dan ik, want zelfs al had Vee niets gezegd, ik wist zeker dat ze Patch wel eens tegenkwam als ze met Rixon was. Ze hingen vast met zijn drietjes bij Rixon op de bank, terwijl ik alleen thuis zat. Ik wilde Vee zo graag vragen naar Patch, maar dat kon niet. Ik had het uitgemaakt en moest de consequenties daarvan aanvaarden.

Maar aan de andere kant, ik kon het toch wel gewoon één keertje vragen?

'Hé, Vee?'

Ze draaide zich om. 'Ja?'

Ik opende mijn mond, maar toen dacht ik aan mijn trots. Vee was mijn beste vriendin, maar ze had ook een grote mond. Als ik naar Patch vroeg, zou hij dat misschien te horen krijgen. Hij zou erachter komen hoe moeilijk ik het ermee had.

Ik glimlachte. 'Bedankt voor de muffins.'

'Graag gedaan, lieverd.'

Nadat Vee weg was, haalde ik het papiertje van een van de muffins en at hem in stilte op. Het enige geluid was het zoemen van de computers.

Nadat ik nog een halfuur aan mijn huiswerk had besteed en nog twee muffins had gegeten, durfde ik eindelijk naar de zwarte envelop die op de hoek van de tafel lag te kijken. Ik wist dat het er een keer van moest komen. Ik kon hem niet de hele avond blijven negeren.

Ik scheurde de envelop open. Er zat een zwart kaartje in met in het midden een hartje in reliëf. Op het hartje stond het woord 'sorry'. De kaart was besprenkeld met een bitterzoet parfum. Ik bracht de kaart naar mijn neus en ademde diep in. Ik probeerde de vreemde, bedwelmende geur te plaatsen. Het parfum rook naar verbrand fruit en chemische stofjes en ik voelde het tot achter in mijn keel prikken. Ik deed de kaart open.

Ik heb me als een klootzak gedragen gisteren. Vergeef je me?

Ik liet de kaart automatisch vallen. *Patch.* Ik wist niet wat ik van zijn verontschuldiging moest denken, maar ik kreeg er een raar gevoel bij. Ja, hij was een klootzak geweest. Maar dacht hij dat een kaartje dat goed zou maken? Zo ja, dan onderschatte hij de schade die hij had aangericht. Hij had met Marcie gezoend. *Gezoend!* En hij was ook nog eens mijn dromen binnengedrongen. Ik had geen idee hoe hij dat had gedaan, maar toen ik 's ochtends wakker was geworden, had ik zeker geweten dat hij er was geweest. Ik vond het doodeng. Als hij mijn dromen in kon komen, wat kon hij dan nog meer?

'We gaan over tien minuten dicht,' zei een medewerker van de bibliotheek, die zijn hoofd om de hoek stak.

Ik printte mijn opstel over aminozuren uit en deed mijn boeken in mijn rugzak. Ik pakte Patch' kaart, aarzelde even en scheurde het karton toen in kleine stukjes. Ik gooide de snippers in de prullenbak. Als hij zijn excuses aan wilde bieden, moest hij het zelf maar doen. Niet via Vee en niet in mijn dromen.

Ik liep naar de printer, maar halverwege greep ik een tafel om mezelf in evenwicht te houden. Het voelde alsof de rechterhelft van mijn lichaam zwaarder was dan de linker en ik was duizelig. Ik nam nog een stap. Mijn rechterbeen klapte dubbel, alsof hij van papier was gemaakt. Ik ging op mijn hurken zitten, greep de tafel met beide handen vast en legde mijn hoofd op mijn borst om zo het bloed naar mijn hersenen te laten stromen. Er trok een warm, slaperig gevoel door mijn aderen.

Ik ging weer staan en wankelde, maar nu was er ineens iets mis met de muren. Ze waren te lang en te smal, alsof ik in een lachspiegel keek. Ik knipperde een paar keer en probeerde me te concentreren op één punt.

Mijn botten werden van ijzer en weigerden te bewegen en mijn oogleden vielen dicht. Ik zag een sterk fluorescerend licht. Ik probeerde mijn ogen in paniek weer te openen, maar had geen controle meer over mijn lichaam. Het leek alsof warme vingers zich om mijn gedachten sloten om mij in slaap te brengen.

Het parfum, dacht ik wazig. *In de kaart van Patch.*

Ik zat nu op mijn handen en knieën, en zag overal vreemde rechthoeken. Ze draaiden voor mijn ogen. Deuren. De ruimte zat ineens vol open deuren. Maar hoe sneller ik op ze af kroop, hoe verder weg ze sprongen. Ergens in de verte hoorde ik het sombere tikken van een klok. Ik probeerde weg te komen van het geluid. Ik was nog helder genoeg om me te realiseren dat de klok aan de andere kant van de ruimte hing, tegenover de deur.

Een paar momenten later besefte ik dat mijn armen en benen niet langer bewogen. Het gevoel dat ik kroop was niets meer dan een illusie in mijn hoofd. Het harde fabriekstapijt kriebelde tegen mijn wang. Ik deed nog één keer een poging om mezelf overeind te duwen. Toen sloot ik mijn ogen en verdween al het licht.

Ik werd wakker in het donker.

Koude lucht prikkelde mijn huid en om me heen klonk het zachte gezoem van machines. Ik zette mijn handen op de grond, maar toen ik overeind probeerde te komen, dansten er paarse en zwarte stipjes voor mijn ogen. Mijn mond voelde droog en ik rolde op mijn rug.

Ineens besefte ik dat ik nog steeds in de bibliotheek was. Dat dacht ik tenminste. Ik kon me niet herinneren dat ik weg was gegaan. Maar wat deed ik op de grond? Ik probeerde me te herinneren wat er was gebeurd.

De kaart van Patch. Ik had het scherpe, bittere parfum ingeademd. Kort daarna was ik in elkaar gestort en op de grond gevallen.

Was ik gedrogeerd?

Had Patch mij gedrogeerd?

Mijn hart ging als een razende tekeer en ik knipperde met mijn ogen. Ik probeerde nog een keer op te staan, maar het voelde alsof iemand me weer terug naar de grond schopte. Toen ik nog een poging deed, lukte het me om te gaan zitten. Ik greep een tafel en trok mezelf omhoog totdat ik stond. Mijn hoofd stribbelde tegen en ik werd duizelig, maar boven de deur zag ik het groene uitgangsbordje branden. Ik wankelde ernaartoe.

Ik pakte de deurklink. De deur ging een stukje open en zat toen vast. Ik wilde het nog een keer proberen toen ik ineens iets zag door het glas in de deur. Ik fronste. *Dat is raar*. Iemand had een stuk touw aan de deurklink gebonden en het andere eind vastgemaakt aan de deur van de ruimte hiernaast.

Ik sloeg met mijn hand op het glas. 'Hallo?' riep ik versuft. 'Kan iemand mij horen?'

Ik probeerde de deur weer en trok hem met al mijn kracht naar binnen, maar was behoorlijk verzwakt. Telkens als ik mijn spieren aanspande, leken ze te smelten als warme boter. Het touw zat zo strak tussen de twee deurklinken gespannen, dat ik de deur slechts een paar centimeter open kreeg. Het was bij lange na niet genoeg om doorheen te glippen.

'Is daar iemand?' schreeuwde ik door de opening van de deur. 'Ik zit vast op de tweede verdieping!'

De bibliotheek antwoordde met stilte.

Mijn ogen waren nu helemaal gewend aan het donker en ik keek naar de klok aan de muur. Elf uur? Klopte dat? Had ik echt meer dan twee uur geslapen?

Ik haalde mijn mobiel uit mijn zak, maar had geen bereik. Ik probeerde in te loggen op internet, maar kreeg steeds weer de melding dat er geen beschikbare netwerken waren.

Ik keek wild om me heen, op zoek naar iets wat ik kon gebruiken om hier uit te komen. Computers, stoelen, kastjes... niets nuttigs. Ik knielde naast het luchtgat in de vloer en schreeuwde: 'Kan iemand me horen? Ik zit vast in de computerruimte op de tweede verdieping!' Ik wachtte en hoopte op een antwoord. Mijn enige hoop was dat er nog een medewerker van de bibliotheek aanwezig zou zijn. Maar over een uur was het middernacht en ik wist dat de kans heel klein was.

Vanaf de gang klonk het geluid van de lift die in beweging kwam vanaf de begane grond. Ik spitste mijn oren.

Toen ik vier of vijf jaar oud was, nam mijn vader me een keer mee naar het park om me te leren fietsen zonder zijwieltjes. Aan het eind van de middag kon ik rondjes rijden zonder te vallen. Mijn vader gaf me een knuffel en zei dat het tijd was om naar huis te gaan en het aan mijn moeder te laten zien. Ik smeekte hem of ik nog twee rondjes door het park mocht rijden. We sloten een compromis en ik mocht nog één rondje. Halverwege het rondje verloor ik mijn evenwicht en viel. Terwijl ik mijn fiets weer oppakte, zag ik een grote, bruine hond. Hij stond best dichtbij en staarde naar me. Op dat moment, toen ik daar zo stond en die hond naar me staarde, hoorde ik een stemmetje fluisteren. *Niet bewegen.* Ik hield mijn adem in en bleef staan, ook al wilden mijn benen zo snel als ze konden naar mijn vader rennen.

De oren van de hond sprongen rechtovereind en hij staarde me agressief aan. Ik rilde van angst, maar bleef op mijn plek. De hond kwam dichterbij en ik wilde rennen, maar ik wist dat de hond me achterna zou komen zodra ik zou bewegen. Toen de hond bijna bij me was, keek hij me nog even aan en uiteindelijk verloor hij zijn interesse in mijn standbeeldachtige lichaam en liep de andere kant uit. Ik vroeg mijn vader of hij dat stemmetje ook had gehoord dat ik stil moest blijven staan en hij zei dat het intuïtie was. Als ik daarnaar luisterde, zou ik negen van de tien keer de juiste keuze maken.

Mijn intuïtie sprak nu ook. *Vlucht.*

Ik greep een monitor van het dichtstbijzijnde tafeltje en gooide het tegen het glas in de deur. Het glas brak en er ontstond een enorm gat in het midden van de deur. Ik pakte de perforator van de werktafel in het midden van het lokaal en gebruikte die om de rest van het glas eruit te slaan. Daarna sleepte ik een stoel naar de deur, klom erop, zette mijn schoen op de rand van het raamkozijn en sprong de gang in.

De lift siste en ratelde en was nu waarschijnlijk op de eerste verdieping.

Ik rende de gang door. Ik moest het trappenhuis naast de lift bereiken, voordat de lift hoger kwam en degene die erin zat, mij zag. Ik trok aan de deur van het trappenhuis en verbruikte kostbare seconden toen ik hem weer voorzichtig achter me dichtdeed. Aan de andere kant van de deur kwam de lift tot stilstand. De deur ging vanzelf open en er stapte iemand naar buiten. Ik gebruikte de trapleuning om nog sneller te lopen en probeerde zo min mogelijk geluid te maken. Halverwege de tweede trap hoorde ik de deur van het trappenhuis boven me opengaan. Ik stopte met rennen, want ik wilde niet dat degene die daar stond wist dat ik er was.

Nora?

Ik greep de leuning stevig vast. Het was de stem van mijn vader.

Nora? Ben je daar?

Ik slikte. Ik wilde schreeuwen dat ik er was. Maar toen herinnerde ik me wat er was gebeurd in het leegstaande huis.

Je hoeft je niet te verstoppen. Je kunt me vertrouwen. Laat me je helpen. Kom naar me toe.

Zijn toon was vreemd en dwingend. In het leegstaande huis was zijn stem eerst kalm en vriendelijk geweest. Diezelfde stem had me verteld dat we niet alleen waren en dat ik weg moest gaan. Toen hij daarna sprak, was zijn stem anders geweest. Hij klonk misleidend. Wat als mijn vader wél contact met me had proberen op te nemen. Wat als hij was weggejaagd en iemand anders hem nadeed? De gedachte dat iemand mijn vader nadeed om mij te lokken was beangstigend.

Zware voetstappen holden de trap af en rukten me uit mijn dagdroom. Hij kwam me achterna.

Ik kletterde van de trap af en deed geen moeite meer om geen geluid te maken. *Harder!* schreeuwde ik tegen mezelf. *Ren harder! Harder!*

Hij kwam dichterbij en was nu slechts één trap van me verwijderd. Toen mijn voeten de grond op de benedenverdieping raakten, stormde ik de deur van het trappenhuis door, rende de gang door en wierp mezelf de voordeur uit, de nacht in.

De lucht was warm en stil en ik rende de betonnen trap af naar de straat, toen ik ineens van gedachten veranderde. Ik greep de leuning aan de linkerkant van de deuren, sprong drie meter naar beneden en landde op een stuk gras. Boven mij gingen de bibliotheekdeuren open. Ik duwde mijn rug tegen de cementen muur. Mijn voeten stonden tussen het onkruid en afval.

Zodra ik hoorde dat hij de betonnen trap afliep, rende ik weg. De bibliotheek had geen eigen parkeergelegenheid maar deelde een ondergrondse garage met het stadhuis. Ik rende de helling af, dook onder de slagboom door en zocht de Neon. Waar had Vee hem ook alweer geparkeerd?

Rij B...

Ik rende een stukje verder en zag de achterkant van de Neon uit een van de parkeerplaatsen steken. Ik ramde de sleutel in de deur, sprong achter het stuur en startte de motor. Net toen ik de Neon de helling bij de uitgang op had gereden, kwam er een donkere terreinwagen de hoek om gescheurd. De auto kwam recht op me af.

Ik zette de Neon in de tweede versnelling en trapte op het

gaspedaal. Op het nippertje schoot ik langs de terreinwagen; een paar tellen later en hij had de uitgang geblokkeerd en mij ingesloten in de parkeergarage.

Ik kon niet helder nadenken en had geen idee waar ik heen ging. Ik racete een paar straten door, negeerde een rood stoplicht en sloeg Walnut Street in. De terreinwagen zat vlak achter me. Dit was een grote tweebaansweg, waar je maar zeventig mocht. Ik gaf gas totdat ik tachtig reed en keek steeds van de weg in de achteruitkijkspiegel.

Zonder richting aan te geven, rukte ik aan het stuur en schoot een zijstraat in. De terreinwagen volgde en schuurde over de stoeprand. Ik ging nog twee keer rechtsaf en was toen weer terug op Walnut Street. Ik voegde in voor een witte auto, die nu tussen mij en de terreinwagen reed. Het stoplicht sprong op oranje en net toen hij op rood sprong, schoot ik over de kruising. In de achteruitkijkspiegel zag ik hoe de witte auto voor het stoplicht remde. Daarachter kwam de terreinwagen met piepende banden ook tot stilstand.

Een paar keer ademde ik diep in. Het bloed bonkte door mijn armen en mijn handen, die stevig om het stuur geklemd zaten.

Ik reed de heuvel op en was al snel aan de andere kant, waar ik links afsloeg. Ik reed over de spoorwegovergang en door een donkere, verlaten buurt met lage bakstenen huisjes. Dit was Slaughterville. De buurt had deze bijnaam tien jaar geleden gekregen toen drie tieners elkaar op een speelplaats hadden neergeschoten.

Ik remde af toen mijn aandacht werd getrokken door een huis aan het eind van de straat. De lichten waren uit. Er was een oprit met een verlaten, lege garage. De deur van de garage stond open. Ik zette de Neon in zijn achteruit en reed de garage in. Nadat ik drie keer had gecontroleerd of de deuren op slot zaten, zette ik de motor uit. Ik wachtte en vreesde dat de terreinwagen ieder moment de straat in kon rijden.

Ik rommelde in mijn tas en haalde mijn telefoon tevoorschijn.

'Hé,' zei Vee.

'Wie hebben die kaart allemaal aangeraakt, behalve Patch?' wilde ik weten. De woorden stroomden als een waterval uit mijn mond.

'Huh?'

'Heeft Patch jou de kaart gegeven? Of Rixon? Wie hebben de kaart allemaal aangeraakt?'

'Wil je me nog vertellen waar dit over gaat?'

'Ik denk dat ik gedrogeerd ben.'

Stilte.

'Ja hoor! Zat er vergif op de kaart?' zei Vee uiteindelijk. Ze klonk aarzelend.

'Er zat parfum op de kaart,' legde ik ongeduldig uit. 'Ik wil weten wie de kaart aan jou heeft gegeven. Van wie kreeg je hem?'

'Ik was onderweg naar de bibliotheek om jou de muffins te geven en toen belde Rixon om te vragen waar ik was,' vertelde ze langzaam. 'We zagen elkaar voor de bibliotheek en Patch zat naast Rixon in de auto. Ze waren met Rixons auto. Patch gaf me de kaart en vroeg me of ik die aan jou wilde geven. Ik heb jou toen de kaart, de muffins en de sleutels van de Neon gegeven en ben weer naar buiten gegaan, waar Rixon op me wachtte.'

'Heeft niemand anders de kaart aangeraakt?'

'Niemand.'

'Ik ben ongeveer een halfuur nadat ik aan de kaart had geroken, flauwgevallen in de bibliotheek. Ik werd twee uur later pas weer wakker.'

Vee gaf niet gelijk antwoord en ik kon gewoon horen hoe ze

alles probeerde te verwerken. 'Weet je zeker dat je niet gewoon heel moe was?' zei ze uiteindelijk. 'Je was al heel lang in de bibliotheek. Ik kan echt niet zo lang werken zonder te slapen.'

'Toen ik wakker werd,' ging ik verder, 'was er iemand in de bibliotheek. Ik denk dat het dezelfde persoon was die me gedrogeerd heeft. Hij rende me achterna door de bibliotheek. Ik ben ontsnapt, maar hij is me helemaal tot Walnut Street achternagereden.'

Er volgde weer een stilte. 'Ik mag Patch niet, dat weet je, maar ik denk echt niet dat hij zoiets zou doen. Het is een rare gast, maar hij heeft wel grenzen.'

'Wie was het dan?' Mijn stem klonk een beetje fel.

'Ik weet het niet. Waar ben je nu?'

'Slaughterville.'

'Wát? Ga weg daar, voordat je beroofd wordt! Kom naar mij. Dan kun je hier blijven slapen. We komen er wel uit. We komen er wel achter wat er is gebeurd.' Maar haar woorden klonken niet echt opbeurend. Vee was net zo verbaasd als ik.

Ik bleef nog zo'n twintig minuten in de garage voordat ik het weer aandurfde om verder te rijden. De zenuwen gierden door mijn lijf en mijn gedachten sloegen op hol. Ik wilde niet langs Walnut Street, want ik was bang dat de terreinwagen misschien stond te wachten tot ik terug zou komen. Dus reed ik door achterafstraatjes, negeerde de snelheidslimiet en racete richting Vee's huis.

Ik was er bijna toen ik ineens rood-met-blauwe lichten zag in de achteruitkijkspiegel.

Ik zette de Neon aan de kant van de weg en legde mijn hoofd op het stuur. Oké, ik had veel te hard gereden en dat was stom, maar om uitgerekend nú te worden aangehouden...

Een moment later tikte er iemand tegen het raampje. Ik drukte op het knopje en het raam ging omlaag.

'Kijk eens aan,' zei rechercheur Basso. 'Lang niet gezien.'

Iedere andere agent was prima geweest. Iédere andere.

Hij wapperde met zijn bonnenboekje. 'Papieren en rijbewijs. Je weet hoe het gaat.'

Ik wist dat het geen zin had om me hier uit te praten, niet bij rechercheur Basso, dus had het waarschijnlijk ook geen zin om zielig te doen. 'Ik wist niet dat je als rechercheur ook bonnen voor te hard rijden moest uitschrijven.'

Hij grijnsde. 'Waarom had je zo'n haast?'

'Kan ik gewoon mijn bon krijgen?'

'Heb je alcohol in de auto?'

'Kijk gerust rond,' zei ik, terwijl ik mijn handen spreidde.

Hij opende de deur. 'Stap uit.'

'Waarom?'

'Stap uit en loop over deze lijn.' Hij wees naar de lijn die de weg doormidden deelde.

'Denk je dat ik dronken ben?'

'Ik denk dat je gek bent en ik wil graag weten of je nuchter bent, nu ik je toch hier heb.'

Ik stapte uit en sloeg de deur achter me dicht. 'Hoe ver?'

'Totdat ik zeg dat je mag stoppen.'

Ik concentreerde me op de lijn, maar iedere keer als ik naar beneden keek, werd alles wazig. Ik voelde het effect van de drugs nog steeds en hoe harder ik probeerde om me te concentreren, hoe meer ik wankelde. 'Kun je me niet gewoon een bon geven en me naar huis sturen?' Mijn toon was opstandig, maar ik was doodsbang. Als ik niet over een rechte lijn kon lopen, moest ik misschien met hem mee. Ik was al zo geschrokken van de hele avond. Een nacht in de cel zou ik echt niet aankunnen. Wat als de man uit de bibliotheek me weer achternakwam?

'Er zijn waarschijnlijk een hoop dorpsagenten die je nu hadden laten gaan. Sommigen zouden zich zelfs laten omkopen. Ik niet.'

'Maakt het nog wat uit dat ik gedrogeerd ben?'

Hij lachte. 'Gedrogeerd?'

'Mijn ex-vriend gaf me eerder vanavond een kaart met parfum. Ik opende de kaart en voordat ik het wist, viel ik flauw.'

Toen rechercheur Basso me niet onderbrak, ging ik door. 'Ik was meer dan twee uur buiten bewustzijn. Toen ik wakker werd, was de bibliotheek dicht. Ik zat opgesloten in de computerruimte. Iemand had de deur dichtgemaakt...' Ik hield op met praten.

Hij gebaarde dat ik moest doorgaan. 'Kom op, het wordt net een beetje spannend. Nu moet je je verhaal ook afmaken.'

Ineens realiseerde ik me dat ik mezelf alleen maar meer in de problemen zou brengen. Ik had toegegeven dat ik in de bibliotheek was. Zodra ze morgen opengingen, zouden ze bij de politie melden dat er een ruit was ingeslagen. En dan zou rechercheur Basso natuurlijk gelijk aan mij denken.

'Je was in de computerruimte,' zei hij. 'Wat gebeurde er toen?'

Het was nu te laat om terug te krabbelen. Ik moest het verhaal afmaken en hopen op een goede afloop. Misschien kon ik rechercheur Basso ervan overtuigen dat het niet mijn schuld was, dat ik correct gehandeld had. 'Iemand had de deur gebarricadeerd. Ik heb een computer door het raam van de deur gegooid om eruit te komen.'

Hij gooide zijn hoofd in zijn nek en lachte. 'Er is een naam voor meisjes zoals jij, Nora Grey. Fantasten. Je verzint alles bij elkaar.' Hij liep terug naar zijn auto en haalde de radio uit de openstaande deur. 'Kan er iemand langs de bibliotheek? Even de computerruimtes checken. Laat me weten wat jullie vinden.'

Hij leunde tegen zijn auto en keek op zijn horloge. 'Hoelang denk je dat het gaat duren voordat ze contact met me opnemen? Je hebt bekend, Nora. Ik kan je ter plekke aanhouden voor vandalisme en inbraak.'

'Ik werd tegen mijn wil vastgehouden ín de bibliotheek. Dat lijkt me geen inbraak.' Ik klonk nerveus.

'Als iemand jou gedrogeerd heeft en daar opsloot, kun je me dan uitleggen waarom je tien kilometer te hard door Hickory rijdt?'

'Het was niet de bedoeling dat ik zou ontsnappen. Ik heb dat raam ingegooid, omdat hij met de lift naar boven kwam.'

'Hij? Heb je hem gezien? Dan kun je hem ook omschrijven.'

'Ik heb hem niet gezien, maar het was wel een man. Toen hij achter me aan kwam in het trappenhuis, hoorde ik zware voetstappen. Te zwaar voor een meisje.'

'Je stamelt. Dat betekent normaal gesproken dat je liegt.'

'Ik lieg niet. Ik zat vast in de computerruimte en daarna kwam er iemand achter me aan.'

'Oké.'

'Wie zou er anders nog zo laat in dat gebouw zijn?' snauwde ik.

'De conciërge?' zei hij kalm.

'Hij was niet gekleed als een conciërge. In het trappenhuis zag ik dat hij een donkere broek en donkere tennisschoenen droeg.'

'Dus als deze zaak voorkomt, ga jij aan de rechter vertellen dat je een expert bent op het gebied van conciërgekleding?'

'De man is me de bibliotheek uit gevolgd, in zijn auto gestapt en me gevolgd. Een conciërge zou dat niet doen.'

De radio maakte lawaai en rechercheur Basso pakte de ontvanger.

'Ik kom net van de bibliotheek,' zei een krakende mannenstem. 'Niets aan de hand.'

Rechercheur Basso keek me bedenkelijk aan. 'Niets? Zeker weten?'

'Ik herhaal: niets.'

Niets? In plaats van opluchting, voelde ik paniek. Ik had het raam van de deur ingegooid. *Echt.* Het was echt gebeurd. Ik had het me niet verbeeld. Echt... niet.

Rustig blijven! zei ik tegen mezelf. Dit was eerder gebeurd. Het was niets nieuws. De vorige keer was het een truc geweest. Iemand had mijn gedachten gemanipuleerd. Gebeurde dat nu weer? Maar... *waarom*? Ik moest hier even goed over nadenken. Ik schudde mijn hoofd in een belachelijke poging het zo van me af te schudden.

Rechercheur Basso scheurde het bovenste blaadje van zijn boekje en duwde het in mijn hand.

Ik keek naar het bedrag onder aan het papiertje. 'Tweehonderdnegenentwintig dollar?'

'Je reed veel te hard en ook nog eens in een auto die niet van jou is. Betaal de boete of ik zie je in de rechtszaal.'

'Ik... ik heb niet zoveel geld.'

'Neem een baantje. Dan raak je misschien niet meer zo snel in de problemen.'

'Alsjeblieft, kan het niet anders?' zei ik smekend.

Rechercheur Basso keek me bedenkelijk aan. 'Twee maanden geleden overleed er een jongen in de gymzaal van jouw school. Hij had geen identiteitskaart, geen paspoort en geen familie.'

'Jules had zelfmoord gepleegd. Dat was toch onderzocht?' zei ik automatisch. Het zweet prikte op mijn nek. Wat had dit te maken met mijn snelheidsovertreding?

'Diezelfde avond zette de schoolpsycholoog jouw huis in brand. Vervolgens verdween ze. Deze twee bizarre incidenten hebben één overeenkomst.' Zijn donkerbruine ogen staarden me intens aan. 'Jij.'

'Wat wil je daarmee zeggen?'

'Vertel me wat er echt is gebeurd die avond en ik zal deze overtreding door de vingers zien.'

'Ik weet niet wat er is gebeurd.' Ik loog, want ik kon niet anders. Als ik de waarheid zou vertellen, zou ik nog slechter af zijn. Ik kon rechercheur Basso niet vertellen over gevallen engelen en Nephilim. Hij zou me nooit geloven als ik hem vertelde dat Dabria een doodsengel was. Of dat Jules afstamde van een gevallen engel.

'Jouw keuze,' zei rechercheur Basso, die zijn kaartje aan mij gaf, voordat hij weer in zijn auto stapte. 'Als je van gedachten verandert, weet je me te vinden.'

Ik keek naar het kaartje, terwijl de politieauto wegreed. RECHERCHEUR ECANUS BASSO. 207-555-3333.

Het kaartje voelde zwaar aan. Zwaar en warm. Hoe ging ik aan tweehonderd dollar komen? Ik kon het niet van mijn moeder lenen. Ze had amper genoeg geld voor boodschappen. Patch had het geld wel, maar ik had hem verteld dat ik prima voor mezelf kon zorgen. Ik had hem verteld dat ik hem niet meer in mijn leven wilde. Wat zei het over mij als ik naar hem toe rende zodra ik problemen had? Daarmee zou ik zeggen dat hij gelijk had.

Daarmee zou ik zeggen dat ik hem nodig had.

Hoofdstuk 12

Die dinsdag liep ik na de les naar de parkeerplaats van school, waar ik had afgesproken met Vee. Ze had gespijbeld om de dag met Rixon door te brengen, maar ze had beloofd om me 's middags op te halen en me een lift naar huis te geven. Mijn telefoon piepte. Ik zag dat ik een sms'je had en op hetzelfde moment hoorde ik Vee roepen vanaf de overkant van de straat.

'Joehoe, Nora! Ik sta hier!'

Ik liep naar haar auto en ging voor het open raampje staan. Ik vouwde mijn armen. 'Nou? Was het het waard?'

'Het spijbelen? Ja, zeker. Rixon en ik hebben de hele ochtend bij hem thuis op zijn Xbox gespeeld. *Halo Two*.' Ze deed de deur aan mijn kant open.

'Klinkt romantisch,' zei ik, terwijl ik instapte.

'Kraak het niet af voordat je het geprobeerd hebt. Een beetje geweld brengt jongens in de juiste stemming.'

'De juiste stemming? Is er iets wat ik moet weten?'

Vee glimlachte zo breed dat ik al haar tanden kon zien. 'We hebben gezoend. O man, het was zo lekker. Eerst langzaam, maar toen kreeg Rixon er steeds meer zin in en...'

'Oké!' onderbrak ik haar luid. Was ik ook zo geweest toen ik iets met Patch had? Ik hoopte van niet. 'Waar gaan we heen?'

Ze reed weg. 'Ik heb geen zin in huiswerk. Ik heb zin in iets leuks en dat gaat niet gebeuren met mijn neus in de boeken.'

'Wat had je in gedachten?'

'Old Orchard Beach. Ik ben in de stemming voor zon, zee en strand. Bovendien kan ik wel wat kleur gebruiken.'

Old Orchard Beach klonk perfect. Er was een lange pier over het water en op het strand was een pretpark en 's avonds was er vuurwerk. Helaas zou het strand moeten wachten.

Ik klapte mijn telefoon open. 'We hebben al plannen vanavond.'

Vee leunde opzij, las het sms'je en grijnsde. 'Marcies feestje? Echt? Ik wist niet dat jullie beste vriendinnen waren tegenwoordig.'

'Ze zei dat ik mijn sociale leven om zeep zou helpen als ik haar feestje zou missen.'

'Ze is ook zo'n slet. Mijn leven is pas compleet als ik níét naar haar feestje ga.'

'Stel die mening maar even bij, want ik ga erheen en jij gaat met me mee.'

Vee ging rechtovereind zitten en greep het stuur stevig vast. 'Wat wil ze van je? Waarom heeft ze je uitgenodigd?'

'We zijn scheikundepartners.'

'Je vergeeft haar wel erg snel voor je blauwe oog.'

'Ik ben het haar verschuldigd om in ieder geval een uurtje mijn gezicht te laten zien. Als haar scheikundepartner,' voegde ik eraan toe.

'Dus jij beweert dat wij vanavond naar Marcies feestje gaan omdat jij iedere ochtend naast haar zit met scheikunde?' Vee keek me aan met een blik dat ze wel beter wist.

Ik wist dat het een slap excuus was, maar niet zo slap als de waarheid. Ik wilde absoluut zeker weten of Patch écht iets met Marcie had. Toen ik twee avonden geleden zijn littekens had aangeraakt en in zijn herinnering terechtkwam, deed hij nogal afstandelijk tegen Marcie. Voordat ze zoenden, deed hij zelfs kortaf tegen haar. Ik wist nog niet helemaal zeker wat hij van haar vond. Maar als hij echt iets met haar had, zou het makkelijker worden om hem te vergeten. Het zou makkelijker zijn om hem te haten. En ik wilde hem haten. Dat zou voor ons allebei het beste zijn.

'Ik zie je neus groeien,' zei Vee. 'Dit heeft niets te maken met jou en Marcie. Dit gaat over Patch en Marcie. Je wilt weten of ze nog iets hebben.'

Ik gooide mijn handen in de lucht. 'Oké! Wat is daar mis mee?'

'Man,' zei ze, terwijl ze haar hoofd schudde. 'Jij hebt echt een zwaar leven.'

'Ik dacht dat we misschien naar haar slaapkamer konden gaan. Kijken of we bewijs kunnen vinden dat ze samen zijn.'

'Gebruikte condooms, bedoel je?'

Ik voelde ineens mijn ontbijt naar boven komen. Daar had ik nog niet eens aan gedacht. Zouden ze met elkaar naar bed gaan? Nee. Ik geloofde het niet. Dat zou Patch mij nooit aandoen. Niet met Marcie.

'Ik weet het!' riep Vee. 'We kunnen haar dagboek stelen!'

'Dat dagboek waar ze al jaren mee rondloopt?'

'Dat dagboek waarvan zij beweert dat een roddelblad er niets bij is,' zei ze geniepig. 'Als ze iets heeft met Patch, staat het daar zeker weten in.'

'Ik weet het niet, hoor.'

'O, kom op. We geven het weer netjes terug als we klaar zijn. We doen er niets slechts mee.'

'Hoe wil je dat doen? Het voor haar voordeur leggen en wegrennen? Ze vermoordt ons als ze erachter komt dat wij haar dagboek hebben gestolen.'

'Natuurlijk. Gewoon voor de deur leggen. Of we lezen het tijdens het feestje en leggen het daarna weer veilig terug.'

'Het lijkt zo verkeerd.'

'We zullen niemand vertellen wat we hebben gelezen. Het zal ons geheimpje zijn. Het is niet verkeerd als we niemand kwetsen.'

Ik vond het niet zo'n goed idee om Marcies dagboek te stelen, maar ik merkte aan Vee dat ze dit per se wilde doen. Het belangrijkste was dat ze met me meeging naar het feest. Ik wist niet zeker of ik wel in mijn eentje durfde te gaan. Helemaal omdat ik daar waarschijnlijk niemand kende. 'Haal je me vanavond op?' zei ik.

'Zeker weten. We kunnen ook haar bed in de fik steken!'

'Nee. Ze mag er niet achter komen dat wij er waren.'

'Ja, maar subtiel is gewoon niet echt mijn stijl.'

Ik keek haar met opgetrokken wenkbrauwen aan. 'Je meent het.'

Het was net negen uur geweest toen Vee en ik Marcies buurt binnen reden. In Coldwater kun je heel makkelijk bepalen in wat voor soort buurt je bent: leg een knikker neer op straat. Als de knikker naar beneden rolt, is het een chique buurt. Als de knikker niet beweegt, ben je in een buurt met veel middenstanders en als je de knikker kwijtraakt in de mist voordat je kunt zien waar hij heen rolt... tja, dan ben je in mijn buurt. Het oerwoud.

Vee reed de Neon de heuvel op. Marcies buurt was oud, met veel bomen die al het maanlicht tegenhielden. De huizen hadden grote, mooie voortuinen en halve cirkels als oprit. De architectuur was gregoriaans koloniaal. Ieder huis was wit met zwarte versieringen. Vee had de ramen van de Neon omlaaggerold en in de verte hoorden we de stampende hiphopbeats.

'Wat is het adres ook alweer?' vroeg Vee, die haar ogen samenkneep en door de voorruit tuurde. 'De huizen staan zo ver van de straat dat ik de huisnummers niet kan lezen.'

'Brenchley Street 1220.'

We kwamen bij een kruispunt en Vee sloeg Brenchley Street in. De muziek klonk nu luider en ik nam aan dat dat betekende dat we er bijna waren. De hele straat stond vol geparkeerde auto's. Toen we langs een elegant koetshuis reden, bereikte de muziek haar hoogtepunt. De auto trilde mee op de beat. De voortuin stond vol mensen die een voor een naar binnen stroomden. Marcies huis in. Ik vroeg me ineens af waarom ze in hemelsnaam dingen jatte. Voor de kick? Of om aan het perfecte imago van haar ouders te ontsnappen?

Ik dacht er niet langer over na, want ik voelde ineens een scherpe pijnsteek in mijn maag. Op de oprit stond Patch' zwarte jeep. Hij was duidelijk een van de eerste gasten geweest en waarschijnlijk al uren alleen met Marcie voordat het feest begon. Ik wilde niet weten wat ze gedaan hadden. Ik haalde diep adem en maakte mezelf wijs dat ik dit best aankon. En was dit niet het bewijs waar ik naar op zoek was?

'Waar denk je aan?' vroeg Vee toen we langs het huis reden. Zij had de jeep ook gezien.

'Ik word er kotsmisselijk van.'

'Als je moet kotsen, doe het dan in Marcies voortuin. Dat lijkt me leuk. Maar even serieus, vind je het oké dat Patch er is?'

Ik klemde mijn kaken op elkaar. 'Marcie heeft me uitgenodigd. Ik heb evenveel recht om hier te zijn als Patch. Ik ga hem niet laten bepalen waar ik wel en niet heen ga.' Grappig, want dat was nou juist precies wat ik deed.

Marcies voordeur stond open en kwam uit op een donkere marmeren hal, vol met mensen die stonden te dansen op Jay-Z.

De hal ging over in een grote huiskamer met een hoog plafond en donkere victoriaanse meubels. Alle meubels, ook de salontafel, werden gebruikt om op te zitten. Vee aarzelde even in de deuropening.

'Ik heb even een moment nodig om me mentaal voor te bereiden,' schreeuwde ze over de muziek heen. 'Ik bedoel, alles is hier besmet met Marcie. Marcieportretten, Marciemeubels, Marciegeuren. Over portretten gesproken, we moeten wat oude familiefoto's zoeken. Ik vraag me echt af hoe Marcies vader er tien jaar geleden uitzag. Als zijn autoreclames op tv komen, vraag ik me altijd af hoe het komt dat hij er zo jong uitziet: plastische chirurgie of make-up.'

Ik greep haar arm en trok haar naar me toe. 'Je laat me niet in de steek nu.'

Vee tuurde naar binnen en fronste. 'Oké, maar ik waarschuw je. Ik hoef maar één onderbroek te zien en ik ben weg. Hetzelfde geldt voor gebruikte condooms.'

Ik opende mijn mond en sloot hem weer. De kans dat we dat soort dingen tegen zouden komen, was vrij groot en ik wilde geen beloftes doen die ik niet na kon komen.

Ik hoefde niet verder met haar in discussie want Marcie had ons gezien. Ze kwam zwierig op ons afgelopen met een schaal in haar hand. Ze keek ons bedenkelijk aan. 'Ik heb jou uitgenodigd,' zei ze tegen mij, 'maar haar niet.'

'Ook leuk om jou te zien, Marcie,' zei Vee.

Marcie bekeek Vee van top tot teen. 'Was jij niet ooit op zo'n kleurdieet? Dat was zeker niet zo'n succes?' Ze richtte zich tot mij. 'En jij. Mooi blauw oog.'

'Hoorde jij iets, Nora?' vroeg Vee. 'Ik dacht dat ik iets hoorde.'

'Je hoorde inderdaad iets,' zei ik.

'Was het misschien... een hondenscheet?' vroeg Vee mij.

Ik knikte. 'Volgens mij was het dat.'

Marcie kneep haar ogen samen. 'Ha, ha.'

'Nu hoor ik het weer,' zei Vee. 'De hond heeft blijkbaar nogal last van zijn darmen. Misschien moeten we hem iets geven.'

Marcie duwde de schaal naar ons toe. 'Donatie. Niemand mag naar binnen zonder iets te geven.'

'Wat?' zeiden Vee en ik tegelijk.

'Do-na-tie. Dacht je nou echt dat ik zoveel mensen uit zou nodigen zonder er iets aan over te houden? Ik heb jullie geld nodig.'

Vee en ik keken in de schaal, die vol zat met dollarbiljetten.

'Waar is het geld voor?' vroeg ik.

'Nieuwe pakjes voor de cheerleaders. Het team wil pakjes met een blote buik maar de school wil ze niet betalen, dus zamel ik geld in.'

'Interessant,' zei Vee. 'Het slettenteam houdt zijn naam hoog.'

'Nu is het genoeg!' zei Marcie, die vuurrode wangen kreeg. 'Wil je naar binnen? Dan kun je maar beter een briefje van twintig bij je hebben. Nog één zo'n opmerking en je betaalt veertig.'

Vee porde me in mijn arm. 'Dit was niet mijn idee. Betaal jij maar.'

'Ieder tien?' bood ik aan.

'Echt niet. Dit was jouw idee. Jij mag betalen.'

Ik keek naar Marcie en zette een glimlach op. 'Twintig dollar is wel een beetje veel,' probeerde ik.

'Ja, maar denk eens hoe fantastisch ik eruit zal zien in dat pakje,' zei ze. 'Ik moet iedere avond vijfhonderd sit-ups doen voordat school weer begint, zodat ik twee centimeter van mijn taille af kan krijgen. Ik kan echt geen vetrol hebben met zo'n pakje.'

Ik wilde niet denken aan Marcie in een niets verhullend cheerleaderpakje. 'Vijftien dollar?' zei ik in plaats daarvan.

Marcie zette haar hand op haar heup en keek alsof ze op het punt stond om de deur dicht te slaan.

'Oké, rustig maar, we betalen wel,' zei Vee. Ze haalde iets uit haar achterzak en gooide het in de schaal, maar het was donker en ik kon niet zien hoeveel. 'Ik schiet het alleen voor,' zei ze.

'Je moet me het geld eerst laten tellen voordat je het erin gooit,' zei Marcie, die in de schaal graaide en Vee's bijdrage eruit probeerde te halen.

'Ik ging er eigenlijk van uit dat je niet tot twintig kon tellen,' zei Vee. 'Het spijt me.'

Marcie kneep haar ogen weer samen. Toen draaide ze zich om en liep met de schaal terug het huis in.

'Hoeveel heb je haar gegeven?' vroeg ik Vee.

'Niets. Ik heb er een condoom in gegooid.'

Ik trok mijn wenkbrauwen op. 'Sinds wanneer heb jij condooms bij je?'

'Ik vond er eentje op de oprit daarnet. Misschien gebruikt Marcie hem nog wel. Als ik ervoor kan zorgen dat zij zich niet voortplant, heb ik mijn goede daad vandaag ook weer gedaan.'

Vee en ik liepen naar binnen en gingen tegen de muur staan. Op een fluwelen bank in de huiskamer zaten meerdere stelletjes, in elkaar verstrengeld als paperclips. In het midden van de ruimte krioelde het van de dansende lichamen. In de muur aan de andere kant van de kamer zat een grote boog die naar de keuken leidde, waar mensen stonden te drinken en te lachen. Niemand merkte op dat Vee en ik er waren en ik probeerde mezelf op te vrolijken met de gedachte dat het waarschijnlijk niet zo moeilijk zou zijn om bij Marcies slaapkamer te komen. Het probleem was alleen dat ik mezelf eraan herinnerde dat ik hier niet was gekomen om rond te snuffelen in Marcies kamer, maar om Patch te zien.

Het leek erop dat ik mijn zin ging krijgen. Patch stond in de doorgang naar Marcies keuken. Hij droeg een zwart poloshirt en een donkere spijkerbroek. Ik was niet gewend om hem van een afstandje te bestuderen. Zijn ogen hadden de kleur van de nacht en zijn krullende haar was lang. Het zat tot over zijn oren en moest nodig geknipt worden. Hij had een lichaam dat enorm veel aantrekkingskracht uitoefende op meisjes, maar zijn houding zei: *laat me met rust*. Hij had zijn pet niet op, wat waarschijnlijk betekende dat Marcie hem nog had. Het maakte niet uit, vertelde ik mezelf. Het waren mijn zaken niet meer. Patch kon zijn pet geven aan wie hij maar wilde. Het kwetste me heus niet dat hij zijn pet nooit aan mij had uitgeleend.

Jenn Martin, een meisje met wie ik in de eerste klas wiskunde had gehad, stond met Patch te praten, maar hij leek afgeleid. Zijn blik dwaalde door de huiskamer, alsof hij niemand hier vertrouwde. Hij stond er ontspannen, maar oplettend bij, alsof hij verwachtte dat er ieder moment iets kon gebeuren.

Voordat zijn blik die van mij kruiste, keek ik snel ergens anders heen. Het leek me beter dat hij niet zou zien hoe ik verlangend en vol spijt naar hem keek.

Aan de andere kant van de kamer stond Anthony Amowitz. Hij lachte en zwaaide. Ik lachte automatisch terug. We hadden dit jaar samen gym gehad en ik had nooit meer dan een paar woorden met hem gewisseld, maar ik was blij dat er in ieder geval iemand blij was om mij en Vee te zien.

'Waarom kijkt Anthony Amowitz naar je met die pooierglimlach?' vroeg Vee.

Ik rolde met mijn ogen. 'Je noemt hem alleen maar een pooier omdat hij hier is. Bij Marcie thuis.'

'Ja, en?'

'Hij is aardig.' Ik stootte haar aan met mijn elleboog. 'Lach terug.'

'Aardig? Wanhopig, bedoel je.'

Anthony hief zijn rode plastic beker naar mij op en schreeuwde iets, maar door de harde muziek kon ik hem niet verstaan.

'Wat?' schreeuwde ik terug.

'Je ziet er leuk uit!' Hij had een sullige glimlach op zijn gezicht.

'O, nee,' zei Vee. 'Niet zomaar een pooier. Een zatte pooier.'

'Wat maakt het nou uit dat hij een beetje dronken is?'

'Dronken en van plan om jou alleen in een slaapkamer te krijgen.'

Jakkes.

Vijf minuten later stonden we nog steeds op onze plek vlak bij de deur. Iemand had per ongeluk een half blikje bier over mijn schoenen gemorst, maar gelukkig was het bier en geen kots. Omdat iedereen die onderweg was naar buiten om zijn maaginhoud te legen, hierlangs moest, wilde ik aan Vee voorstellen om ergens anders te gaan staan, maar toen kwam Brenna Dubois naar me toe met een rode plastic beker.

'Dit is voor jou, van de jongen aan de andere kant van de kamer.'

'Ik zei het toch,' fluisterde Vee.

Ik keek naar Anthony, die knipoogde.

'Eh... dank je, maar ik hoef het niet,' zei ik tegen Brenna. Ik had niet zoveel ervaring met feestjes, maar ik wist dat ik geen drankjes van vreemden aan moest nemen. Voor je het wist, zat er GHB in. 'Zeg maar tegen Anthony dat ik alleen drink uit afgesloten blikjes.'

Wow. Dat klonk wel heel erg suf.

'Anthony?' Ze keek verbaasd.

'Ja, Anthony Pooier-o-witz,' zei Vee. 'De jongen voor wie jij boodschappenmeisje speelt?'

'Dacht je dat deze beker van Anthony kwam?' Ze schudde haar hoofd. 'Ik bedoelde de jongen aan de ándere kant van de kamer.' Ze draaide zich naar de plek waar Patch had gestaan. 'Daar stond hij. Hij is nu weg. Het was een enorm lekker ding met een zwart shirt, als dat helpt.'

'O, nee,' zei Vee weer, mompelend deze keer.

'Dank je,' zei ik tegen Brenna. Ik kon niet anders dan de beker van haar aannemen. Ze verdween weer in de menigte en ik zette de beker op de tafel naast me. Zo te ruiken zat er kersencola in. Wilde Patch me iets duidelijk maken? Wilde hij mij herinneren aan dat stomme gevecht? Toen Marcie me had overgoten met kersencola?'

Vee duwde iets in mijn hand.

'Wat is dit?' vroeg ik.

'Een walkietalkie. Geleend van mijn broer. Ik ga op de trap zitten, op de uitkijk. Als er iemand naar boven komt, neem ik contact met jou op.'

'Wil je nu naar Marcies slaapkamer?'

'Ik wil dat jij haar dagboek gaat stelen, ja.'

'Nu we het daar toch over hebben... ik ben eigenlijk van gedachten veranderd.'

'Dat meen je niet,' zei Vee. 'Je kunt nu niet ineens terugkrabbelen. Stel je eens voor wat er allemaal in dat dagboek staat. Dit is je grote kans om erachter te komen wat er speelt tussen Marcie en Patch. Die kun je niet laten schieten.'

'Maar het is verkeerd.'

'Het zal niet verkeerd voelen als je het gewoon heel snel doet. Dan heb je geen tijd om je schuldig te voelen.'

Ik keek haar venijnig aan.

'Tegen jezelf praten helpt ook,' voegde Vee eraan toe. 'Als je gewoon heel vaak tegen jezelf zegt dat het niet verkeerd is, ga je het vanzelf geloven.'

'Ik ga haar dagboek niet pakken. Ik wil gewoon... even rondkijken. En Patch' pet terugjatten.'

'Ik betaal je het volledige jaarlijkse budget van de schoolkrant als je het dagboek binnen nu en een halfuur bij mij brengt,' zei Vee, die behoorlijk wanhopig begon te klinken.

'Is dat de reden dat je het dagboek wilt? Om het in het *eZine* te publiceren?'

'Stel je eens voor wat dit voor mijn carrière kan betekenen.'

'Nee,' zei ik streng. 'En jij bent echt te erg.'

Ze slaakte een zucht. 'Nou ja, het viel te proberen.'

Ik keek naar de walkietalkie in mijn hand. 'Waarom kunnen we niet gewoon sms'en?'

'Spionnen sms'en niet.'

'Hoe weet jij dat?'

'Hoe weet jij dat ze het wel doen?'

Ik bedacht dat het geen zin had om verder met haar te discussiëren, dus stopte ik de walkietalkie achter de rand van mijn broek. 'Weet je zeker dat Marcies slaapkamer op de eerste verdieping is?'

'Een van haar ex-vriendjes zit achter me bij Spaans. Hij vertelde me dat Marcie zich iedere avond om tien uur precies uitkleedt met de lichten aan. Als hij en zijn vrienden zich vervelen, rijden ze er wel eens heen om de show te zien. Hij zei dat Marcie het altijd heel langzaam doet en tegen de tijd dat ze klaar is, heeft hij pijn in zijn nek van het naar boven kijken. Hij zei ook dat ze een keer...'

Ik deed mijn handen voor mijn oren. 'Hou op!'

'Hé, als mijn hersenen worden vervuild met zulke details, dan mag jij het ook wel weten. De enige reden dat ik deze zieke informatie met je deel, is om je te helpen.'

Ik keek naar de trap. Mijn maag leek ineens twee keer zo zwaar als drie minuten geleden. Ik had nog niets gedaan maar was nu al misselijk van het schuldgevoel. Hoe was ik ooit zo laag gezonken dat ik nu stiekem naar Marcies slaapkamer ging?

Hoe was het Patch gelukt om mij zover te krijgen? 'Ik ga naar boven,' zei ik aarzelend. 'Jij houdt het hier in de gaten?'

'Zeker weten.'

Ik liep de trap op. Bovenaan was een badkamer met een betegelde vloer en een plafond vol ornamenten. Ik liep de linkergang in en kwam voorbij iets wat eruitzag als een logeerkamer en een fitnessruimte met een loopband en een crosstrainer. Ik ging weer terug en ging nu de gang aan de rechterkant van de badkamer in. De eerste deur stond op een kier en ik gluurde naar binnen. Alles was roze. Roze muren, roze gordijnen en een roze dekbed met roze kussens. Op het bed en op de vloer lagen tientallen kledingstukken. Aan de muur hingen een paar foto's op posterformaat, en op elk stond Marcie verleidelijk te poseren in haar cheerleaderpakje. Ik werd er misselijk van. Toen zag ik de pet van Patch op het nachtkastje liggen. Ik liep de kamer binnen en deed de deur achter me dicht. Ik rolde de klep van de pet op en stak hem in mijn achterzak. Onder de pet lag een autosleutel. Het was een reservesleutel, maar het logo van de jeep van Patch stond erop. Marcie had dus een reservesleutel van zijn jeep.

Ik pakte de sleutel van het nachtkastje en stak hem diep in mijn andere achterzak. Nu ik toch bezig was, kon ik misschien net zo goed zoeken naar andere dingen die van hem waren.

Ik opende een paar laden, keek onder het bed, in een kist en op de bovenste plank van haar kledingkast. Ik stak mijn hand tussen het matras en het bed en trok het dagboek tevoorschijn. Marcies kleine blauwe boekje, waar volgens de geruchten meer schandalen in stonden dan in een roddelblad. Ik hield het boekje in mijn handen en voelde een overweldigende drang om het open te doen. Wat had ze over Patch geschreven? Welke geheimen stonden er op deze bladzijden?

Mijn walkietalkie kraakte.

'O, shit,' zei Vee.

Ik haalde het apparaat uit mijn broek en drukte op de knop. 'Wat is er?'

'Hond. Grote hond. Hij loopt net de woonkamer uit, of hoe je die gigantische open ruimte hier ook wilt noemen. Hij staart me recht aan.'

'Wat voor hond?'

'Ik ben geen hondenexpert, maar ik denk dat het een dobermannpincher is. Spitse neus, grauwend gezicht. Hij lijkt op Marcie, als dat helpt. O, o. Hij spitst zijn oren. Hij loopt op me af. Ik denk dat het een paranormale hond is. Hij weet dat ik hier niet zomaar zit.'

'Blijf rustig...'

'Weg, hond. Ik zei, weg!'

Ik hoorde de onmiskenbare grom van een grote hond door de walkietalkie komen.

'Eh, Nora? We hebben een probleempje,' zei Vee even later.

'Is de hond er nog?'

'Hij komt nu naar jou.'

Precies op dat moment hoorde ik hard geblaf bij de deur. Het blaffen stopte niet. Het werd steeds harder en klonk steeds gemener.

'Vee!' siste ik in de walkietalkie. 'Haal die hond daar weg!'

Ze zei iets, maar ik verstond het niet, omdat de hond zo hard blafte en gromde. Ik legde mijn hand over mijn oor. 'Wat?'

'Marcie komt eraan! Weg daar!'

Ik probeerde het dagboek weer onder het matras te stoppen, maar ik liet het vallen. Tientallen briefjes en foto's vielen op de grond. In paniek harkte ik de briefjes en foto's snel bij elkaar en stopte ze in het dagboek, dat ik vervolgens in mijn broek stopte. Het was eigenlijk nogal klein, als je bedacht hoeveel geheimen er volgens de geruchten in stonden. Ik deed mijn walkietalkie ook weer in mijn broek en knipte het licht uit. Ik zou het dagboek later terug moeten leggen. Ik moest nu eerst zien weg te komen.

Ik deed het raam omhoog en verwachtte dat ik eerst nog een hor zou moeten weghalen, maar dat was al gedaan. Waarschijnlijk had Marcie die zelf weggehaald, zodat ze er geen last van had als ze stiekem naar buiten ging. Dat gaf me hoop. Als Marcie al eerder naar buiten was geklommen, kon ik het ook. Ik zou heus niet te pletter vallen. Al was Marcie natuurlijk wel cheerleader en een stuk leniger dan ik.

Ik stak mijn hoofd uit het open raam en keek naar beneden. Ik bevond me recht boven de voordeur, die onder een overkapping met vier pilaren zat. Ik zwaaide een been naar buiten en kwam met mijn voet op de dakspanen terecht. Nadat ik had vastgesteld dat ik niet naar beneden zou glijden, zwaaide ik mijn andere been het raam uit. Ik zocht even naar mijn evenwicht en deed het raam toen weer dicht. Ik bukte net op tijd want het licht in de kamer ging aan. De nagels van de hond tikten tegen het raam en hij blafte wild. Ik ging op mijn buik liggen, zo dicht mogelijk tegen het huis aan en hoopte vurig dat Marcie het raam niet open zou doen en niet naar buiten zou kijken.

'Wat is er?' Ik kon Marcies gedempte stem door het raam heen horen. 'Wat is er, Boomer?'

Een druppel zweet liep over mijn rug. Marcie zou wel naar beneden kijken en ze zou mij zien. Ik sloot mijn ogen en probeerde te vergeten dat haar huis vol zat met mensen met wie ik de komende twee jaar nog op school zou zitten. Hoe kon ik verklaren wat ik op Marcies slaapkamer deed? Hoe kon ik verklaren dat ik haar dagboek bij me had? De gedachte was zo beschamend dat het me bijna te veel werd.

'Boomer, hou je kop!' schreeuwde Marcie. 'Wil iemand mijn

hond even vasthouden terwijl ik het raam opendoe? Als je hem niet vasthoudt, springt hij naar buiten. Ja, zo'n domme hond is het. Jij, op de gang. Jij, ja. Pak de riem van mijn hond en laat hem niet los. Doe het gewoon.'

Ik hoopte dat het blaffen van de hond het geluid dat ik maakte zou overstemmen. Ik rolde om en drukte mijn rug tegen de dakspanen. Hardslikkend probeerde ik er niet aan te denken hoe bang ik was. Ik had eigenlijk hoogtevrees en bij de gedachte aan alle ruimte tussen mij en de grond brak het zweet me uit.

Ik zette mijn hakken stevig op het dak, duwde mezelf zo ver van de rand als ik maar kon en pakte mijn walkietalkie uit mijn zak. 'Vee?' fluisterde ik.

'Waar ben je?' zei ze. Ik hoorde de muziek op de achtergrond.

'Denk je dat je die hond daar weg kunt halen?'

'Hoe?'

'Wees creatief!'

'Moet ik hem vergif voeren?'

Met de achterkant van mijn hand veegde ik het zweet van mijn voorhoofd. 'Ik dacht eigenlijk aan zoiets als hem opsluiten in een kast.'

'En hem aanraken?'

'Vee!'

'Oké, oké. Ik bedenk wel iets.'

Er gingen dertig seconden voorbij voordat ik Vee's stem door Marcies slaapkamerraam hoorde komen.

'Hé, Marcie?' riep ze boven het geblaf uit. 'Ik wil niet storen of zo, maar de politie staat aan de deur. Ze zeggen dat er geklaagd is over het geluid. Moet ik ze binnenlaten?'

'Wat?' krijste Marcie, recht boven me. 'Ik zie helemaal geen politiewagens.'

'Ik denk dat ze een stukje verderop geparkeerd hebben. Hoe

dan ook, ik dacht, ik zeg het even, aangezien ik nogal veel mensen zie met illegale substanties in hun handen.'

'Ze doen toch niets illegaals?' zei ze. 'Het is toch een feestje?'

'Alcohol is verboden onder de eenentwintig.'

'Geweldig!' schreeuwde Marcie. 'Wat moet ik nu doen?' Ze was even stil. 'Jij hebt ze gebeld!' zei ze toen.

'Wie, ik?' zei Vee. 'Echt niet. Weet je hoeveel gratis eten hier is?'

Een moment later hoorde ik hoe het wilde geblaf van Boomer naar de achtergrond verdween en ging het licht uit.

Ik bleef nog even helemaal stil liggen en luisterde of er nog iemand was. Toen ik zeker wist dat Marcies slaapkamer leeg was, rolde ik op mijn buik en kroop weer naar het raam. De hond was weg, Marcie was weg en ik hoefde alleen maar…

Ik duwde mijn handen tegen het raam om het naar boven te duwen, maar het gaf niet mee. Ik legde al mijn kracht erin. Er gebeurde niets.

Oké, dacht ik. *Niets aan de hand.* Marcie had het raam waarschijnlijk afgesloten. Het enige wat ik hoefde te doen was hier nog een uur of vijf wachten tot het feest voorbij was en dan kon Vee me komen redden met een ladder.

Ik hoorde voetstappen op het pad beneden en strekte mijn nek om te zien of Vee mij misschien nu al kwam redden. Tot mijn grote schrik was het Patch. Hij liep naar zijn jeep met zijn rug naar mij toe. Hij toetste een nummer in op zijn telefoon. Twee seconden later rinkelde mijn telefoon in mijn broekzak. Voordat ik de telefoon in de struiken kon gooien, draaide Patch zich om.

Hij keek naar boven en zag me. Ik bedacht dat het beter was geweest als Boomer me levend had verscheurd.

'Wat sta jij daar te gluren?' Ik hoefde niet naar hem te kijken om te weten dat hij lachte.

'Niet lachen,' zei ik. Mijn wangen waren vuurrood van schaamte. 'Help me naar beneden.'

'Spring.'

'Wát?'

'Ik vang je.'

'Ben je gek? Ga naar binnen en doe het raam open. Of haal een ladder.'

'Ik heb geen ladder nodig. Spring. Ik laat je niet vallen.'

'Ja, natuurlijk! Ik geloof er niets van!'

'Wil je dat ik je help of niet?'

'Noem je dit helpen?' siste ik woedend. 'Je helpt me helemaal niet!'

Hij draaide zijn sleutels rond zijn vingers en liep naar zijn auto.

'Je bent ook zo'n sukkel! Kom terug!'

'Sukkel?' herhaalde hij. 'Jij bent degene die op het dak staat te spioneren.'

'Ik spioneer niet. Ik was... ik was...' *Bedenk iets!*

Patch keek naar het raam boven mij en ik zag aan zijn gezicht dat het tot hem doordrong wat ik aan het doen was. Hij legde zijn hoofd in zijn nek en lachte hardop. 'Je was Marcies slaapkamer aan het doorzoeken.'

'Niet.' Ik rolde met mijn ogen, alsof dat een absurd idee was.

'Wat zocht je?'

'Niets.' Ik trok Patch' pet uit mijn achterzak en gooide hem naar beneden. 'En hier heb je die stomme pet van je terug!'

'Zocht je mijn pet?'

'Overduidelijk een verspilling van mijn tijd!'

Hij pakte de pet van de grond en zette hem op. 'Ga je nog springen?'

Ik keek aarzelend over de rand van de overkapping. De

grond leek behoorlijk ver weg. Ik ontweek zijn vraag. 'Waarom belde je me?'

'Ik zag je niet meer binnen. Ik wilde weten of alles goed was.'

Hij klonk oprecht, maar ik wist dat hij goed kon liegen. 'En de cola?'

'Zoenoffer. Ga je nog springen of niet?'

Ik zag geen andere oplossing, dus schoof ik voorzichtig naar de rand. Mijn maag draaide zich om. 'Als je me laat vallen...' waarschuwde ik.

Patch had zijn armen uitgestrekt. Ik sloot mijn ogen en liet mezelf van de rand glijden. Ik voelde hoe ik viel en ineens bevond ik me in Patch' armen. Ik bleef even staan. Mijn hart ging tekeer. Van de adrenaline van het vallen en omdat ik zo dicht bij Patch stond. Hij voelde warm en vertrouwd, stevig en veilig. Ik wilde zijn shirt vastpakken, mijn gezicht in zijn warme nek begraven en hem nooit meer loslaten.

Patch stopte een haarlok achter mijn oor. 'Wil je terug naar het feest?' mompelde hij.

Ik schudde mijn hoofd.

'Ik rij je wel naar huis.' Hij gebaarde met zijn kin naar de jeep, omdat hij zijn armen nog steeds om mij heen had.

'Ik ben hier met Vee,' zei ik. 'Ik zou eigenlijk met haar mee naar huis rijden.'

'Vee gaat niet langs de afhaalchinees op weg naar huis.'

De afhaalchinees. Dat zou betekenen dat Patch met mij mee naar huis zou gaan om te eten. Mijn moeder was niet thuis, dus dat zou betekenen dat we helemaal alleen zouden zijn...

Ik durfde iets minder op mijn hoede te zijn. Waarschijnlijk waren we veilig. Waarschijnlijk waren de aartsengelen niet in de buurt. Patch leek niet bezorgd, dus was ik dat ook niet. En het was gewoon eten. Ik had een lange, vervelende dag op school gehad en had supererge honger van mijn uurtje op de sportschool. Een afhaalmaaltijd met Patch klonk perfect. Een onschuldig etentje kon toch geen kwaad? Mensen aten zo vaak samen zonder dat er iets anders gebeurde. 'Alleen eten,' zei ik, meer om mezelf te overtuigen.

Hij salueerde alsof hij daarmee wilde zeggen dat hij ermee instemde, maar zijn glimlach beloofde niet veel goeds. Het was de foute, charmante glimlach van een jongen die twee dagen geleden nog met Marcie had gezoend... en nu met mij wilde eten en waarschijnlijk hoopte dat dat tot iets heel anders zou leiden. Hij dacht dat hij mijn pijn met één hartverwarmende glimlach weg kon nemen en dat ik zou vergeten dat hij met Marcie had gezoend.

Ineens vergat ik mijn zorgen en werd ik naar het hier en nu getrokken. Mijn speculaties over Patch en Marcie verdwenen naar de achtergrond en ik kreeg plotseling een ongemakkelijk gevoel dat niets te maken had met Patch of zondagavond. Ik voelde overal kippenvel en tuurde naar de schaduwen in de voortuin.

'Mmm?' mompelde Patch, die doorhad dat er iets was. Hij sloeg zijn armen nog dichter om me heen.

Toen voelde ik het weer. Een verandering in de lucht. Een onzichtbare mist, warm, laaghangend en drukkend. Snel dichterbij zigzaggend als honderden onopvallende slangen in de lucht. Het gevoel was zo verontrustend dat ik maar moeilijk kon geloven dat Patch het niet had gemerkt.

'Wat is er, engel?' zei hij zachtjes.

'Zijn we veilig?'

'Maakt dat iets uit?'

Ik speurde de tuin af. Ik wist niet waarom, maar ik dacht steeds maar weer: *de aartsengelen. Ze zijn hier.* 'Ik bedoel... de aartsengelen,' zei ik, zo zachtjes dat ik mijn eigen stem bijna niet hoorde. 'Kijken ze nu?'

'Ja.'

Ik probeerde een stap achteruit te zetten, maar Patch liet me niet los. 'Het kan me niet schelen wat ze zien. Ik ben klaar met die poppenkast.' Hij boog zijn hoofd wat achterover en keek me recht aan. Ik zag een gekwelde opstandigheid in zijn ogen.

Ik probeerde weer om me los te rukken. 'Laat me los.'

'Wil je me niet?' zei hij met een ondeugende glimlach.

'Daar gaat het niet om. Ik wil niet verantwoordelijk zijn voor wat er met jou gebeurt. Laat me los.' Hoe kon hij hier zo nonchalant over doen? Ze waren op zoek naar een excuus om van hem af te komen. Hij mocht niet gezien worden met mij in zijn armen.

Hij streelde mijn armen, maar toen ik van de gelegenheid gebruik wilde maken om me los te worstelen, pakte hij mijn handen. Ik hoorde zijn stem in mijn gedachten. *Ik kan eruit stappen. Ik kan nu weglopen en dan hoeven we ons niet meer aan de regels van de aartsengelen te houden*. Hij zei het zo beslist en zo makkelijk dat ik wist dat dit niet de eerste keer was dat hij dit dacht. Dit was een plan waar hij in het geheim al vele, vele keren over gefantaseerd had.

Mijn hart sloeg op hol. Eruit stappen? Zich niet meer aan de regels houden? 'Waar heb je het over?'

Ik zou moeten zwerven en me constant moeten verstoppen, in de hoop dat de aartsengelen me niet zouden vinden.

'En als ze je dan wel vinden?'

Dan volgt er een proces. Ik zou schuldig bevonden worden, maar het zou ons wel een paar weken alleen geven. Terwijl zij vergaderen over mijn straf, word ik niet in de gaten gehouden.

Ik voelde gewoon dat ik een verslagen blik op mijn gezicht had. 'En dan?'

Ze zouden me naar de hel sturen. Hij zweeg en voegde met stille overtuiging toe: *Ik ben niet bang voor de hel. Ik verdien het. Ik heb gelogen en bedrogen, heb onschuldige mensen pijn gedaan en meer fouten gemaakt dan ik me kan herinneren. Ik word nu al dagelijks geconfronteerd met mijn fouten. De hel zal niet veel anders zijn.* Zijn mond vertrok tot een kleine, wrange glimlach. *Maar ik weet zeker dat de aartsengelen nog iets voor me in petto hebben.* Zijn glimlach verdween en hij keek me bloedserieus aan. *Met jou zijn heeft nooit verkeerd gevoeld. Het is het enige wat ik goed heb gedaan. Jij bent het enige goede in mijn leven. De aartsengelen kunnen me niets schelen. Zeg me wat je wilt dat ik doe. Zeg het. Ik doe wat je wilt. We kunnen nu weg, als je dat wilt.*

Het duurde even voordat de woorden tot me doordrongen. Ik keek naar de jeep. De muur van ijs tussen ons smolt weg. Die muur was er alleen vanwege de aartsengelen. Zonder hen betekende alles waar Patch en ik ruzie over maakten helemaal niets. Zíj waren het probleem. Ik wilde ze achterlaten. Ik wilde alles achterlaten en er met Patch vandoor gaan. Ik wilde roekeloos zijn en alleen aan het hier en nu denken. We konden elkaar de gevolgen van onze keuze laten vergeten. We zouden lachen om de regels, de grenzen en de dag van morgen. Er zou niets anders in de wereld zijn dan Patch en ik.

Niets anders dan de belofte van wat er zou gebeuren als die weken voorbij waren.

Ik had twee keuzes, maar het antwoord was helder. De enige manier waarop ik Patch kon houden, was door hem te laten gaan en ervoor te zorgen dat ik niets met hem te maken zou hebben.

Ik realiseerde me pas dat ik huilde toen Patch met zijn vingers over mijn wangen streelde. 'Ssst,' mompelde hij. 'Het komt goed. Ik wil jou. Ik kan niet doorgaan zo. Ik leef maar half op deze manier.'

'Maar dan sturen ze je naar de hel,' stamelde ik, niet in staat om mijn onderlip te laten ophouden met trillen.

'Ik heb dat al lang geleden geaccepteerd.'

Ik was vastbesloten om Patch niet te laten zien hoe moeilijk dit voor mij was, maar ik stikte bijna in de tranen die ik probeerde weg te slikken. Mijn ogen waren vochtig en opgezwollen en mijn longen deden pijn. Dit was allemaal mijn schuld. Als ik er niet was geweest, was hij geen beschermengel geworden. Als ik er niet was geweest, zouden de aartsengelen hem niet kapot willen maken. Het was mijn schuld dat hij nu op dit punt was beland.

'Wil je iets voor me doen?' zei ik uiteindelijk met een zacht stemmetje. Ik klonk als een vreemde en niet als mezelf. 'Zeg tegen Vee dat ik naar huis loop. Ik moet alleen zijn.'

'Engel?' Patch wilde mijn hand pakken, maar ik trok me los. Ik voelde hoe mijn voeten bewogen. Stap voor stap. Verder en verder van Patch, alsof mijn gedachten verlamd waren en mijn lichaam alles had overgenomen.

Hoofdstuk 13

De volgende dag zette Vee me 's middags af bij Enzo's. Ik had een geel zomerjurkje aan, om vrolijk en professioneel over te komen. Het jurkje was een stuk vrolijker en positiever dan ik me voelde. Ik stond even stil voor de ramen om mijn haar los te schudden. Het zat nogal plat, nadat ik er de hele nacht op geslapen had. Het gebaar voelde houterig. Ik dwong mezelf te glimlachen. Ik had de hele ochtend geoefend op die glimlach. Het voelde strak en kil. In het raam zag het er vals en leeg uit. Maar na een nacht huilen was dit het beste wat ik voor elkaar kon krijgen.

Nadat ik gisteren naar huis was gelopen van Marcies feest, was ik in bed gaan liggen, maar ik had niet geslapen. Ik had de hele nacht wakker gelegen met verschrikkelijke gedachten. Hoe langer ik wakker was, hoe verder mijn gedachten van de realiteit verwijderd raakten. Ik wilde iets drastisch doen. Ik voelde zoveel pijn dat het me niet uitmaakte hoe drastisch het was. Er kwam een gedachte in me op. Een gedachte die ik eerder nooit zou hebben gehad. Als ik een einde maakte aan mijn leven, zouden de aartsengelen het zien. Ik wilde dat ze wroeging kregen, dat ze zouden gaan twijfelen aan hun verouderde wetten. Ik wilde dat ze verantwoordelijk gehouden zouden worden voor mijn leven.

De hele nacht spookten deze gedachten door mijn hoofd. Mijn emoties gingen van hartverscheurend verlies naar ontkenning en woede. Op een gegeven moment had ik er spijt van dat ik er niet vandoor was gegaan met Patch. Ieder geluk, hoe kort dan ook, leek beter dan de lange, sluimerende marteling van iedere dag wakker worden met de gedachte dat ik hem niet kon hebben.

Maar toen de zon opkwam, nam ik een beslissing. Ik móést doorgaan. Als ik dat niet deed, zou ik in een enorme depressie terechtkomen. Ik dwong mezelf te douchen en me aan te kleden en ging naar school, vastbesloten niemand te laten zien hoe ik me voelde. Ik voelde me verlamd en verslagen, maar weigerde om zelfmedelijden te hebben. De aartsengelen zouden niet winnen. Ik zou er weer bovenop komen, een baantje zoeken, de boete van mijn overtreding betalen, de zomercursus scheikunde afsluiten met een hoog cijfer en mezelf zo bezighouden dat ik alleen 's nachts, als ik alleen was met mijn gedachten, aan Patch zou denken.

Binnen bij Enzo's waren links en rechts balkons in de vorm van halve cirkels, met een trap die naar het eetgedeelte en de voorste toonbank leidde. De balkons deden me denken aan de bruggen over een dierenkuil. De tafeltjes op het balkon zaten vol, maar in de kuil zaten slechts een paar achterblijvers met hun koffie en krant.

Ik ademde diep in en liep de trap af naar de toonbank.

'Goedemiddag, ik hoorde dat jullie op zoek zijn naar barista's?' zei ik tegen de vrouw achter de kassa. Mijn stem klonk vlak, maar ik had de energie niet om er iets beters van te maken. De vrouw had rood haar en was van middelbare leeftijd. Op haar naamplaatje stond ROBERTA. Ze keek op. 'Ik wil graag solliciteren.' Het lukte me om een beetje te glimlachen, maar ik was bang dat het ontzettend nep overkwam.

Roberta veegde haar sproeterige handen af aan een doekje en kwam achter de toonbank vandaan. 'Barista's? Nee, die zoeken we niet meer.'

Ik staarde haar aan en hield mijn adem in. Ik voelde alle hoop wegstromen. Mijn plan was alles wat ik had. Geen moment had ik eraan gedacht dat het bij de eerste stap wel eens mis zou kunnen gaan. Ik had een plan nodig. Ik had deze baan nodig. Ik had een leven nodig waarin iedere minuut volgepland was en ieder gevoel een eigen hokje had.

'Maar ik ben nog wel op zoek naar een betrouwbaar iemand voor in de bediening. Avonddiensten, zes tot tien,' voegde Roberta toe.

Ik knipperde met mijn ogen. Mijn lip trilde. 'O,' zei ik. 'Dat is... mooi.'

''s Avonds dimmen we de lichten. De barista's gaan aan het werk, we zetten een jazzmuziekje op en we proberen het allemaal een beetje meer klasse te geven. Het was hier altijd een dooie boel na vijf uur, maar we hopen een nieuw publiek aan te trekken. Crisis, hè,' legde ze uit. 'Jij zou de klanten moeten begroeten, hun bestellingen moeten opschrijven en doorgeven aan de keuken. Als het eten klaar is, breng je het naar de tafels.'

Ik probeerde ijverig te knikken en haar duidelijk te maken hoe graag ik deze baan wilde. Toen ik glimlachte, voelde ik mijn lippen aan alle kanten openbarsten. 'Dat... klinkt perfect,' zei ik met een hese stem.

'Heb je werkervaring?'

Die had ik niet. Maar Vee en ik kwamen hier minstens drie keer per week. 'Ik ken de menukaart helemaal uit mijn hoofd,' zei ik. Ik begon me al beter te voelen. Een baan. Alles hing hiervan af. Ik zou een nieuw leven opbouwen.

'Dat hoor ik graag,' zei Roberta. 'Wanneer kun je beginnen?'

'Vanavond?' Ik kon bijna niet geloven dat ze me een baan aanbood. Het lukte me niet eens om oprecht te glimlachen, maar ze zag het blijkbaar niet. Ze gaf me een kans. Ik stak mijn hand uit om de hare te schudden, maar ik zag pas te laat dat ik heel erg trilde.

Ze negeerde mijn uitgestrekte hand. Ze kantelde haar hoofd en bestudeerde me op zo'n manier dat ik me nog kwetsbaarder voelde. 'Gaat alles wel goed?'

Ik hield mijn adem in. 'Ja, alles is prima.'

Ze knikte. 'Zorg dat je hier om kwart voor zes bent, dan krijg je een uniform van me voordat je dienst begint.'

'Ontzettend bedankt...' begon ik. Mijn stem klonk nog steeds alsof ik in shock was, maar ze stond alweer achter de toonbank en hoorde me niet meer.

Toen ik buiten weer in de verblindende zon stond, maakte ik een paar berekeningen. Ik nam aan dat ik het minimumloon zou verdienen. Als ik de komende twee weken iedere avond zou werken, zou ik mijn boete misschien net kunnen betalen. En als ik de komende twee maanden iedere avond zou werken, zou ik zestig avonden opgeslokt worden door werk en niet aan Patch kunnen denken. Zestig avonden en dan was de zomervakantie afgelopen en kon ik me weer helemaal storten op school. Ik had al besloten om allemaal moeilijke vakken te gaan volgen. Huiswerk kon ik aan. Een gebroken hart niet.

'En?' vroeg Vee, die met het raampje naar beneden aan kwam rijden in de Neon. 'Hoe ging het?'

Ik stapte in. 'Ik heb de baan.'

'Mooi. Je leek zo nerveus toen je naar binnen ging, alsof je ter plekke flauw ging vallen, maar je hoeft je nu geen zorgen meer te maken. Je bent nu officieel een hardwerkend lid van de maatschappij. Ik ben trots op je, lieverd. Wanneer begin je?'

Ik keek naar de klok op het dashboard. 'Over vier uur.'

'Ik kom vanavond wel even langs en dan zeg ik dat ik alleen door jou geholpen wil worden.'

'Dan verwacht ik wel een fooi,' zei ik, maar mijn poging tot humor bracht me bijna in tranen.

'Ik ben je chauffeur. Dat is veel beter dan een fooi.'

Zeseneenhalf uur later zat Enzo's bomvol. Mijn werkkleding bestond uit een witte getailleerde blouse, een grijze tweedbroek met een bijpassend gilet en een baret. Mijn haar paste eigenlijk net niet onder de baret. Ik voelde hoe een paar verdwaalde krullen aan mijn gezicht plakten. Ondanks het feit dat ik compleet overweldigd was, voelde het als een opluchting om zo druk bezig te zijn. Ik had geen seconde de tijd om aan Patch te denken.

'Nieuw meisje!' Een van de koks, Fernando, schreeuwde naar me. Hij stond achter de halve muur die de ovens van de rest van de keuken scheidde en zwaaide met zijn spatel. 'Je bestelling is klaar!'

Ik pakte drie borden, stapelde ze voorzichtig op mijn arm en liep achteruit de klapdeuren door. Onderweg naar de kuil ving ik de blik op van een van de gastvrouwen. Ze gebaarde met haar kin naar een tafeltje met nieuwe mensen op het balkon. Ik antwoordde met een snel knikje. *Kom eraan.*

'Eén broodje hamburger, één broodje salami, één broodje gegrilde kalkoen,' zei ik, terwijl ik de borden neerzette bij drie zakenmannen in pak. 'Eet smakelijk.'

Ik rende de trap op naar het balkon en haalde mijn bestelboekje uit mijn achterzak. Ik was halverwege toen ik mijn pas inhield. Marcie Millar zat aan de tafel waar ik naartoe moest. Ik herkende ook Addyson Hales, Oakley Williams en Ethan Tyler. Allemaal van school. Ik overwoog om rechtsomkeert te maken en aan de gastvrouw te vragen of iemand anders die tafel wilde bedienen, maar Marcie keek op en ik wist dat ik nu niet meer terug kon.

Ze had een vlijmscherpe glimlach om haar mond.

Mijn ademhaling stokte. Was ze er op de een of andere manier achter gekomen dat ik haar dagboek had? Pas toen ik gisteravond in bed was gekropen, had ik me gerealiseerd dat ik het dagboek nog had. Ik had het terug willen brengen, maar had toen wel meer aan mijn hoofd gehad. Het dagboek leek onbelangrijk vergeleken met de heftige emoties die ik voelde. Het lag onaangeraakt op de vloer van mijn slaapkamer, naast de kleren die ik gisteravond had uitgedaan.

'Wat een onwijs schattige outfit,' zei Marcie boven de jazzmuziek uit. 'Ethan, had jij niet net zo'n gilet aan naar het schoolfeest vorig jaar? Ik denk dat Nora heeft rondgesnuffeld in jouw kledingkast.'

Terwijl ze lachten, hield ik mijn pen boven mijn bestelboekje. 'Willen jullie iets drinken? Ons drankje van de dag is een kokos-limoensmoothie.' Hoorde iedereen het schuldgevoel in mijn stem? Ik slikte en hoopte dat mijn stem niet meer zo zou trillen.

'De laatste keer dat ik hier was, was mijn moeder jarig,' zei Marcie. 'Onze serveerster zong toen "Happy Birthday" voor haar.'

Het duurde een paar seconden voordat het tot me doordrong wat ze bedoelde. 'O. Nee. Ik bedoel, nee. Ik werk hier... eh... als gastvrouw.'

'Het kan me niet schelen wat je bent. Ik wil dat je "Happy Birthday" voor me zingt.'

Ik stond als aan de grond genageld en probeerde snel een uitweg te bedenken. Ik kon echt niet geloven dat Marcie wilde dat ik mezelf op deze manier voor schut zou zetten. Wacht. Natúúrlijk wilde ze dat. De afgelopen jaren had ik stiekem de score bijgehouden van onze ruzies, maar nu wist ik zeker dat zij hetzelfde deed. Ze leefde hiervoor. Erger nog, ze wist dat ze ruim voor stond, maar ze wilde haar voorsprong nog groter maken. Ze was niet alleen een pestkop, ze was een onsportieve pestkop.

Ik stak mijn hand uit. 'Laat je rijbewijs zien zodat ik je geboortedatum kan controleren.'

Marcie haalde haar schouders op. 'Dat ben ik vergeten.'

We wisten allebei dat ze het niet vergeten was en we wisten ook allebei dat ze niet jarig was.

'Het is heel druk vanavond,' zei ik gemaakt verontschuldigend. 'Mijn baas wil vast niet dat ik te lang bij deze tafel blijf.'

'Jouw baas wil dat jij je klanten tevreden houdt. Zingen dus.'

'En als je toch bezig bent,' voegde Ethan toe, 'haal dan even die gratis chocoladecake voor ons.'

'We mogen maar één plakje per klant geven, niet een hele cake,' zei ik.

'We mogen maar één plakje per klant geven,' deed Addyson mij na. Iedereen barstte in lachen uit.

Marcie grabbelde in haar handtas en haalde een camera tevoorschijn. Het rode knopje ging aan en ze richtte de lens op mij. 'Ik kan echt niet wachten om dit filmpje aan de hele school te laten zien. Gelukkig heb ik toegang tot de e-mailadressen van alle leerlingen. Wie had er ooit kunnen denken dat het zo handig zou zijn om bij de administratie te werken?'

Ze wist van het dagboek. Dat moest wel. Dit was haar wraak. Vijftig punten voor mij omdat ik haar dagboek had gestolen, twee keer zoveel punten voor haar als ze een filmpje van mij zou doorsturen naar iedereen op Coldwater High.

Ik wees naar de keuken en liep langzaam achteruit. 'Mijn bestellingen stapelen zich op en...'

'Ethan, wil jij even naar die vrouw bij de kassa gaan en zeggen dat we de manager willen spreken? Zeg maar dat onze serveerster nogal chagrijnig is,' zei Marcie.

Het was niet te geloven. Ik had deze baan nog geen drie uur en Marcie zorgde er nu al voor dat ik ontslagen zou worden. Hoe zou ik ooit mijn boete kunnen betalen? En die cabrio kon ik helemaal wel vergeten. Maar het belangrijkste was nog wel dat ik deze baan nodig had om mezelf af te leiden van de vernietigende waarheid: dat Patch uit mijn leven was. Voorgoed.

'Je tijd is voorbij,' zei Marcie. 'Ethan, haal de manager.'

'Wacht,' zei ik. 'Ik doe het wel.'

Marcie slaakte een gilletje en klapte in haar handen. 'Gelukkig heb ik mijn batterij opgeladen.'

Ik trok mijn baret verder over mijn hoofd, in de hoop mijn gezicht af te schermen. Ik opende mijn mond. 'Happy birthday to you...'

'Harder!' schreeuwden ze allemaal.

'Happy birthday to you,' zong ik iets harder. Ik schaamde me zo erg dat ik niet eens merkte of ik vals zong of niet. 'Happy birthday, lieve Marcie, happy birthday to you.'

Niemand zei iets. Marcie borg haar camera weer op. 'Nou, dat was saai.'

'Dat klonk... normaal,' zei Ethan.

Het bloed trok weg uit mijn gezicht. Ik schonk ze een verwarde, maar triomfantelijke glimlach. Vijfhonderd punten. Zoveel was mijn solo minstens waard. Jammer voor Marcie. Ik stond voor. 'Iets drinken?' vroeg ik. Ik klonk verrassend vrolijk.

Nadat ik hun bestellingen had opgenomen, draaide ik me om en liep richting de keuken. 'O, Nora?' riep Marcie me na.

Ik bleef staan, ademde diep in en vroeg me af wat ze me nu

weer wilde laten doen. O, nee. Misschien ging ze wel onthullen wat ik had gedaan. Hier en nu. Waar al die mensen bij waren. Ze ging de hele wereld vertellen hoe achterbaks en laag ik was, omdat ik haar dagboek had gestolen.

'Kun je een beetje opschieten?' zei Marcie. 'We moeten zo nog naar een feestje.'

'Opschieten?' herhaalde ik. Betekende dit dat ze niet wist van het dagboek?

'We hebben met Patch afgesproken op het strand van Delphic en ik wil niet te laat komen.' Marcie deed onmiddellijk haar hand voor haar mond. 'Het spijt me zo erg. Ik dacht helemaal niet na. Ik had natuurlijk niets over Patch moeten zeggen. Het moet zo moeilijk voor je zijn om hem met iemand anders te zien.'

Als er nog een restje van mijn glimlach op mijn gezicht zat, verdween dat nu helemaal. Ik voelde mijn hals warm worden. Mijn hart sloeg zo snel dat ik licht werd in mijn hoofd. De hele ruimte draaide en het enige wat ik nog zag, was Marcies vernietigende glimlach. Dus alles was weer normaal. Patch was teruggegaan naar Marcie. Nadat ik gisteren was weggelopen, had hij zich bij ons lot neergelegd. Als hij mij niet kon krijgen, nam hij genoegen met Marcie. Waarom mochten zij wel een relatie hebben? Waar waren de aartsengelen als het om Patch en Marcie ging? Waarom mochten zij elkaar wel zoenen? Zagen de aartsengelen het door de vingers omdat het voor hen allebei niets betekende? Ik kon wel gillen als ik dacht aan hoe oneerlijk het was. Marcie mocht met Patch zijn omdat ze niet van hem hield. Ik mocht dat niet, want ik hield wel van hem en dat wisten de aartsengelen. Waarom was het verkeerd om verliefd te zijn? Waren engelen en mensen dan echt zo anders?

'Prima. Ik ben er al overheen,' zei ik, zo nonchalant mogelijk.

'Goed zo,' zei Marcie, die verleidelijk op een rietje sabbelde. Ze zag er niet uit alsof ze me geloofde.

In de keuken gaf ik de bestellingen van Marcies tafel door aan de kok. Ik liet het gedeelte met 'speciale wensen van de klant' leeg. Had Marcie haast omdat ze Patch wilde zien in Delphic? Pech.

Ik pakte een blad met bestellingen en liep de keuken uit. Tot mijn verbazing zag ik Scott bij de ingang staan. Hij praatte met de gastvrouwen. Hij droeg een wijde Levi's spijkerbroek en een T-shirt en aan de lichaamstaal van de twee in het zwart geklede gastvrouwen te zien, flirtten ze met hem. Hij zag mij en zwaaide halfhartig. Ik bracht mijn bestelling naar tafel 15 en liep de trap af.

'Hé,' zei ik tegen Scott, terwijl ik mijn baret afdeed en ermee voor mijn gezicht wapperde.

'Vee zei dat ik je hier kon vinden.'

'Heb je Vee gebeld?'

'Ja, je nam je telefoon niet op en je reageerde niet op mijn sms'jes.'

Ik veegde mijn voorhoofd af en stak een paar losse krullen achter mijn oor. 'Mijn telefoon staat uit. Ik heb nog geen kans gehad om hem aan te zetten vanavond. Wat is er?'

'Wanneer ben je klaar?'

'Tien uur. Waarom?'

'Er is een feest op het strand van Delphic. Ik zoek een slachtoffer dat met me mee wil.'

'Iedere keer als ik met jou ergens heen ga, gebeurt er iets ergs.' Ik zag aan zijn ogen dat hij het niet helemaal snapte. 'Het gevecht in Z,' herinnerde ik hem. 'Het gedoe in The Devil's Handbag. Beide keren heb ik zelf een lift naar huis moeten regelen.'

'Drie keer is scheepsrecht.' Hij glimlachte en ik realiseerde me voor het eerst dat het best een charmante glimlach was.

Jongensachtig zelfs. Het maakte hem zachter en ik vroeg me af of hij misschien een kant had die ik nog niet had gezien.

De kans was groot dat dit hetzelfde feest was waar Marcie naartoe ging. Hetzelfde feest waar Patch zou zijn. En hetzelfde strand waar ik slechts anderhalve week geleden met hem was, toen ik nog zo stom was om te denken dat alles perfect was. Ik had nooit kunnen raden hoe snel dat kon veranderen.

Ik wist niet precies hoe ik me voelde. Ik wilde Patch zien, ik wilde hem altijd zien, maar daar ging het niet om. De vraag was of ik eraan toe was om hem te zien. Zou ik het aankunnen om hem met Marcie te zien? Na alles wat hij me gisteravond had verteld?

'Ik denk er nog even over na,' zei ik tegen Scott, toen ik me realiseerde dat het wel erg lang duurde voordat ik antwoord gaf.

'Zal ik om tien uur langskomen en je ophalen?'

'Nee. Als ik ga, rij ik wel met Vee mee.' Ik wees naar de keukendeur. 'Ik moet eigenlijk weer aan het werk.'

'Ik hoop dat ik je daar zie,' zei hij, terwijl hij me nog een laatste glimlach schonk.

Na sluitingstijd stond Vee op me te wachten op de parkeerplaats. 'Bedankt dat je me komt halen,' zei ik, terwijl ik instapte. Mijn benen deden pijn van een hele avond staan en mijn oren suisden nog na van het geroezemoes en de lachende mensen in het volle restaurant en de schreeuwende koks in de keuken. Ik had minstens twee keer een verkeerde bestelling meegenomen en was de keuken meerdere keren via de verkeerde deur binnengekomen, waardoor ik een paar keer bijna een serveerster met haar armen vol borden omver had gelopen. Het goede nieuws was dat ik dertig dollar aan fooi had gekregen. Nadat ik mijn boete had betaald, wilde ik al mijn fooi in de cabrio investeren. Ik verlangde zo naar de dag dat ik niet meer afhankelijk was van Vee.

Maar niet zoveel als ik verlangde naar de dag dat ik Patch zou zijn vergeten.

Vee grijnsde. 'Dit doe ik niet gratis, hoor. Ik onthoud al deze ritjes en zal ze de rest van mijn leven tegen je gebruiken als ik iets van je nodig heb.'

'Ik meen het, Vee. Je bent de beste vriendin van de hele wereld. En daarbuiten.'

'Ah, misschien moeten we dit prachtige moment vieren met een ijsje van Skippy's. Ik heb echt zin in ijs. Of eigenlijk heb ik meer zin in smaakversterkers. In vette gefrituurde friet en hamburgers, ondergedompeld in smaakversterkers.'

'Ander keertje?' vroeg ik. 'Ik ben uitgenodigd voor een feestje op het strand in Delphic. Jij mag natuurlijk mee,' voegde ik er snel aan toe. Ik wist nog helemaal niet zo zeker of het wel zo'n goed idee was om te gaan. Waarom zou ik het mezelf aan willen doen om Patch weer te zien? Ik wist dat ik hem dicht bij me wilde, zelfs als hij niet écht dichtbij zou zijn. Als ik sterker was, zou ik alle banden verbreken en weglopen. Als ik sterker was, zou ik mezelf niet zo kwellen. Patch was voor altijd uit mijn leven. Ik wist dat ik dat zou moeten accepteren, maar er was een groot verschil tussen weten en doen.

'Wie gaan er allemaal?' vroeg Vee.

'Scott en een paar andere mensen van school.' Ik vond het niet nodig om te vermelden dat Marcie er zou zijn, want dan zou Vee er gelijk geen zin meer in hebben en ik had zo het gevoel dat ik haar echt nodig zou hebben vanavond.

'Ik denk eigenlijk dat ik meer zin heb om een filmpje te kijken met Rixon. Ik kan vragen of hij nog wat leuke vrienden heeft. Dan kunnen we *double-daten*! Popcorn eten en zoenen op de bank.'

'Nee, dank je.' Ik wilde niemand anders. Ik wilde Patch.

Tegen de tijd dat Vee het parkeerterrein bij het strand opreed, was de lucht pikzwart. Er stonden overal lampen die zo fel waren dat ze me deden denken aan de verlichting in voetbalstadions. Ze schenen op de witte houten constructies waarin de draaimolen, de speelhal en de midgetgolfbaan huisden en wierpen een aureool over het terrein. Verderop op het strand en op de omringende velden was geen elektriciteit, waardoor het pretpark het enige lichtpunt in de omgeving was. Ik verwachtte niet dat er op dit tijdstip nog iemand bij de hamburgerkraam of in de speelhal zou zijn en ik gebaarde naar Vee dat ze door moest rijden, over het spoor heen en richting het water.

Ik stapte uit en zwaaide haar gedag. Vee zwaaide terug. Haar telefoon zat aan haar oor geplakt en ze was met Rixon aan het overleggen waar ze zouden afspreken.

De lucht was nog warm van de zon van die dag en gevuld met geluiden. In de verte klonk muziek en ik hoorde golven die stuksloegen op het strand. Ik liep een stukje door de duinen, die als een hek evenwijdig liepen aan het strand en rende naar beneden, op de strook droog zand, het stukje zand waar het water nooit kwam.

Ik kwam voorbij kleine groepjes mensen die in het water aan het spelen waren. Ze sprongen over de golven en gooiden drijfhout in de duisternis van de zee, ook al waren de strandwachten al lang weg. Ik keek uit naar Patch, Scott en Marcie of iemand anders die ik kende. Een stukje verder flakkerden de oranje vlammen van een kampvuur in de duisternis. Ik pakte mijn telefoon en belde Scott.

'Yo.'

'Ik ben er,' zei ik. 'Waar ben jij?'

'Ten zuiden van het kampvuur. Jij?'

'Iets ten noorden.'

'Ik zoek jou wel.'

Twee minuten later plofte Scott naast me neer in het zand. 'Ga je de hele avond hier aan de kant hangen?' vroeg hij me. Zijn adem stonk naar alcohol.

'Ik mag negentig procent van de mensen daar niet.'

Hij knikte begrijpend en stak zijn thermosfles naar mij uit. 'Ik heb geen bacillen, hoor. Ik zweer het. Neem zoveel je wilt.'

Ik boog net ver genoeg naar hem toe om de inhoud van de thermosfles te kunnen ruiken. Ik schoot achteruit. Alleen van de geur al voelde ik mijn keel branden. 'Wat is dit?' proestte ik. 'Motorolie?'

'Mijn geheime recept. Als ik het vertel, moet ik je vermoorden.'

'Niet nodig. Volgens mij krijg je hetzelfde resultaat als je het drinkt.'

Scott leunde achterover, met zijn ellebogen in het zand. Hij droeg een Metallica-T-shirt met afgescheurde mouwen, een korte broek en slippers.

Ik droeg mijn werkbroek en een hemdje.

'Vertel mij eens, Grey. Wat doe jij hier? Ik zal eerlijk zeggen dat ik dacht dat je liever huiswerk zou willen maken, vanavond.'

Ik leunde naast hem in het zand en keek hem van opzij aan. 'Dat grapje heb ik je nu al tien keer horen maken. Ja, ik ben suf. Nou en?'

Hij grijnsde. 'Ik hou van suf. Suf gaat me helpen dit jaar te halen. Vooral Engels.'

O, o. 'Als dat een vraag was, is het antwoord nee. Ik ga jouw opstellen niet schrijven.'

'Dat denk jij, maar jij hebt de charmante Scott nog niet ontmoet.'

Ik proestte het uit. Scott grijnsde. 'Wat?' zei hij. 'Waarom lach je?'

'Ik geloof gewoon niet dat jij en het woord "charmant" in dezelfde zin passen.'

'Ik verleid alle meisjes met mijn charme. Ik zweer het je, ik maak ze helemaal wild. Ik ben vierentwintig uur per dag dronken, word bij al mijn baantjes ontslagen, heb nog nooit een voldoende voor wiskunde gehaald en doe de hele dag niets anders dan gamen. Wat wil je nog meer?'

Ik voelde hoe mijn schouders schudden van het lachen. Ik mocht deze dronken versie van Scott wel. Wie had gedacht dat hij zo'n zelfspot had?

'Hou op,' zei Scott speels, terwijl hij mijn kin met zijn vinger omhoogtilde. 'Ik krijg nog kapsones.'

Ik glimlachte ontspannen naar hem. 'Je hebt wel een Mustang. Dat is ten minste tien punten.'

'Geweldig. Tien punten. Nu heb ik er nog tweehonderd nodig om uit de gevarenzone te komen.'

'Waarom stop je niet met drinken?'

'Stoppen? Meen je dat? Ik vind mijn leven al klote als ik dronken ben. Als ik stop met drinken en zou zien hoe mijn leven echt was, zou ik waarschijnlijk van een brug springen.'

We zwegen even.

'Als ik dronken ben, lukt het me bijna om te vergeten wie ik ben,' zei hij. Zijn glimlach werd een beetje minder. 'Ik weet dan nog wel wie ik ben, maar niet meer helemaal. Een fijne toestand om in te verkeren.' Hij nam een slok uit de thermosfles en hield zijn blik gericht op de zwarte zee, recht vooruit.

'Nou ja, mijn leven is ook niet bepaald perfect.'

'Je vader?' raadde hij, terwijl hij zijn bovenlip afveegde met de achterkant van zijn hand. 'Dat was jouw schuld niet.'

'En dat maakt het bijna nog erger.'

'Hoezo?'

'Als het mijn schuld was, zou dat betekenen dat ik het verknald had. Ik zou mezelf de schuld kunnen geven, maar uiteindelijk zou ik het misschien wel achter me kunnen laten. Nu zit ik vast en stel ik mezelf steeds maar weer dezelfde vraag: waarom mijn vader?'

'Snap ik,' zei Scott.

Het begon zachtjes te regenen. Een zomerregen met grote, warme druppels die overal heen spetterden.

'Wat is dit nu weer?' hoorde ik Marcie verderop bij het kampvuur schreeuwen. Ik bekeek de groep mensen, maar Patch zat er niet bij.

'Mijn huis, iedereen!' riep Scott, die zwierig opsprong. Hij wankelde en verloor bijna zijn evenwicht. 'Deacon Road 72, appartement 32. Deuren zitten niet op slot. Bier in de koelkast. En mijn moeder is niet thuis!'

Iedereen juichte, raapte kleren en schoenen op en rende naar de parkeerplaats.

Scott tikte met zijn slipper tegen mijn bovenbeen. 'Wil je een lift? Dan mag jij rijden.'

'Bedankt voor het aanbod, maar ik ga denk ik naar huis.' Patch was er niet en dat was de enige reden dat ik was gekomen. Plotseling voelde de avond als een teleurstelling en een verspilling. Ik zou blij moeten zijn dat ik Patch en Marcie niet samen had gezien, maar ik was vooral teleurgesteld en eenzaam en ik had overal spijt van. En ik was compleet uitgeput. Ik kon alleen maar denken aan mijn bed en wilde zo snel mogelijk een eind aan deze dag maken.

'Vrienden laten vrienden niet dronken achter het stuur,' probeerde Scott mij over te halen.

'Probeer je me nu een schuldgevoel aan te praten?'

Hij bungelde de sleutels voor mijn neus. 'Dit is de kans van je leven. Je mag in de Mustang rijden.'

Ik stond op en veegde het zand van mijn broek. 'En als jij mij de Mustang nou eens verkoopt voor dertig dollar? Ik kan je contant betalen.'

Hij lachte en sloeg zijn arm om mijn schouders. 'Dronken, maar niet zó dronken, Grey.'

Hoofdstuk 14

Zodra we weer in Coldwater waren, nam ik op Beech Street de afslag naar Deacon Road. De regen was overgegaan in een sombere motregen. De weg was smal en lang en aan beide kanten stonden groene bomen. Scott wees naar een rij appartementen met piepkleine balkons en grijze dakspanen. Het leken wel strandhuisjes. In de voortuin lag een vervallen tennisbaan en alles zag eruit alsof het wel een likje verf kon gebruiken.

Ik zette de Mustang op een van de parkeerplekken.

'Bedankt voor de lift,' zei Scott, die zijn arm over de achterkant van mijn stoel legde. Zijn ogen waren glazig en zijn glimlach stond scheef.

'Lukt het je om in je eentje naar binnen te gaan?' vroeg ik.

'Ik wil niet naar binnen,' zei hij brabbelend. 'De vloerbedekking ruikt naar hondenpis en de badkamer is beschimmeld. Ik wil hier blijven, met jou.'

Omdat je dronken bent. 'Ik moet naar huis. Het is al laat en ik heb mijn moeder vandaag nog helemaal niet gebeld. Ze wordt gek als ik niet snel iets van me laat horen.' Ik boog over hem heen om de autodeur open te maken.

Terwijl ik dat deed pakte hij een lok van mijn haar. 'Mooi.'

Ik maakte zijn hand weer los. 'Dit gaat niet gebeuren. Je bent dronken.'

Hij grijnsde. 'Een beetje maar.'

'Morgen ben je dit allemaal vergeten.'

'Ik dacht dat we zo'n mooi moment hadden net op het strand.'

'Dat hadden we ook. Maar verder zal het niet gaan. Ik meen het. Ik schop je eruit. Ga naar binnen.'

'En mijn auto dan?'

'Ik rijd nu naar mijn eigen huis en dan breng ik hem morgenmiddag weer terug.'

Scott ademde tevreden uit en liet zichzelf in zijn stoel zakken. 'Ik wil eigenlijk de rest van de avond alleen chillen met Jimi Hendrix. Kan jij tegen iedereen zeggen dat het feest voorbij is?'

Ik rolde met mijn ogen. 'Je hebt zelf zestig mensen uitgenodigd. Ik ga ze niet wegsturen.'

Scott boog opzij, stak zijn hoofd uit de deur en gaf over.

Jakkes.

Ik greep de achterkant van zijn shirt, trok hem naar binnen en reed de Mustang een stukje naar voren. Toen stapte ik uit. Ik liep naar Scotts kant en sleepte hem uit de auto. Ik trok aan zijn armen en lette goed op of ik niet per ongeluk in zijn kots ging staan. Hij sloeg zijn arm over mijn schouder en ik probeerde niet om te vallen. 'Welk appartement?' vroeg ik.

'32. Bovenste verdieping.'

De bovenste verdieping. Natuurlijk. Waarom zou het ook een keer meezitten?

Ik sleepte Scott hijgend twee trappen op en wankelde de open deur van het appartement binnen, waar het krioelde van de mensen die dansten op hiphopmuziek die zo hard stond dat mijn hersenen zowat uit mijn hoofd trilden.

'Mijn slaapkamer is aan het eind van de gang,' mompelde Scott in mijn oor.

Ik duwde hem door de menigte, opende de deur aan het einde van de gang en liet Scott vallen op het onderste matras van het stapelbed in de hoek. In de andere hoek stonden een klein bureau, een opvouwbare wasmand, een gitaar en een paar losse gewichten. De muur was vaalwit en er hing een poster van *The Godfather III* en een vaandel van de New England Patriots.

'Mijn kamer,' zei Scott, die zag dat ik de ruimte in me opnam. Hij klopte op het matras naast hem. 'Kom hier even zitten.'

'Welterusten, Scott.'

Ik had de deur al bijna dichtgedaan toen hij zei: 'Kun je even iets te drinken voor me halen? Water? Ik moet deze smaak uit mijn mond krijgen.'

Ik wilde zo snel mogelijk weg, maar had ook medelijden met Scott. Als ik nu wegging, zou hij morgen waarschijnlijk wakker worden in zijn eigen braaksel. Ik kon net zo goed even een aspirientje voor hem halen.

De piepkleine U-vormige keuken van het appartement keek uit op de woonkamer, die nu was omgedoopt tot de dansvloer, en nadat ik me door de dansende massa had gewerkt, opende ik de kastjes in de keuken, op zoek naar een glas. Ik vond alleen een stapel witte plastic bekers in een kastje boven de gootsteen. Ik draaide de kraan open en vulde de beker. Toen ik me omdraaide om het water naar Scott te brengen, sloeg mijn hart een slag over. Patch stond in de keuken. Hij leunde tegen een van de kastjes tegenover de koelkast. Hij stond een stukje van de menigte af en had zijn petje ver over zijn hoofd getrokken, waarmee hij aangaf dat hij geen zin had om met iemand te praten. Zijn houding was ongeduldig. Hij keek op zijn horloge.

De enige manier waarop ik hem zou kunnen ontwijken, was door over het aanrecht te klimmen, maar dat leek me nogal kinderachtig. We waren allebei oud en wijs genoeg om hier normaal mee om te gaan, toch? Ik likte mijn lippen, die ineens droog aanvoelden en liep op hem af. 'Heb je het naar je zin?'

De harde lijnen op zijn gezicht werden zachter en ik zag dat hij glimlachte. 'Ik kan ten minste één ding bedenken dat ik liever zou doen.'

Als dat een of andere dubbelzinnige opmerking was, negeerde ik die. Ik ging op het aanrecht zitten. Mijn benen bungelden over de rand. 'Blijf je de hele avond?'

'Als ik hier de hele avond moet blijven, kun je me net zo goed gelijk neerknallen.'

Ik spreidde mijn handen. 'Sorry, ik heb geen pistool.'

Zijn glimlach was fout en perfect tegelijk. 'Is dat alles wat je tegenhoudt?'

'Ik kan je wel neerschieten,' merkte ik op, 'maar je gaat toch niet dood. Een van de nadelen van onsterfelijkheid.'

Hij knikte en er verscheen een grote glimlach onder de schaduw van zijn pet. 'Maar als je het zou kunnen, zou je het doen?'

Ik aarzelde voordat ik antwoordde. 'Ik haat je niet, Patch. Nog niet.'

'Wat voel je dan?' vroeg hij. 'Iets wat nog dieper gaat dan haat?'

Ik glimlachte een klein beetje.

We voelden allebei dat dit gesprek niet zoveel zin had. Niet hier, in ieder geval. Patch knikte naar de menigte achter ons. 'En jij? Blijf jij nog lang?'

Ik sprong van het aanrecht. 'Nee. Ik breng even water naar Scott, en mondwater als ik dat kan vinden, en dan ben ik weg.'

Hij pakte me bij mijn elleboog. 'Je zou mij neerschieten, maar je zorgt wel voor Scott?'

'Scott heeft mijn hart niet gebroken.'

Er viel even een stilte. 'Ga met me mee,' zei Patch toen zachtjes. Ik zag zijn blik en wist precies wat hij bedoelde. Hij wilde samen wegrennen. Hij wilde de aartsengelen uitdagen en vergeten dat ze hem uiteindelijk zouden vinden.

Als ik dacht aan wat ze met hem zouden doen, kreeg ik het ijskoud en werd ik doodsbang. Patch had me nooit verteld hoe het in de hel zou zijn. Maar hij wist het. En het feit dat hij het mij nooit had verteld, zei al genoeg. Het was er ongetwijfeld afschuwelijk en ik wilde er niet aan denken.

Ik bleef naar de vloer kijken. 'Ik heb Scott een glas water beloofd.'

'Je brengt behoorlijk wat tijd door met een behoorlijk foute jongen. En als ík hem al fout noem, zegt dat echt wel wat.'

'Hoezo? Omdat je zelf nóg fouter bent?'

'Ik ben blij dat je je gevoel voor humor nog hebt, maar ik meen het. Pas op.'

Ik knikte. 'Ik waardeer je bezorgdheid, maar ik weet wat ik doe.' Ik liep langs Patch en door de tollende massa in de woonkamer. Ik moest hier weg. Ik kon het niet aan om zo dicht bij hem te staan, met die verschrikkelijke dikke ijsmuur tussen ons in. We wisten allebei dat we iets onmogelijks wilden, ook al stond datgene nog zo dichtbij.

Ik was halverwege de woonkamer toen iemand mijn hemdje vanachter beetpakte. Ik draaide me om in de verwachting dat het Patch was, die nog een keer wilde herhalen wat hij net had gezegd, of misschien zou hij zelfs alle waarschuwingen negeren en me gewoon kussen, maar het was Scott die met een luie glimlach naar me keek. Hij veegde mijn haar uit mijn gezicht, boog voorover en kuste me. Hij smaakte naar tandpasta en mondwater. Ik trok me automatisch terug, maar toen realiseerde ik me dat het niet uitmaakte wat Patch zou zien. Ik deed niets wat hij zelf ook niet deed. Ik had hier recht op. Hij gebruikte Marcie om de leegte in zijn hart te vullen en ik gebruikte Scott.

Ik liet mijn handen over Scotts borstkas glijden en legde ze in zijn nek, waarop hij me nog dichter naar zich toe trok en met zijn handen over mijn rug ging. Dus zo voelde het om iemand anders te kussen. Patch deed alles langzaam en weloverwogen, maar Scott kuste me vurig en speels en ook een beetje nat. Het was compleet anders en nieuw... en eigenlijk helemaal niet zo erg.

'Mijn kamer,' fluisterde Scott in mijn oor, terwijl hij mijn hand pakte en me meetrok richting de gang.

Ik keek naar Patch. Onze blikken kruisten elkaar. Hij had zijn hand in zijn nek, alsof hij diep in gedachten verzonken was geweest en stokstijf was blijven staan toen hij mij en Scott had gezien.

Zo voelt het, dacht ik naar hem.

Ik voelde me er alleen niet beter door, wel verdrietig en teleurgesteld. Ik was niet iemand die spelletjes speelde of gemene trucjes uithaalde. Maar ik voelde nog zoveel pijn en om die reden stond ik toe dat Scott mij meenam.

Scott gebruikte zijn voet om zijn slaapkamerdeur open te duwen. Hij doofde de lichten en de ruimte werd gehuld in zachte schaduwen. Ik keek naar het matras op het stapelbed en naar het raam, dat een stukje openstond. Ik had even een paniekmomentje en stelde me voor dat ik door het open raam sprong en de nacht in vluchtte. Dat was waarschijnlijk wel een teken dat ik op het punt stond om iets heel doms te doen. Ging ik hier echt mee door? Alleen om een punt te maken? Was dit de manier om aan Patch duidelijk te maken dat ik boos en verdrietig was? Wat zei dat over mij?

Scott pakte me bij mijn schouders en kuste me weer, nog harder deze keer. Ik bedacht wat mijn opties waren. Ik kon zeggen dat ik me niet lekker voelde. Ik kon zeggen dat ik me had bedacht. Ik kon gewoon nee zeggen...

Scott deed zijn shirt uit en gooide het op de grond.

'Eh...' begon ik. Ik keek om me heen om nog een keer te kijken of ik kon ontsnappen, toen ik zag dat de slaapkamerdeur openstond. Er stond een schaduw in de deuropening. De schaduw stapte naar binnen en deed de deur dicht. Mijn mond viel open van verbazing.

Patch pakte Scotts shirt en gooide het in zijn gezicht.

'Wat...' begon hij, terwijl hij het shirt over zijn hoofd trok en naar beneden rolde.

'Je gulp staat open,' zei Patch.

Scott trok aan de rits van zijn broek. 'Wat doe je? Je kunt hier niet zomaar binnenkomen. Ik ben bezig. En dit is mijn kamer!'

'Ben je gek geworden?' zei ik tegen Patch, terwijl ik voelde hoe mijn wangen vuurrood werden.

Patch keek me aan. 'Je wilt hier niet zijn. Niet met hem.'

'Het is niet aan jou om dat te beslissen!'

Scott duwde me aan de kant. 'Laat mij dit maar even regelen.'

Hij liep op Patch af, die zijn vuist met een ongelofelijke knal tegen Scotts kaak liet komen.

'Wat doe je!' gilde ik naar Patch. 'Heb je zijn kaak gebroken?'

'Euhneuh!' kreunde Scott, die de onderste helft van zijn gezicht vastpakte.

'Ik heb zijn kaak niet gebroken, maar als hij jou met nog één vinger aanraakt, zullen er wel dingen breken,' zei Patch.

'Ga weg!' schreeuwde ik tegen Patch, terwijl ik naar de deur wees.

'Ik vermoord je,' gromde Scott naar Patch. Hij opende en sloot zijn kaak om te controleren of alles het nog deed.

Maar in plaats van dat Patch wegging, liep hij weer op Scott af. Hij duwde hem hard tegen de muur aan. Scott probeerde zich los te rukken, maar Patch knalde hem weer tegen de muur. 'Als je haar aanraakt,' zei hij zachtjes en dreigend in Scotts oor, 'zul je daar je leven lang spijt van hebben.'

Voordat hij wegging, keek Patch nog even naar mij. 'Hij is het niet waard.' Hij zweeg even. 'En ik ook niet.'

Ik opende mijn mond, maar wist niets te zeggen. Ik was hier niet omdat ik het wilde. Ik was hier om Patch iets duidelijk te maken. Dat wisten we allebei.

Scott draaide zich om en leunde tegen de muur. 'Als ik niet dronken was geweest, had ik hem aangekund,' zei hij, terwijl hij zijn kaak masseerde. 'Wie denkt die gast wel niet dat hij is? Ik ken hem niet eens. Ken jij hem?'

Scott herkende Patch dus niet uit de Z, maar het was die avond erg druk geweest. Ik kon niet van Scott verwachten dat hij ieder gezicht herkende. 'He spijt me,' zei ik, terwijl ik naar de deur gebaarde die Patch zojuist had dichtgedaan. 'Gaat het?'

Hij glimlachte. 'Ik heb me nog nooit zo goed gevoeld,' zei hij, terwijl de striemen op zijn kaak steeds blauwer werden.

'Hij ging echt te ver.'

'Ik ga ook wel eens te ver,' zei hij lijzig, terwijl hij met de achterkant van zijn hand het bloed van zijn kin en mond veegde.

'Ik ga,' zei ik. 'Ik breng de Mustang morgen na school terug.' Ik vroeg me af hoe ik hier weg kon komen zonder langs Patch te lopen en zonder mijn waardigheid te verliezen. Ik kon net zo goed recht op hem af lopen en toegeven dat hij gelijk had: ik was alleen met Scott meegegaan om hem te kwetsen.

Scott haakte zijn vinger onder mijn hemdje en hield me tegen. 'Ga niet weg, Nora. Nog niet.'

Ik maakte zijn vinger los. 'Scott…'

'Zeg maar als ik te ver ga,' zei hij, terwijl hij voor de tweede keer die avond zijn shirt over zijn hoofd trok. Zijn bleke huid glom in het donker. Hij bracht duidelijk veel tijd door in de sportschool. Hij had enorm gespierde armen.

'Je gaat te ver,' zei ik.

'Dat klinkt niet heel overtuigend.' Hij veegde mijn haar uit mijn nek en zoende me.

'Ik ben niet op die manier in je geïnteresseerd,' zei ik, terwijl ik mijn handen tussen ons in plaatste. Ik was moe en had hoofdpijn. Ik schaamde mezelf en wilde naar huis en slapen totdat ik deze hele avond was vergeten.

'Hoe weet je dat? Je hebt me nog nooit op die manier geprobeerd.'

Ik deed het licht aan. Scott deed zijn handen voor zijn ogen en wankelde een stap achteruit.

'Ik ga...' begon ik, maar stopte toen ik een stukje van Scotts huid zag, ergens halverwege zijn tepel en sleutelbeen. De huid daar glom en was vervormd. Ergens diep in mijn gedachten legde ik de link tussen Scotts lidmaatschap van het bloedgenootschap van Nephilim en zijn brandmerk, maar eigenlijk werd ik geheel in beslag genomen door wat anders. Het brandmerk had de vorm van een gebalde vuist. Het had precies hetzelfde formaat en dezelfde vorm als de stempel op de ijzeren ring uit de envelop.

Scott had zijn hand nog voor zijn ogen. Hij kreunde en leunde tegen zijn bed.

'Wat is dat daar op je huid?' vroeg ik. Mijn mond was ineens kurkdroog.

Scott schrok even en legde zijn hand toen op het brandmerk om het te verbergen. 'Het resultaat van een avondje dollen met vrienden. Niets bijzonders. Het is maar een litteken.'

Had hij nu het lef om hierover te liegen? 'Jij hebt mij de envelop gegeven.' Het bleef stil. 'De boulevard. De bakkerij. De envelop met de ijzeren ring,' voegde ik er nog feller aan toe.

De kamer voelde op een enge manier geïsoleerd en ver weg van de dreunende muziek in de woonkamer. Ik voelde me ineens niet meer veilig alleen met Scott.

Scott kneep zijn ogen samen tegen het licht. 'Waar heb je het over?' Hij was duidelijk op zijn hoede en er klonk iets vijandigs door in zijn toon.

'Dit is niet grappig. Ik weet dat jij mij de ring hebt gegeven.'

'De... ring?'

'De ring die de afdruk op je huid heeft achtergelaten!'

Hij schudde zijn hoofd, alsof hij zijn bedwelming van zich af wilde schudden. Toen duwde hij mij ineens hard tegen de muur. 'Hoe weet jij van de ring?'

'Je doet me pijn,' zei ik fel, maar ik trilde van angst. Ik realiseerde me dat Scott niet loog. Hij wist echt niets van de envelop, of hij was een veel betere acteur dan ik dacht. Maar hij wist wel van de ring.

'Hoe zag hij eruit?' Hij greep mijn hemdje en schudde me heen en weer. 'De man die jou de ring heeft gegeven... hoe zag hij eruit?'

'Laat me los,' zei ik, terwijl ik hem wegduwde. Maar Scott was veel zwaarder dan ik en bewoog geen centimeter. 'Ik heb hem niet gezien. Hij werd door iemand anders bezorgd.'

'Weet hij waar ik ben? Weet hij dat ik in Coldwater ben?'

'Hij?' snauwde ik terug. 'Wie is hij? Wat is er aan de hand?'

'Waarom heeft hij je de ring gegeven?'

'Ik weet het niet! Ik weet niets van hem! Waarom vertel jij me niet wie hij is?'

Hij trilde enorm. De paniek had hem blijkbaar in zijn grip. 'Wat weet jij?'

Ik hield mijn ogen op die van Scott gericht, maar had het gevoel dat mijn keel dichtzat en ik kon amper ademen. 'De ring zat in de envelop, samen met een briefje waarop stond dat de

Zwarte Hand mijn vader heeft vermoord. En dat de ring van hem was.' Ik likte mijn lippen. 'Ben jij de Zwarte Hand?'

Scott keek me nog steeds wantrouwend aan. Zijn ogen schoten nerveus heen en weer en hij wist blijkbaar niet of hij me moest geloven. 'Als je leven je lief is, vergeet dan dat we dit gesprek ooit hebben gehad.'

Ik probeerde mijn arm los te rukken, maar hij hield me nog steeds vast.

'Ga weg,' zei hij. 'En blijf bij mij uit de buurt.' Toen liet hij me los en duwde me richting de deur.

Ik bleef staan en veegde mijn zweterige handpalmen af aan mijn broek. 'Niet voordat jij me vertelt over de Zwarte Hand.'

Ik dacht dat Scott woedend zou worden, maar hij keek me alleen maar een beetje boos aan, alsof hij een hond in zijn tuin had betrapt. Hij pakte zijn T-shirt van de grond en stond op het punt om het over zijn hoofd te trekken, toen hij ineens dreigend glimlachte. Toen gooide hij het shirt op het bed, maakte zijn riem los, trok zijn gulp omlaag en stapte uit zijn korte broek. Hij had nu alleen nog zijn strakke, katoenen boxershort aan. Het was overduidelijk dat hij probeerde me te choqueren en te intimideren, in de hoop dat ik weg zou gaan. Het was hem bijna gelukt, maar zo gemakkelijk liet ik me niet wegsturen.

'Jij hebt de ring van de Zwarte Hand op je huid staan,' zei ik. 'Ik geloof niet dat je er niets van weet.'

Hij gaf geen antwoord.

'Zodra ik hier weg ben, bel ik de politie. Als je niet met mij wilt praten, wil je misschien wel met hen praten. Misschien hebben zij dit brandmerk wel eerder gezien. Ik denk dat ze het heel interessant zullen vinden.' Mijn stem was kalm, maar ik voelde het zweet over mijn rug lopen. Dat was nogal een stomme en riskante uitspraak. Straks liet Scott me helemaal niet gaan. Ik wist blijkbaar genoeg over de Zwarte Hand om hem van streek te maken. Vond hij dat ik te veel wist? Wat als hij mij vermoordde en mijn lichaam in een container gooide? Mijn moeder wist niet waar ik was en iedereen die me hier met Scott had gezien, was dronken. Zou iemand het zich morgen herinneren dat ik hier was?

Ik was zo druk met in paniek raken, dat ik niet had gezien dat Scott op het bed was gaan zitten. Hij had zijn handen voor zijn gezicht. Zijn schouders schokten en ik realiseerde me dat hij huilde, met grote, lange snikken. Eerst dacht ik dat hij deed alsof en dat het een of andere val was, maar de geluiden die uit zijn keel kwamen waren echt. Hij was dronken, emotioneel en waarschijnlijk behoorlijk labiel. Ik bleef stilstaan, bang dat hij toch nog boos zou worden als ik zou bewegen.

'Ik had in Portland enorme gokschulden,' zei hij. Zijn stem kraakte van wanhoop en vermoeidheid. 'De manager van het poolcafé zat achter me aan. Hij wilde geld. Wanneer ik op straat liep, keek ik continu over mijn schouder. Ik leefde in angst, want ik wist dat hij me op een dag zou vinden en dat ik geluk zou hebben als ik ervan af zou komen met alleen maar gebroken knieschijven.

Op een avond was ik onderweg van mijn werk naar huis en werd ik van achteren aangevallen. Ik werd een magazijn in gesleept en vastgebonden op een klaptafel. Het was te donker om de man te zien, maar ik ging ervan uit dat de manager hem had gestuurd. Ik zei dat ik hem alles zou betalen wat hij wilde als hij me zou laten gaan, maar hij lachte en zei dat hij niet achter mijn geld aan zat. Hij had zelfs al mijn schulden al afgelost. Ik dacht dat hij een grapje maakte, maar toen zei hij dat hij de Zwarte Hand heette en dat meer geld wel het laatste was wat hij nodig had.

Hij had een zippo-aansteker en hij hield de vlam tegen de

ring aan zijn linkerhand. Ik was doodsbang en zei dat ik alles zou doen wat hij wilde, als hij mij maar van de tafel zou halen. Hij scheurde mijn shirt open en hield de ring tegen mijn borst aan. Mijn huid stond in brand en ik schreeuwde zo hard als ik kon. Hij brak mijn vinger en zei dat hij al mijn vingers zou breken als ik niet op zou houden met schreeuwen. Hij zei dat hij mij had gebrandmerkt.' Scotts stem kraakte. 'Ik pieste in mijn broek van angst. Ik wil hem nooit, maar dan ook nooit meer zien. Daarom zijn we naar Coldwater verhuisd. Ik ging niet meer naar school en verstopte me de hele dag in de sportschool, om sterker te worden, voor als ik hem weer tegen zou komen. Als hij me zou vinden, zou ik er klaar voor zijn.' Hij stopte met zijn verhaal en veegde zijn neus af met de achterkant van zijn hand.

Ik wist niet of ik hem kon vertrouwen. Patch had me duidelijk gemaakt dat hij dat niet deed, maar Scott zat hier te trillen als een schoothondje. Zijn gezicht was lijkbleek en hij zweette peentjes. Hij haalde zijn handen door zijn haar en ademde diep en schokkend uit. Zou hij in staat zijn om zo'n verhaal te verzinnen? Alle details leken te kloppen met wat ik al wist van Scott. Hij was gokverslaafd. Hij had 's avonds in een buurtwinkel in Portland gewerkt. Hij was terug naar Coldwater verhuisd om aan zijn verleden te ontsnappen. Hij had het brandmerk op zijn borst. Zou hij alles hebben verzonnen?

'Hoe zag hij eruit?' vroeg ik. 'De Zwarte Hand?'

Hij schudde zijn hoofd. 'Het was donker. Hij was lang. Meer herinner ik me niet.'

Ik probeerde me te bedenken wat Scott met mijn vader te maken zou kunnen hebben. Ze hadden allebei een link met de Zwarte Hand. Scott was opgespoord door de Zwarte Hand nadat hij schulden had gemaakt. In ruil voor de betaling van Scotts schulden had de Zwarte Hand hem gebrandmerkt. Was mijn vader hetzelfde overkomen? De politie had gezegd dat hij zomaar was doodgeschoten. Was dat wel zo? Misschien had de Zwarte Hand een schuld voor mijn vader afbetaald en hem vermoord toen mijn vader weigerde om gebrandmerkt te worden. Nee. Dat geloofde ik niet. Mijn vader gokte niet en had geen schulden. Hij was boekhouder. Hij wist wat geld waard was. Het moest iets anders zijn dan bij Scott.

'Heeft de Zwarte Hand verder nog iets gezegd?' vroeg ik.

'Ik probeer me zo min mogelijk te herinneren van die avond.' Hij stak zijn hand onder zijn matras en haalde er een plastic asbak en een pakje sigaretten onder vandaan. Hij stak de sigaret aan en blies de rook langzaam en met gesloten ogen uit.

Door mijn gedachten maalden steeds dezelfde drie vragen. Had de Zwarte Hand mijn vader echt vermoord? Wie was hij? Waar kon ik hem vinden?

En nog een vraag. Was de Zwarte Hand de leider van het bloedgenootschap? Als hij degene was die Nephilim brandmerkte, was dat logisch. Alleen een leider, of iemand met veel macht binnen de organisatie, zou actief nieuwe leden werven om de gevallen engelen te bevechten.

'Heeft hij gezegd waarom je het brandmerk kreeg?' vroeg ik. Het leek mij duidelijk dat het brandmerken gebeurde om de leden van het bloedgenootschap aan te duiden, maar misschien was er wel meer. Iets wat alleen de Nephilimleden wisten.

Scott schudde zijn hoofd en nam weer een trek van zijn sigaret.

'Hij zei niet waarom?'

'Nee,' snauwde Scott.

'Heeft hij je na die avond nog opgezocht?'

'Nee.' Ik zag aan de verwilderde blik in zijn ogen dat hij bang was dat dat wel ging gebeuren.

Ik dacht aan de Z en de Nephil in het rode shirt. Had hij hetzelfde brandmerk als Scott? Ik wist bijna zeker van wel. Het zou logisch zijn als alle leden hetzelfde brandmerk hadden. Dit betekende dat er anderen waren zoals Scott en de Nephil in de Z. Er waren waarschijnlijk overal Nephilim die onder dwang gerekruteerd waren, maar die uit elkaar gehouden werden. Als ze elkaar niet kenden en er verder niets van wisten, hadden ze ook geen macht. Waar wachtte de Zwarte Hand op? Waarom bracht hij zijn leden niet samen? Om te voorkomen dat de gevallen engelen achter zijn plannen zouden komen?

Was mijn vader daarom vermoord? Vanwege iets wat met het bloedgenootschap te maken had?

'Heb je het brandmerk van de Zwarte Hand wel eens bij iemand anders gezien?' Ik wist dat ik niet te veel door moest vragen, maar ik wilde per se weten hoeveel Scott wist.

Scott gaf geen antwoord. Hij lag op zijn bed met zijn mond open. Zijn adem rook sterk naar alcohol en rook.

Ik schudde hem zachtjes heen en weer. 'Scott? Wat weet je over het genootschap?' Ik sloeg zachtjes op zijn wang. 'Scott, word wakker. Heeft de Zwarte Hand je verteld dat je Nephilim bent? Heeft hij je verteld wat dat betekent?'

Maar beneveld door de alcohol was hij in een diepe slaap gevallen.

Ik maakte zijn sigaret uit, trok de deken op tot aan zijn schouders en liep de kamer uit.

Hoofdstuk 15

Ik zat midden in een droom toen de telefoon ging. Ik stak mijn arm opzij en graaide mijn telefoon van het nachtkastje naast mijn bed. 'Hallo?' zei ik, terwijl ik kwijl van de rand van mijn mond veegde.

'Heb je de weerman al gehoord?' vroeg Vee.

'Wat?' mompelde ik. Ik probeerde mijn ogen open te krijgen, maar ik zat nog steeds half in mijn droom, dus dat lukte niet. 'Hoe laat is het?'

'Dertig graden, blauwe lucht, geen wind. We móéten naar het strand in Old Orchard na school. Ik leg de bodyboards alvast in de auto.' Ze begon het eerste couplet van 'Summer Nights' uit *Grease* te zingen. Ik hield de telefoon van mijn oor.

Ik wreef de slaap uit mijn ogen en keek naar de cijfers op mijn wekkerradio. Daar stond toch geen… zes?

'Zal ik mijn felroze badpak aandoen of mijn gouden bikini? Weet je wat het is, als ik mijn bikini aandoe, moet ik eigenlijk van tevoren naar de zonnebank. Door goud lijk ik nog witter dan ik al ben. Misschien ga ik nu voor het roze badpak. Dan kan ik een basiskleurtje aanleggen en…'

'Waarom staat er zes uur vijfentwintig op mijn wekkerradio?'

wilde ik weten. Ik deed mijn best om mijn stem hard te laten klinken, ondanks mijn moeheid.

'Is dit een strikvraag?'

'Vee!'

'Jee, ben je boos of zo?'

Ik klapte mijn telefoon dicht en trok de dekens over me heen. Beneden in de keuken ging de huistelefoon. Ik trok mijn kussen over mijn hoofd. Hij sprong op het antwoordapparaat, maar Vee liet zich niet zomaar afschepen. Ze belde nog een keer. En nog een keer. En nog een keer.

Ik belde haar mobiel. 'Wat?'

'Goud of roze? Ik zou het niet vragen als het niet heel belangrijk was. Rixon is er ook en dit is de eerste keer dat hij mij in mijn zwemkleding gaat zien.'

'Wacht even. Gaan we met zijn drietjes? Ik ga niet helemaal naar Old Orchard om het vijfde wiel aan de wagen te zijn!'

'En ik ga jou niet de hele middag alleen thuis laten zitten met een zuur gezicht.'

'Ik heb geen zuur gezicht.'

'Ja, dat heb je wel. Nu op dit moment, zelfs.'

'Dit is mijn geïrriteerde gezicht. Je hebt me om zes uur 's ochtends wakker gemaakt!'

De lucht was helderblauw en er was geen wolkje te bekennen. Door de open ramen van de Neon blies een warme wind door onze haren en de geur van zout water hing in de lucht. Vee nam de afslag naar Old Orchard Street en zocht naar een parkeerplek. Aan beide kanten van de weg kwamen auto's langzaam voorbij, op zoek naar dat ene net vrijgekomen plekje.

'Het is megadruk,' klaagde Vee. 'Waar moet ik in hemelsnaam parkeren?' Ze reed een steegje in en stopte achter een boekwinkel. 'Dit ziet er goed uit. Genoeg plek hier.'

'Er hangt een bordje dat het alleen voor personeel is.'

'Hoe kunnen ze nou weten of ik wel of geen personeel ben? De Neon past er prima tussen. De andere auto's zijn ook allemaal van die rammelbakken.'

'Er staat ook dat je weggesleept wordt als je hier toch parkeert.'

'Dat staat er alleen om mensen zoals jij en ik bang te maken. Het is een loos dreigement. Niets om ons zorgen over te maken.'

Ze zette de Neon netjes op een van de parkeerplekken en trok aan de handrem. We pakten een parasol, een tas met flessen water, eten, zonnebrand en handdoeken en liepen over Old Orchard Street richting het strand. Het strand was bezaaid met kleurige parasols en de schuimige golven sloegen stuk op de houten takachtige benen van de pier. Ik herkende een groep jongens van school. Ze stonden een stukje verderop te frisbeeën.

'Normaal gesproken zou ik zeggen dat we naar die jongens toe moesten,' zei Vee, 'maar Rixon is zo'n lekker ding, ik kom niet eens in de verleiding.'

'Wanneer komt Rixon eigenlijk?'

'Zo hé. Dat klonk ook niet echt enthousiast. Dat klonk zelfs een beetje cynisch.'

Ik schermde mijn ogen af tegen de zon en tuurde langs de kustlijn, op zoek naar een ideaal plekje voor onze parasol. 'Ik heb je al verteld dat ik het niet leuk vind om het vijfde wiel te zijn.' Het laatste wat ik wilde was een hele middag in de hete zon toekijken hoe Vee en Rixon aan het zoenen waren.

'Als je het dan per se wilt weten, Rixon moest nog een paar klusjes doen, maar hij heeft beloofd dat hij hier om drie uur zou zijn.'

'Wat voor klusjes?'

'Weet ik veel. Iets voor Patch, waarschijnlijk. Rixon doet altijd dingen voor Patch. Je zou denken dat Patch zijn eigen zaakjes wel kon afhandelen. Of dat hij Rixon in ieder geval zou betalen, zodat hij geen misbruik van hem maakt. Zal ik me insmeren? Als ik aan het eind van de middag niet bruin ben, word ik echt kwaad.'

'Rixon lijkt me niet iemand van wie mensen makkelijk misbruik maken.'

'Mensen? Nee. Patch? Ja. Het lijkt wel of Rixon hem aanbidt. Het is echt zo suf. Ik word er kotsmisselijk van. Patch is nou niet bepaald iemand die ik zou aanbidden.'

'Ze kennen elkaar al heel lang.'

'Dat verhaal ken ik. Bla, bla, bla. Patch is waarschijnlijk gewoon een drugsdealer. Nee. Hij is wapenhandelaar en gebruikt Rixon als koerier. Rixon doet het gratis en voor niets en riskeert ondertussen zijn leven.'

Achter de glazen van mijn nep Ray Ban-zonnebril rolde ik met mijn ogen. 'Heeft Rixon zelf een probleem met hun relatie?'

'Nee,' zei ze prikkelbaar.

'Laat het dan rusten.'

Maar Vee hield er niet over op. 'Als Patch niet in wapens handelt, hoe komt hij dan aan zijn geld?'

'Je weet toch hoe hij aan zijn geld komt?'

'Zeg het dan,' zei ze, terwijl ze haar armen koppig over elkaar sloeg. 'Vertel me hardop hoe hij aan zijn geld komt.'

'Dezelfde plek waar Rixon aan zijn geld komt.'

'Mmm. Dat dacht ik al. Je schaamt je en durft het niet te zeggen.'

Ik keek haar venijnig aan. 'Alsjeblieft zeg. Dat is het domste wat ik ooit gehoord heb.'

'O ja?' Vee liep met grote passen richting een vrouw die een zandkasteel aan het bouwen was met twee kleine kinderen. 'Pardon, mevrouw? Ik wil uw kostbare tijd met uw kroost niet verstoren, maar mijn vriendin hier wil u graag vertellen wat haar ex doet voor de kost.'

Ik sloeg mijn hand om Vee's arm en sleepte haar weg.

'Zie je nou wel?' zei Vee. 'Je schaamt je. Je durft het niet hardop te zeggen omdat je bang bent dat je ingewanden er anders uit rotten.'

'Poker. Poolen. Zo. Ik heb het gezegd en ik leef nog. Ben je nu blij? Ik snap niet waarom je er zo moeilijk over doet. Rixon verdient zijn geld op precies dezelfde manier.'

Vee schudde haar hoofd. 'Meid, jij snapt er echt niets van. Heb je Patch' kleren wel eens gezien? Die koop je niet met geld van weddenschappen bij Bo's Arcade.'

'Waar heb je het over? Patch draagt spijkerbroeken en T-shirts.'

Ze legde een hand op haar heup. 'Weet je hoeveel die spijkerbroeken van hem kosten?'

'Nee,' zei ik verward.

'Laten we het erop houden dat je dat soort spijkerbroeken niet in Coldwater kunt kopen. Hij laat ze waarschijnlijk overkomen vanuit New York. Vierhonderd dollar per stuk.'

'Je liegt.'

'Ik zweer dat ik de waarheid spreek. Vorige week droeg hij een Rolling Stones-shirt met een handtekening van Mick Jagger. Rixon zei dat die echt was. Denk je echt dat Patch zijn creditcard financiert met pokerfiches? Voordat jij en Patch de handdoek in de ring gooiden, heb je hem toen ooit wel eens gevraagd hoe hij aan zijn geld kwam? Of aan die mooie, glimmende jeep?'

'Patch heeft die jeep gewonnen met pokeren,' zei ik. 'En als hij een jeep kan winnen, kan hij ook wel een paar spijkerbroeken van vierhonderd dollar winnen. Misschien is hij gewoon heel goed in poker.'

'Patch heeft jou verteld dat hij die jeep heeft gewonnen. Rixon heeft een heel ander verhaal.'

Ik haalde mijn hand door mijn haar en probeerde te doen alsof het me allemaal niets kon schelen omdat ik het toch niet geloofde. 'O ja? Wat voor verhaal dan?'

'Weet ik niet. Dat wilde hij niet zeggen. Alles wat hij zei was: "Patch wil dat je denkt dat hij die jeep heeft gewonnen, maar hij heeft zijn handen vuil gemaakt om die jeep te krijgen."'

'Misschien heb je het verkeerd verstaan.'

'Ja, misschien,' herhaalde Vee cynisch. 'Of misschien is Patch gewoon een gestoorde idioot met illegale handeltjes.'

Ik gaf haar een tube zonnebrand, misschien net iets te hard. 'Wil je mijn rug insmeren? Geen plekken overslaan alsjeblieft.'

'Ik denk dat ik gelijk voor de olie ga,' zei Vee, terwijl ze zonnebrand op mijn rug smeerde. 'Ik ben liever een beetje verbrand dan dat ik net zo wit terugkom als ik nu ben.'

Ik draaide mijn nek zo ver als ik kon naar achteren, maar kon niet zo goed zien of Vee me echt goed insmeerde. 'Ook onder de bandjes.'

'Denk je dat ik gearresteerd word als ik mijn topje uitdoe? Ik haat strepen.'

Ik legde mijn handdoek onder de parasol en ging liggen. Ik keek goed of mijn voeten niet per ongeluk in de zon lagen. Vee legde haar handdoek iets verderop en smeerde haar benen in met babyolie. Ik moest ineens denken aan foto's van huidkanker die ik wel eens bij de dokter had gezien.

'En nu we het toch over Patch hebben,' zei Vee. 'Wat is het laatste nieuws? Is hij nog steeds met Marcie?'

'Zover ik weet wel,' zei ik kortaf. Ze zei dit alleen maar om me nog meer te irriteren.

'Nou, je weet hoe ik erover denk.'

Dat wist ik inderdaad, maar ze ging het me vast nog een keer vertellen, of ik dat nu wilde of niet.

'Die twee verdienen elkaar,' zei Vee, die een chemisch ruikende citroenspray in haar haar spoot om het blonder te laten worden in de zon. 'Het houdt natuurlijk geen stand. Patch zal er snel genoeg van krijgen en iemand anders zoeken. Net als bij...'

'Kunnen we het ergens anders over hebben?' onderbrak ik haar. Ik sloot mijn ogen en masseerde de spieren van mijn nek.

'Weet je zeker dat je niet wilt praten? Volgens mij heb je een hoop aan je hoofd.'

Ik zuchtte. Het had geen zin om dingen te verbergen voor Vee. Irritant of niet, ze was mijn beste vriendin en ze verdiende de waarheid. Voor zover dat dan mogelijk was in ieder geval. 'Hij heeft me gezoend. Nadat we bij The Devil's Handbag waren geweest.'

'Wát?'

Ik drukte mijn handen in mijn ogen. 'Op mijn slaapkamer.' Ik ging niet aan Vee uitleggen dat hij me in mijn droom had gezoend. Het was hoe dan ook gebeurd. De locatie was niet belangrijk. Bovendien wilde ik er niet aan denken dat hij nu dus blijkbaar zomaar mijn dromen kon binnenwandelen.

'Heb je hem bínnengelaten?'

'Niet echt. Hij heeft zichzelf binnengelaten.'

'Oké,' zei Vee, die keek alsof ze haar best deed om een fatsoenlijk antwoord te bedenken. 'We doen het als volgt. We zweren een bloedeed. Kijk niet zo raar, ik meen het. Als je een bloedeed zweert, moet je je eraan houden, anders gebeurt er iets heel ergs. Dan komen er 's nachts ratten en die knabbelen je tenen eraf en dan word je wakker en dan heb je bloederige stompjes. Heb je een zakmes? We hebben een zakmes nodig en dan snijden we allebei in onze handpalmen en houden we ze tegen elkaar. Dan zweer jij dat je nooit meer alleen met Patch zult zijn. Als je dan in de verleiding komt, kun je hieraan denken.'

Ik vroeg me af of ik haar moest vertellen dat het niet altijd aan mij was of ik alleen met Patch was of niet. Hij was overal. Als hij alleen met mij wilde zijn, lukte hem dat ook. En ook al wilde ik het niet toegeven, ik vond het niet altijd erg.

'Ik heb iets sterkers nodig dan een bloedeed,' zei ik.

'Lieverd, je snapt het niet. Een bloedeed werkt echt, hoor. Ik hoop dat jij erin gelooft, want ik doe het wel. Ik ga even een mes zoeken,' zei ze, terwijl ze aanstalten maakte om op te staan.

Ik trok haar naar beneden. 'Ik heb Marcies dagboek.'

'Wat?!' zei Vee.

'Ik heb nog niets gelezen.'

'Waarom hoor ik dit nu pas? En waarom heb je nog niets gelezen? Laat Rixon maar zitten, we rijden nu naar jouw huis om alles te lezen! Je weet toch dat Marcie waarschijnlijk van alles over Patch heeft geschreven?'

'Ja.'

'Waar wacht je dan nog op? Ben je bang voor wat je zult vinden? Want dan lees ik het anders wel eerst en dan kan ik jou daarna antwoord geven op je vragen.'

'Als ik het lees, wil ik Patch misschien nooit meer zien.'

'Dat is alleen maar goed!'

Ik keek Vee zijdelings aan. 'Ik weet niet of dat wel is wat ik wil.'

'O, lieverd. Wat doe je jezelf toch aan? Ik kan het echt niet aanzien. Lees dat stomme dagboek en sluit het af. Er zijn meer jongens dan Patch. Er zijn altijd meer jongens. Dat moet je onthouden.'

'Ik weet het,' zei ik, maar het voelde als een goedkope leugen. Er was nooit een jongen vóór Patch geweest, hoe kon er nou een jongen ná Patch zijn? 'Ik ga het dagboek niet lezen. Ik ga het teruggeven. Die belachelijke ruzie tussen Marcie en mij duurt nu al jaren en er moet een keer een einde aan komen. Ik wil gewoon verder.'

Vee's mond viel open. 'Kun je niet eerst het dagboek lezen en dan verdergaan? Of mij laten kijken? Vijf minuten, meer niet.'

'Ik kies de verstandige weg.'

Vee zuchtte diep. 'Je gaat toch niet weg nu, hè?'

'Ja.'

Er viel een schaduw over onze handdoeken.

'Is hier nog plek voor mij, dames?'

We keken op en zagen dat Rixon bij onze parasol stond. Hij droeg een zwembroek, een hemd en een handdoek over zijn schouder. Hij had een slungelige bouw, maar was verrassend sterk en lenig, had een beetje een haakneus en inktzwart haar dat over zijn voorhoofd viel. Op zijn linkerschouder had hij een paar engelenvleugels getatoeëerd en hij had een stoppelbaard. Hij zag eruit alsof hij lid was van de maffia. Charmant en fout tegelijk.

'Je bent er!' zei Vee met een stralende glimlach.

Rixon liet zich in het zand vallen en leunde met zijn kin op zijn vuist. 'Wat heb ik gemist?'

'Vee wil dat ik een bloedeed zweer,' zei ik.

Hij trok een wenkbrauw op. 'Klinkt heftig.'

'Ze denkt dat ik Patch daarmee uit mijn leven kan houden.'

Rixon legde zijn hoofd in zijn nek en lachte. 'Succes!'

'Hé,' zei Vee. 'Een bloedeed werkt echt, hoor.'

Rixon legde zijn hand op haar dij en lachte lief naar haar. Ik voelde een steek van jaloezie in mijn maag. Een paar weken geleden had Patch mij op dezelfde manier aangeraakt. En het ironische was dat Vee zich een paar weken geleden waarschijnlijk precies zo had gevoeld wanneer ze Patch met mij zag. Dat zou mijn jaloezie iets minder erg moeten maken, maar het deed nog steeds pijn. Vee leunde voorover en kuste Rixon op zijn mond. Ik wendde mijn ogen af, maar de jaloezie bleef als een grote brok in mijn keel hangen.

Rixon schraapte zijn keel. 'Zal ik even wat drinken voor ons halen?' vroeg hij. Hij leek door te hebben dat ik me niet op mijn gemak voelde.

'Laat mij maar,' zei Vee, die opstond en het zand van zich afveegde. 'Volgens mij wil Nora even met je praten, Rixon.' Toen ze 'praten' zei, maakte ze met haar handen aanhalingstekens in de lucht. 'Ik wil er wel bij blijven, maar ik ben niet zo'n fan van het gespreksonderwerp.'

'Eh...' begon ik ongemakkelijk. Ik wist niet precies wat Vee bedoelde, maar vermoedde dat ik het niet leuk zou gaan vinden.

Rixon keek me vol verwachting en met een grote glimlach aan.

'Patch,' zei Vee. Ze dacht vast dat ze hielp, maar ze maakte alles alleen maar moeilijker dan het al was. Ze liep weg.

Rixon wreef over zijn kin. 'Wil je over Patch praten?'

'Niet echt. Maar je kent Vee. Als ze een situatie nóg ongemakkelijker kan maken, doet ze dat,' mompelde ik.

Rixon lachte. 'Gelukkig voel ik me niet zo snel ongemakkelijk.'

'Ik wilde dat ik hetzelfde kon zeggen.'

'Hoe gaat het?' vroeg hij, in een poging het ijs te breken.

'Met mij en Patch of met mij in het algemeen?'

'Allebei.'

'Het is wel eens beter geweest.' Ik realiseerde me dat de kans groot was dat Rixon alles wat ik zei door zou spelen aan Patch, dus voegde ik er snel aan toe: 'Maar het gaat steeds beter, hoor. Mag ik je iets persoonlijks vragen? Het gaat over Patch, maar als je niet wilt antwoorden, hoeft dat niet. Dat vind ik echt niet erg.'

'Vraag maar raak.'

'Is hij nog steeds mijn beschermengel? We hadden een keer

ruzie en toen heb ik hem verteld dat ik het niet meer wilde. Is het nu gewoon opgehouden doordat ik dat heb gezegd?'

'Hij is nog steeds jouw toegewezen beschermengel.'

'Waarom zie ik hem dan nooit meer?'

Rixons ogen glommen. 'Je hebt het uitgemaakt, weet je nog? Dit is gewoon een rare situatie. De meeste jongens vinden het nou niet bepaald leuk om hun ex vaak te zien. Bovendien heeft hij me verteld dat de aartsengelen hem in de gaten houden. Hij doet alles wat hij kan om het zo zakelijk en professioneel mogelijk te houden.'

'Dus hij beschermt mij nog steeds?'

'Natuurlijk. Alleen van een afstandje.'

'Wie heeft hem aan mij gekoppeld?'

Rixon haalde zijn schouders op. 'De aartsengelen.'

'Is er een manier om ze te laten weten dat ik een ander wil? Het werkt niet echt. Niet sinds we uit elkaar zijn, in ieder geval.' Het werkt niet echt? Het verscheurde me. Al die vluchtige ontmoetingen, al die keren dat ik hem zag, terwijl ik wist dat hij niet meer van mij was. Het was afschuwelijk.

Hij wreef met zijn duim over zijn lip. 'Ik kan je vertellen wat ik weet, maar de kans bestaat wel dat deze informatie verouderd is. Het is al weer even geleden dat ik me hiermee bezighield. Eigenlijk is het nogal ironisch, want... dit ga je niet geloven... je moet een bloedeed zweren.'

'Is dit een grap?'

'Je snijdt in je handpalm en laat een paar druppels bloed op de aarde vallen. Niet op vloerbedekking of beton, maar in het zand. Dan zweer je de eed. Je erkent aan de hemel dat je niet bang bent om je eigen bloed te vergieten. Uit stof ben je geboren en tot stof zul je wederkeren. Met het zweren van de eed geef je je recht op een beschermengel op en kondig je aan dat je je lot accepteert en dat je de hulp van de hemel niet nodig hebt. Hou wel in gedachten dat ik je dit niet aanraad. Ze hebben je niet voor niets een beschermengel gegeven. Iemand daarboven denkt dat je in gevaar bent. Ik ken de details verder niet, maar neem maar van mij aan dat het meer is dan een vaag vermoeden.'

Dat was niet echt nieuws voor me. Ik kon maar al te goed voelen hoe iets duisters mijn wereld probeerde binnen te dringen en die wilde verwoesten. Deze persoon zorgde er waarschijnlijk ook voor dat ik mijn vaders geestverschijning steeds zag. Ik bedacht me ineens iets. 'Wat als de persoon die achter me aan zit, ook mijn beschermengel is?' vroeg ik langzaam.

Rixon lachte. 'Patch?' Het klonk alsof het voor hem niet eens een mogelijkheid was. Dat was geen verrassing. Rixon had zoveel meegemaakt met Patch. Zelfs als Patch schuldig was, zou hij hem nog bijstaan. Loyaliteit boven alles.

'Als hij mij iets zou willen aandoen, zou iemand er dan achter komen?' vroeg ik. 'De aartsengelen? De doodsengelen? Dabria wist het als mensen gingen sterven. Zou een andere doodsengel Patch kunnen stoppen, voordat het te laat is?'

'Als je twijfelt aan Patch, dan zit je er echt helemaal naast.' Hij klonk serieus. 'Ik ken hem beter dan jij. Hij neemt zijn taak als beschermengel heel serieus.'

Maar áls Patch mij zou willen vermoorden, zou het de perfecte moord zijn, toch? Hij was mijn beschermengel. Hij was degene die mij veilig moest houden. Niemand zou hem verdenken...

Maar hij had zijn kans om mij te vermoorden al gehad. En daar had hij geen gebruik van gemaakt. Hij had datgene wat hij het liefst wilde – menselijk worden – voor mij opgegeven, door mijn leven te redden. Dat zou hij niet gedaan hebben als hij mij dood wilde.

Toch?

Ik schudde mijn verdenkingen van me af. Rixon had gelijk. Het was belachelijk om Patch te verdenken.

'Is hij gelukkig met Marcie?' Ik sloeg mijn hand voor mijn mond. Ik had dit niet willen vragen. Het floepte er zomaar uit. Mijn wangen werden warm.

Rixon keek naar me en dacht duidelijk goed na over zijn antwoord. 'Patch is als familie voor me. Ik hou van hem als een broer, maar hij is niet geschikt voor jou. Ik weet dat, hij weet dat en diep vanbinnen weet jij dat ook. Misschien wil je dit niet horen, maar hij en Marcie lijken op elkaar. Ze zijn uit hetzelfde hout gesneden. Patch wil gewoon een beetje plezier. En dat kan, want Marcie houdt niet van hem. Ze voelt niets voor hem, dus kunnen de aartsengelen er niets van zeggen.'

We zwegen en ik moest moeite doen om mijn emoties te verbergen. Hij bedoelde dus dat ik de aartsengelen gealarmeerd had met mijn gevoelens. Het kwam niet door Patch of door iets wat hij gedaan had. Het kwam allemaal door mij. Als ik op Rixons uitleg af moest gaan, had Patch nooit van mij gehouden. Hij voelde niet voor mij wat ik voor hem voelde, maar dat wilde ik niet accepteren. Ik wilde dat Patch hetzelfde had gevoeld. Ik wilde er niet aan denken dat ik niets meer dan een beetje vermaak voor hem was geweest. Iets om de tijd door te komen.

Ik had nog één vraag die ik heel graag aan Rixon wilde stellen. Ik had hem ook aan Patch kunnen stellen, maar dat was nu geen optie meer. Rixon wist net zoveel als Patch. Hij wist dingen die andere mensen niet wisten. Vooral als het over gevallen engelen en Nephilim ging. Rixon was mijn beste hoop om meer over de Zwarte Hand te weten te komen.

Ik likte mijn lippen en besloot dat ik de vraag maar gewoon moest stellen. 'Heb je wel eens gehoord van de Zwarte Hand?'

Rixon deinsde achteruit. Hij keek me even bedachtzaam aan

en barstte toen in lachen uit. 'Is dit een grap? Die naam heb ik al lang niet meer gehoord. Ik dacht dat Patch liever niet zo genoemd wilde worden. Heeft hij je erover verteld?'

Mijn hart bevroor. Ik had op het punt gestaan om Rixon te vertellen over de envelop met de ring en het briefje dat de Zwarte Hand mijn vader had vermoord, maar nu hapte ik naar adem en probeerde ik snel een antwoord te verzinnen. 'Is de Zwarte Hand een bijnaam van Patch?'

'Hij wordt al jaren niet meer zo genoemd. Niet meer sinds we hem allemaal Patch noemen. Hij heeft de Zwarte Hand nooit leuk gevonden.' Hij krabde op zijn wang. 'Dat stamt nog uit de tijd dat we als huursoldaten werkten voor de Franse koning. Geheime missies. Was wel lachen altijd. Het betaalde goed.'

Hij had me net zo goed in mijn gezicht kunnen slaan. Alles leek uit balans. De wereld leek gekanteld. Rixons woorden klonken als een gesuis in mijn oren, alsof hij een andere taal sprak en ik hem niet bij kon houden. Ik begon onmiddellijk te twijfelen. Patch? Dat kon niet. Hij had mijn vader niet vermoord. Het kon iedereen zijn, maar niet Patch.

Langzaam vielen de twijfels weg en werden vervangen door andere gedachten. Ik ging de feiten stuk voor stuk af, op zoek naar bewijs. De avond dat ik Patch de ring had gegeven. Zodra ik had gezegd dat ik de ring van mijn vader had gekregen, had hij hem niet meer willen hebben. Hij was daar heel stellig in geweest. En de naam Zwarte Hand. Het paste gewoon. Het paste bijna te goed. Ik dwong mezelf om nog even te wachten en om mijn gevoelens onder controle te krijgen. Ik dacht goed na over mijn volgende woorden.

'Weet je wat ik nog het ergst vind?' zei ik zo nonchalant mogelijk. 'Het klinkt waarschijnlijk heel stom en je moet er vast om lachen.' Om mijn verhaal overtuigend te laten klinken, voegde ik er een spontaan lachje aan toe, dat ergens heel diep vanbinnen kwam, van een plek waarvan ik het bestaan niet eens wist. 'Ik heb mijn favoriete trui bij hem thuis laten liggen. Het is een trui van Oxford, mijn droomuniversiteit,' legde ik uit. 'Mijn vader heeft de trui een keer voor me meegenomen van een reis naar Engeland, dus betekent hij echt heel veel voor me.'

'Ben je bij Patch thuis geweest?' Hij klonk oprecht verrast.

'Eén keertje maar. Mijn moeder was thuis, dus toen zijn we naar hem gereden om een film te kijken. Ik heb mijn trui op de bank laten liggen.' Ik wist dat ik me op glad ijs begaf. Hoe meer details ik over Patch' huis gaf, hoe groter de kans dat ze niet zouden kloppen en dat ik mezelf zou verraden. Maar ik kon ook niet te vaag zijn, want anders zou Rixon misschien doorhebben dat ik loog.

'Ik ben onder de indruk. Hij neemt nooit iemand mee naar huis.'

En waarom? vroeg ik me af. Wat verborg hij? Waarom was Rixon de enige die toegang had tot het heiligdom van Patch? Wat deelde hij met Rixon dat hij met niemand anders kon delen? Had hij mij nooit meegenomen omdat hij wist dat ik anders iets zou zien wat de waarheid zou onthullen? Dat hij verantwoordelijk was voor de dood van mijn vader?

'Het zou echt heel veel voor me betekenen als ik de trui terug kon krijgen,' zei ik. Het voelde alsof ik een stukje boven mezelf zweefde en ik mijn gesprek met Rixon van een paar meter afstand bekeek. Iemand die sterker, slimmer en beheerster was, sprak met Rixon. Ik was die persoon niet. Ik was het meisje dat uit elkaar viel in een miljoen kleine stukjes, zo klein als de zandkorrels onder haar voeten.

'Ga anders morgenochtend even langs. Patch vertrekt altijd vroeg, maar als je er om halfzeven bent, moet je hem nog wel kunnen treffen.'

'Ik wil hem liever niet zien.'

'Wil je dat ik de trui voor je meeneem als ik daar ben? Ik denk dat ik er morgenavond wel ben. Of dit weekend op zijn laatst.'

'Ik wil het zo snel mogelijk regelen. Mijn moeder vraagt steeds naar de trui. Ik heb nog een sleutel van Patch en als hij zijn sloten niet heeft vervangen, kan ik nog steeds naar binnen. Het probleem is alleen dat het donker was toen we ernaartoe reden en ik weet niet meer precies waar hij woont. Ik heb toen niet opgelet, want ik verwachtte niet dat het uit zou gaan en dat ik in mijn eentje terug zou moeten rijden om mijn trui te halen.'

'Swathmore. Bij het industrieterrein.'

Ik prentte deze informatie in m'n hoofd.

Als hij bij het industrieterrein in de buurt woonde, was het waarschijnlijk in een van die stenen appartementengebouwen aan de rand van het oude centrum van Coldwater. Veel anders was daar niet, of hij moest in een verlaten fabriek wonen aan de rivier, maar dat leek me niet.

Ik glimlachte en hoopte dat ik ontspannen overkwam. 'Ik weet nog dat het ergens bij de rivier was. Bovenste verdieping, toch?' zei ik. Het was een wilde gok, maar het leek me typisch iets voor Patch om geen zin te hebben in bovenburen.

'Ja,' zei Rixon. 'Nummer 34.'

'Denk je dat Patch vanavond thuis zal zijn? Ik wil hem niet tegenkomen. Vooral niet als hij daar met Marcie is. Ik wil gewoon de trui pakken en gelijk weer weg.'

Rixon hoestte in zijn vuist. 'Eh... nee, dat moet vanavond wel lukken.' Hij krabde op zijn wang en keek me nerveus, bijna meelijwekkend aan. 'Vee en ik hebben vanavond afgesproken om met Patch en Marcie naar de film te gaan.'

Ik voelde iedere spier in mijn lichaam verstijven. De lucht in mijn longen leek uiteen te spatten en toen... net op het moment dat ik dacht dat ik mijn emoties niet meer in de hand kon houden, klonk ik weer normaal. Ik moest wel. 'Weet Vee dat?'

'Ik probeer nog een manier te bedenken om het haar te vertellen.'

'Om haar wat te vertellen?'

Rixon en ik draaiden ons allebei om en Vee plofte naast ons neer met een kartonnen krat met cola.

'Eh... een verrassing,' zei Rixon. 'Ik heb iets leuks gepland voor vanavond.'

Vee grijnsde. 'Een hint, een hint! Alsjeblieft?'

Rixon wierp een snelle blik naar mij, maar ik keek weg. Ik wilde hier niets mee te maken hebben. Bovendien luisterde ik al niet meer. Mijn gedachten gingen automatisch naar de nieuwe informatie die ik had. Vanavond. Patch en Marcie. Een afspraakje. Het appartement van Patch zou leeg zijn.

Ik moest erheen.

Hoofdstuk 16

Drie uur later was Vee zo rood als een kreeft. Haar bovenbenen waren verbrand, ze had blaren op haar voeten en haar gezicht was opgezwollen van de hitte. Rixon was een uur geleden weggegaan en Vee en ik sleepten de parasol en de strandtas naar het steegje bij Old Orchard Street.

'Ik voel me vreemd,' zei Vee. 'Alsof ik ga flauwvallen. Misschien had ik toch geen babyolie moeten gebruiken.'

Ik voelde me ook licht in mijn hoofd, maar dat had niets met het weer te maken. Er trok een splijtende hoofdpijn door mijn schedel. Ik probeerde de vieze smaak in mijn mond weg te slikken, maar hoe meer ik slikte, hoe misselijker ik werd. De naam 'Zwarte Hand' zweefde door mijn gedachten en daagde me uit. Iedere keer dat ik hem probeerde te negeren, zette hij zijn klauwen in mijn hoofdpijn. Ik wilde er niet aan denken, niet met Vee erbij, want ik wist dat ik zou breken zodra ik het goed tot me door zou laten dringen. Ik moest de pijn nog even weghouden, hem afweren iedere keer als hij dreigde neer te dalen. Ik klampte me vast aan het verdoofde gevoel dat ik had en probeerde het onvermijdelijke zo lang mogelijk uit te stellen. *Patch. De Zwarte Hand. Het kon niet zo zijn.*

Vee stond ineens stil. 'Wat is dat?'

We stonden op de parkeerplaats achter de boekwinkel, een paar meter van de Neon vandaan, en staarden naar een groot stuk metaal dat om de linkerachterband zat.

'Dat is volgens mij een wielklem,' zei ik.

'Ja, dat zie ik zelf ook wel. Wat doet dat ding om mijn auto?'

'Als er staat dat overtreders worden weggesleept, menen ze dat blijkbaar ook.'

'Doe niet zo bijdehand. Wat moeten we nu doen?'

'Rixon bellen?' stelde ik voor.

'Die heeft vast geen zin om weer helemaal terug te rijden. Is jouw moeder er alweer?'

'Nog niet. En jouw ouders dan?'

Vee zat op de stoeprand en begroef haar gezicht in haar handen. 'Het gaat waarschijnlijk een fortuin kosten om dat ding eraf te laten halen. Dit wordt echt de laatste druppel. Mijn moeder stuurt me naar een klooster.'

Ik ging naast haar zitten en samen dachten we na over onze opties. 'Hebben we nog andere vrienden?' vroeg Vee. 'Iemand die we om een lift kunnen vragen zonder ons al te schuldig te voelen? Ik zou me niet schuldig voelen als we Marcie hier helemaal naartoe lieten rijden, maar ik heb zo het vermoeden dat ze daar geen zin in heeft. Niet voor ons. Vooral niet voor ons. Jij bent vrienden met Scott. Denk je dat hij ons kan komen halen? Wacht eens even… is dat de jeep van Patch?'

Ik volgde Vee's blik naar de andere kant van het steegje, dat uitkwam op Imperial Street. En ja hoor, aan de overkant van Imperial Street stond de glimmende, zwarte jeep van Patch. De geblindeerde ramen schitterden in de zon.

Mijn hart sloeg op hol. Ik mocht Patch nu niet tegenkomen. Niet hier. Nog niet. Niet nu ik een muur om me op had getrokken om te voorkomen dat ik in zou storten. Een muur waar steeds meer scheurtjes in verschenen.

'Hij moet hier ergens zijn,' zei Vee. 'Sms hem en zeg dat we hier vastzitten. Ik mag hem dan misschien wel niet, maar als hij ons een lift naar huis kan geven, maak ik daar graag gebruik van.'

'Ik sms Marcie nog liever.' Ik hoopte dat Vee niets merkte van de rare, verdoofde klank van angst en haat in mijn stem. *De Zwarte Hand... de Zwarte Hand... niet Patch... alsjeblieft, niet Patch... een vergissing, een verklaring...* De hoofdpijn werd heftiger, alsof mijn eigen lichaam me waarschuwde om daar nu niet aan te denken.

'Wie kunnen we verder nog bellen?'

We wisten allebei wie we nog konden bellen. Niemand. We waren suffe, vriendloze meiden. Niemand was ons nog een gunst verschuldigd. De enige die alles zou laten vallen om me te komen redden, zat naast me. En vice versa.

Ik keek weer naar de jeep. Ik wist niet waarom, maar ineens stond ik op. 'Ik rij de jeep naar huis.' Ik wist niet zeker wat ik hiermee wilde bereiken. Wilde ik wraak nemen op Patch? Jij kwetst mij, ik kwets jou? Of misschien... *is dit pas het begin, als jij iets met mijn vaders dood te maken hebt...*

'Wordt Patch niet kwaad als hij erachter komt dat jij zijn jeep hebt gestolen?' zei Vee.

'Dat kan me niets schelen. Ik ga hier niet de hele avond op de stoep zitten.'

'Ik heb hier geen goed gevoel over,' zei Vee. 'Ik vind Patch op een normale dag al niet aardig. Ik wil er niet aan denken hoe hij doet als hij boos is.'

'Ik dacht dat jij zo avontuurlijk was?' Ik was ineens enorm vastberaden en wilde niets anders dan de jeep meenemen. Ik stelde me voor dat we de jeep tegen een boom aan reden. Niet zo hard dat de airbags eruit zouden komen, maar wel hard genoeg om een deuk te veroorzaken. Een klein aandenken aan mij. Een waarschuwing.

'Ik ben avontuurlijk, maar ik wil nog niet dood,' zei Vee. 'Als hij erachter komt dat jij het was, wordt hij razend.'

Het logische stemmetje in mijn hoofd zou misschien gezegd hebben dat het geen goed idee was, maar ik kon niet meer logisch nadenken. Als hij mijn familie had gekwetst, als hij mijn familie kapot had gemaakt, als hij tegen me had gelogen...

'Weet je überhaupt wel hoe je een auto start zonder sleutel?' vroeg Vee.

'Dat heb ik van Patch geleerd.'

Ze keek niet echt overtuigd. 'Je bedoelt dat je Patch een auto hebt zien stelen en dat je het nu zelf ook een keer wilt proberen?'

Ik liep naar Imperial Street met Vee op mijn hielen. Ik keek of er verkeer aankwam en stak toen over naar de jeep. Ik probeerde de deur. Op slot.

'Niemand thuis,' zei Vee, die haar handen op de ramen legde en naar binnen tuurde. 'Ik vind dat we dit niet moeten doen. Kom, Nora. Weg van de jeep.'

'We hebben een lift nodig. We zitten hier vast.'

'We hebben toch twee benen? Een linker en een rechter. Die van mij hebben wel zin in een beetje beweging. Een lange wandeling... Wat doe je? Ben je gek?' gilde ze.

Ik had de punt van de parasol op het raam aan de passagierskant gericht. 'Wat?' zei ik. 'We moeten toch naar binnen?'

'Leg die parasol neer! Je gaat toch niet op klaarlichte dag een autoruit inslaan met een parasol? Wat heb jij?' zei ze, terwijl ze me met grote ogen aanstaarde.

Er verscheen een beeld in mijn gedachten. Ik zag Patch over mijn vader gebogen staan met een pistool in zijn hand. Het geluid van een schot verscheurde de stilte.

Ik legde mijn handen op mijn knieën en boog voorover. Ik voelde de tranen prikken achter mijn ogen. De grond draaide. Ik was misselijk. Het zweet gutste over mijn gezicht. Het voelde alsof ik stikte, alsof alle zuurstof in mijn longen plotseling was verdampt. Hoe harder ik probeerde lucht in te ademen, hoe verlamder mijn longen aanvoelden. Vee schreeuwde naar me, maar het kwam van ver weg, een onderwatergeluid.

Ineens stond de grond weer stil. Ik ademde drie keer diep in. Vee zei dat ik moest gaan zitten en riep iets over een zonnesteek. Ik trok me los uit haar grip.

'Het gaat wel,' zei ik, terwijl ik mijn hand omhooghield toen ze me weer vast wilde pakken. 'Het gaat wel.'

Om te laten zien dat het echt wel ging, boog ik voorover om de strandtas te pakken die ik blijkbaar had laten vallen, en toen zag ik iets gouds glinsteren op de bodem van de tas. Het was de reservesleutel van de jeep die ik uit Marcies slaapkamer had gestolen.

'Ik heb een sleutel van de jeep,' zei ik. Ik was verrast door mijn eigen woorden.

Vee fronste. 'Heeft Patch die nooit teruggevraagd?'

'Ik heb de sleutel nooit gehad. Ik vond hem in Marcies kamer dinsdagavond.'

'O mijn god, doe normaal!'

Ik stak de sleutel in de deur en kroop achter het stuur. Ik zette de stoel naar voren, stak de sleutel in het contact en greep het stuur met twee handen vast. Ondanks de hitte waren mijn handen koud en trillerig.

'Ga je ons gewoon naar huis rijden of ben je van plan om nog meer schade aan te richten?' vroeg Vee, die haar gordel omdeed. 'Want ik zie de aderen in je slaap bonzen en de laatste keer dat ik dat zag, sloeg je Marcie op haar kaak in The Devil's Handbag.'

Ik likte mijn lippen, die tegelijk als rubber en als schuurpapier voelden. 'Hij heeft Marcie een sleutel van de jeep gegeven. Ik zou dit ding op de bodem van de zee moeten parkeren.'

'Misschien had hij er wel een heel goede reden voor,' zei Vee nerveus.

Ik lachte hoog en kort. 'Ik doe niets met de jeep totdat ik jou heb afgezet.' Ik zwaaide het stuur naar links, en reed de straat op.

'Wil je dat ook even aan Patch vertellen als je aan hem uitlegt waarom je zijn jeep hebt gestolen?'

'Ik steel hem niet. We zitten hier toch vast. We lenen de jeep gewoon.'

'Je bent gek.' Ik zag dat Vee verbijsterd was over mijn woede. Ze vond echt dat ik me absurd gedroeg. Misschien stelde ik me ook wel aan. Misschien ging ik te ver met mijn gedachten. *Twee mensen kunnen dezelfde bijnaam hebben*, dacht ik, om mezelf te overtuigen. Het kon. *Het kon, het kon, het kon*. Ik hoopte dat ik het ging geloven als ik het heel vaak in mezelf herhaalde, maar de plek in mijn hart die ik vrijhield voor vertrouwen, bleef leeg.

'Laten we naar huis gaan,' zei Vee met een voorzichtige, angstige stem die ik haar nog nooit had horen gebruiken tegen mij. 'We drinken zelfgemaakte limonade bij mij thuis. En daarna kunnen we tv kijken. Of even slapen. En moet jij niet werken vanavond?'

Ik wilde haar net vertellen dat Roberta me niet had ingeroosterd vandaag, toen ik op de rem trapte. 'Wat is dat?'

Vee volgde mijn blik. Ze boog voorover en pakte een stukje roze stof van het dashboard. Ze liet het bikinitopje tussen ons in bungelen.

We keken elkaar aan en dachten allebei hetzelfde.

Marcie.

Ze was hier met Patch. Op dit moment. Op het strand. Ze lag naast hem op het strand. Ik wilde niet eens weten wat ze aan het doen waren.

Er trok een gewelddadige golf van haat door me heen. Ik haatte hem. En ik haatte het dat ik gewoon een naam was op zijn lijst met meisjes. Ik voelde alleen nog maar het verlangen om dit verraad recht te zetten. Ik wilde niet zomaar een meisje op zijn lijst zijn. Hij kon mij niet laten verdwijnen. Als hij de Zwarte Hand was, zou ik erachter komen. En als hij ook maar iets te maken had met de dood van mijn vader, zou ik hem laten boeten.

'Hij zoekt maar uit hoe hij thuiskomt,' zei ik met trillende stem. Ik trapte op het gaspedaal en ging er met piepende banden vandoor.

Uren later stond ik voor de open koelkast en probeerde iets eetbaars te vinden. Toen dat niet lukte opende ik het kastje schuin tegenover de koelkast en vond wat pasta en een pot spaghettisaus.

Ik kookte de pasta, goot hem af en deed de saus in de magnetron. We hadden geen parmezaanse kaas meer, dus nam ik genoegen met geraspte cheddar. De magnetron piepte en ik schepte de saus op de pasta en strooide de kaas erover. Toen ik me omdraaide om alles naar de tafel te brengen, zag ik dat Patch ertegenaan geleund stond. Het bord glipte bijna uit mijn vingers.

'Hoe ben jij binnengekomen?' vroeg ik.

'Ik zou de deur maar op slot doen als ik jou was. Helemaal als je alleen thuis bent.'

Zijn houding was ontspannen, maar zijn ogen niet. Ze leken van zwart marmer en sneden dwars door me heen. Ik twijfelde er niet aan dat hij wist dat ik de jeep gestolen had. Dat was ook niet zo moeilijk, aangezien hij op de oprit geparkeerd stond. Met open velden aan de ene en een ondoordringbaar bos aan de andere kant was het nogal moeilijk geweest om de jeep te verstoppen. Ik had er ook helemaal niet aan gedacht toen ik hem op de oprit parkeerde. Ik was kotsmisselijk en gechoqueerd geweest. Alles was ineens zo duidelijk geworden. Zijn gladde woorden, zijn zwarte, glimmende ogen, zijn leugens en de manier waarop hij vrouwen verleidde. Ik was verliefd geworden op de duivel.

'Je hebt de jeep meegenomen,' zei Patch. Hij sprak kalm, maar hij was duidelijk niet blij.

'Vee had ergens geparkeerd waar het niet mocht en ze had een wielklem. We wilden naar huis en toen zag ik de jeep ineens staan.' Mijn handen waren nat van het zweet, maar ik durfde ze niet droog te vegen. Niet waar Patch bij was. Hij zag er anders uit vanavond. Strenger, harder. De zwakke gloed van de keukenlamp wierp harde lijnen op zijn jukbeenderen. Zijn zwarte haar hing laag op zijn voorhoofd en raakte zijn lange wimpers bijna. Zijn mond, die ik altijd sensueel had gevonden, leek nu cynisch. Hij glimlachte, maar het was geen warme glimlach.

'En je kon me niet even bellen om me dat te laten weten?' vroeg hij.

'Ik had mijn telefoon niet bij me.'

'En Vee?'

'Die heeft jouw nummer niet. En ik kon me jouw nieuwe nummer niet herinneren. We konden je niet bereiken.'

'Je hebt geen sleutel van de jeep. Hoe zijn jullie erin gekomen?'

Ik moest mijn best doen om hem niet verraderlijk aan te kijken. 'Je reservesleutel.'

Ik zag aan hem dat hij nadacht. We wisten allebei dat hij mij nooit een reservesleutel had gegeven. Ik bestudeerde zijn gezicht en wachtte op het moment dat hij erachter zou komen dat het om Marcies sleutel ging, maar dat moment kwam niet. Alles aan hem was beheerst, ondoordringbaar en onleesbaar.

'Welke reservesleutel?' vroeg hij.

Dit maakte me alleen maar kwader, want ik had verwacht

dat hij precies zou weten over welke sleutel ik het had. Hoeveel reservesleutels had hij? Hoeveel andere meisjes hadden een sleutel van zijn jeep in hun tasje? 'Je vriendin,' zei ik. 'Of snap je het nu nog niet?'

'Even voor de duidelijkheid. Jij hebt mijn jeep dus gestolen om wraak te nemen op het feit dat ik mijn reservesleutel aan Marcie heb gegeven?'

'Ik heb de jeep gestolen omdat Vee en ik hem nodig hadden,' zei ik koeltjes. 'Er was ooit een tijd dat jij er altijd was als ik je nodig had. Ik dacht dat dat misschien nog steeds gold, maar blijkbaar zat ik ernaast.'

Patch hield zijn blik strak op mij gericht. 'Ga je me nog vertellen waar dit echt om gaat?' Toen ik niet antwoordde, pakte hij een keukenstoel van onder de tafel. Hij ging zitten met zijn armen over elkaar en zijn benen uitgestrekt. 'Ik heb alle tijd.'

De Zwarte Hand. Daar ging het om. Maar ik was te bang om hem te confronteren. Bang voor wat ik ging horen en bang voor zijn reactie. Ik wist zeker dat hij er geen idee van had hoeveel ik wist. Als ik hem ervan beschuldigde dat hij de Zwarte Hand was, was er geen weg terug. Ik zou de waarheid onder ogen moeten zien. De waarheid die mij tot in mijn ziel kapot zou maken.

Patch trok zijn wenkbrauwen op. 'Dus nu zeg je niets meer?'

'Ik wil alleen de waarheid horen,' zei ik. 'Maar die heb jij me nog nooit verteld.' Als hij mijn vader had vermoord, hoe kon hij mij al die keren dan recht in mijn ogen kijken en vertellen dat het hem speet? Hoe kon hij mij de waarheid niet vertellen? Hoe kon hij mij zoenen, strelen en omhelzen? Hoe kon hij met zichzelf leven?

'Nog nooit de waarheid verteld? Vanaf de dag dat ik jou ontmoette, heb ik nog nooit een woord tegen je gelogen. Je vond het niet altijd leuk wat ik zei, maar ik was wel eerlijk.'

'Je hebt me laten geloven dat je van me hield. Een leugen!'

'Het spijt me als dat voor jou voelde als een leugen.' Het speet hem helemaal niet. Hij had een nijdige blik in zijn ogen en haatte het dat ik hem terechtwees. Hij wilde dat ik net zo was als al die andere meisjes en dat ik zonder te piepen in zijn verleden verdween.

'Als jij ook maar iets voor me voelde, was je niet direct iets met Marcie begonnen.'

'Ik kan hetzelfde zeggen over jou en Scott. Jij hebt dus liever een half iemand dan dat je mij hebt?'

'Een half iemand? Scott is een gewone jongen.'

'Hij is Nephilim.' Hij maakte een achteloos gebaar richting de voordeur. 'De jeep is nog meer waard.'

'Misschien denkt hij wel hetzelfde over engelen.'

Hij haalde op een luie en arrogante manier zijn schouders op. 'Dat betwijfel ik. Als wij er niet waren, zou zijn ras niet eens bestaan.'

'Het monster van Frankenstein hield ook niet van zijn schepper.'

'Dus?'

'Het Nephilimras zoekt wraak op de engelen. Misschien is dit nog maar het begin.'

Patch deed zijn pet omhoog en haalde een hand door zijn haar. Aan de blik op zijn gezicht te zien, was de hele situatie veel gevaarlijker dan hij me had doen geloven. Hoever was het Nephilimras met het overmeesteren van gevallen engelen? Ging dat deze Cheshvan al gebeuren? Zouden er over vijf maanden zwermen gevallen engelen tienduizenden mensen vermoorden? Dat kon toch niet? Maar ik zag aan zijn houding en aan de blik in zijn ogen dat dat precies was wat er ging gebeuren.

'Wat ga je eraan doen?' vroeg ik verschrikt.

Hij pakte het glas water dat ik voor mezelf had ingeschonken en op de tafel had gezet en nam een slok. 'Er is mij verteld dat ik me erbuiten moet houden.'

'Door de aartsengelen?'

'Het Nephilimras is kwaadaardig. Het is nooit de bedoeling geweest dat ze de aarde zouden bewonen. Ze bestaan alleen maar vanwege de trots van gevallen engelen. De aartsengelen willen niets met ze te maken hebben. Ze bemoeien zich niet met Nephilim.'

'En alle mensen die zullen sterven?'

'De aartsengelen hebben hun eigen plan. Soms moet er iets slechts gebeuren voordat er iets goeds kan gebeuren.'

'Een plan? Wat voor plan? Toezien hoe onschuldige mensen sterven?'

'De Nephilim lopen recht in hun eigen val. Als er mensen dood moeten om het Nephilimras te vernietigen, zullen de aartsengelen dat risico nemen.'

De haren in mijn nek stonden rechtovereind. 'En jij bent het daarmee eens?'

'Ik ben nu een beschermengel. Ik sta aan de kant van de aartsengelen.' Er zat een zee van moordende haat in zijn ogen en heel even dacht ik dat die op mij was gericht. Alsof hij mij de schuld gaf van wat hij was geworden. Ik werd boos. Was hij alles van die avond vergeten? Ik had mijn leven voor hem willen geven en hij had het niet gewild. Als hij iemand de schuld wilde geven van zijn situatie, dan was hij bij mij aan het verkeerde adres!

'Hoe sterk zijn de Nephilim?' vroeg ik.

'Sterk genoeg.' Hij klonk verontrustend kalm.

'Kunnen ze de gevallen engelen deze Cheshvan al tegenhouden?'

Hij knikte.

Ik kreeg het ineens ijskoud en sloeg mijn armen om mezelf heen, maar het was meer een psychologische dan een lichamelijke kou. 'Je moet iets doen.'

Hij sloot zijn ogen.

'Als gevallen engelen geen bezit kunnen nemen van Nephilim, zullen ze op mensen afkomen,' zei ik, in een poging zijn passieve houding te doorbreken en tot hem door te dringen. 'Dat heb je zelf gezegd. Tienduizenden mensen. Misschien Vee. Misschien mijn moeder. Misschien ik.'

Hij zei nog steeds niets.

'Kan het je dan niets schelen?'

Hij keek op zijn horloge en stond op. 'Ik ga liever niet weg terwijl wij nog onafgehandelde zaken hebben, maar ik ben al te laat.' De reservesleutel van de jeep lag in een schaal op de tafel en hij stak hem in zijn zak. 'Bedankt voor de sleutel. Ik zet het lenen van de jeep op je rekening.'

Ik ging tussen hem en de deur in staan. 'Mijn rekening?'

'Ik heb je naar huis gereden vanaf de Z, ik heb je van Marcies dak gehaald en nu heb ik je mijn jeep laten gebruiken. Denk je dat ik dat allemaal voor niets doe?'

Ik wist vrij zeker dat hij geen grapje maakte. Hij leek bloedserieus.

'We kunnen het ook zo regelen dat jij mij na iedere gunst betaalt, maar een rekening leek mij handiger.' Zijn glimlach was gemeen. Een grijns van een eersteklas klootzak.

Ik kneep mijn ogen samen. 'Je hebt hier echt lol in, of niet?'

'Een dezer dagen kom ik mijn rekening vereffenen en dan zal ik er pas echt lol in hebben.'

'Je hebt de jeep niet aan mij uitgeleend,' zei ik. 'Ik heb hem gestolen. En het was geen gunst. Ik heb hem in beslag genomen.'

Hij keek weer op zijn horloge. 'We moeten dit toch echt een andere keer afhandelen. Ik heb haast.'

'O ja,' snauwde ik. 'Naar de bioscoop met Marcie. Ga jij maar lekker lol trappen, terwijl mijn wereld in elkaar stort.' Ik vertelde mezelf dat ik wilde dat hij ging. Hij verdiende Marcie. Het kon me niets schelen. Ik kwam in de verleiding om iets naar zijn hoofd te gooien of om de deur keihard achter hem dicht te slaan. Maar ik kon hem niet laten gaan zonder die ene vraag te stellen die brandde in mijn gedachten. Ik beet op de binnenkant van mijn wang om mijn stem onder controle te houden. 'Weet jij wie mijn vader heeft vermoord?' Mijn stem was kil en beheerst. Het leek wel de stem van iemand anders. Van iemand die vervuld was van haat, verwoesting en beschuldiging.

Patch stond helemaal stil, met zijn rug naar me toe.

'Wat is er die avond gebeurd?' Ik probeerde niet langer om de wanhoop in mijn stem te verbergen.

Na een moment stilte zei hij: 'Je vraagt het aan me alsof ik het kan weten.'

'Ik weet dat jij de Zwarte Hand bent.' Ik sloot mijn ogen even en voelde een golf van misselijkheid door mijn hele lichaam trekken.

Hij keek mij over zijn schouder aan. 'Wie heeft jou dat verteld?'

'Dus het is waar?' Ik realiseerde me dat ik mijn handen gebald had tot vuisten omdat ze zo trilden. 'Jij bent de Zwarte Hand.' Ik keek naar zijn gezicht en hoopte vurig dat hij het zou ontkennen.

De klok in de gang sloeg het uur. Een zwaar, weergalmend geluid.

'Ga weg,' zei ik. Ik wilde niet huilen waar hij bij was. Dat weigerde ik. Die genoegdoening wilde ik hem niet geven.

Hij bleef staan waar hij stond. Zijn gezicht was koud, duister en duivels.

De klok telde door de stilte heen. *Een, twee, drie.*

'Jij zult hiervoor boeten,' zei ik, met een stem die nog steeds niet als de mijne klonk.

Vier, vijf.

'Daar zal ik voor zorgen. Jij verdient het om naar de hel te gaan. Ik zou het alleen jammer vinden als de aartsengelen mij voor zijn.'

Zijn ogen leken zwart vuur te spuwen.

'Jij verdient alles wat je toekomt,' zei ik. 'Iedere keer dat je mij kuste en mij omhelsde... terwijl je wist wat je gedaan had met mijn vader...' Ik hapte naar adem en draaide me om. Ik stortte in op het meest ongunstige moment dat ik kon bedenken.

Zes.

'Ga weg,' zei ik. Mijn stem was zacht, maar niet kalm.

Ik keek op en was van plan om Patch met zoveel haat en walging aan te kijken dat hij vanzelf weg zou gaan, maar ik stond alleen in de hal. Ik keek om me heen, in de verwachting dat hij ergens anders was gaan staan, maar hij was er niet meer. Een vreemde stilte daalde neer en ik realiseerde me dat de klok was opgehouden met slaan.

De wijzers stonden stil op de zes en de twaalf, het moment waarop Patch voor altijd weg was gegaan.

Hoofdstuk 17

Nadat Patch weg was, verruilde ik mijn strandkleding voor een donkere spijkerbroek, een T-shirt en een windjack dat ik vorig jaar bij het kerstfeest van de schoolkrant had gewonnen. Ik werd misselijk van de gedachte, maar ik móést naar het appartement van Patch en het moest vanavond. Voordat het te laat was.

Ik was zo dom geweest om Patch te vertellen dat ik wist dat hij de Zwarte Hand was. Het was eruit gekomen in een moment van roekeloze haat. Ik kon dit nu niet meer tegen hem gebruiken. Ik betwijfelde of hij mij als een echte bedreiging zag. Hij vond mijn dreigement om hem naar de hel te sturen waarschijnlijk grappig, maar ik had informatie die hij kennelijk heel graag verborgen had willen houden. Als ik dacht aan alles wat ik wist over de aartsengelen, was het voor hem waarschijnlijk niet makkelijk geweest om zijn aandeel in mijn vaders dood te verbergen voor ze. Ik kon hem niet naar de hel sturen, maar de aartsengelen wel. Als ik een manier kon vinden om met ze in contact te komen, zou zijn grote geheim onthuld worden. De aartsengelen zochten een excuus om hem naar de hel te sturen. En ik had een goede reden.

De tranen sprongen in mijn ogen en ik knipperde ze snel

weg. Er was een periode in mijn leven dat ik had gedacht dat Patch nooit in staat zou zijn om mijn vader te vermoorden. Het idee was lachwekkend, idioot en beledigend geweest. Maar dat gaf alleen maar aan hoe slim en grondig hij te werk was gegaan.

Alles vertelde me dat zijn appartement in Swathmore de plek was waar hij zijn geheimen bewaarde. Het was zijn zwakke plek. Behalve Rixon liet hij daar niemand binnen. Toen ik eerder vandaag tegen Rixon had gezegd dat ik bij Patch thuis was geweest, kon ik zien dat het hem oprecht verraste. *Hij neemt nooit iemand mee naar huis,* had hij gezegd. Was het Patch gelukt om zijn huis verborgen te houden voor de aartsengelen? Het leek me heel onwaarschijnlijk, bijna onmogelijk, maar Patch had bewezen dat hij heel goed was in het ontwijken van obstakels op zijn weg. Als er één iemand slim en vindingrijk genoeg was om de aartsengelen te ondermijnen, was het Patch. Ik vroeg me af wat hij verborg in zijn appartement en kreeg ineens koude rillingen. Een onheilspellend gevoel dat me waarschuwde om niet te gaan, maar ik was het aan mijn vader verschuldigd om zijn moordenaar te vinden.

Onder mijn bed vond ik een zaklamp en ik deed hem in de zak van mijn windjack. Toen ik opstond, zag ik Marcies dagboek liggen. Hij lag op een rij boeken op mijn boekenplank. Ik stond even stil en voelde een brandend schuldgevoel. Met een zucht stak ik het dagboek in mijn zak. Ik deed het huis op slot en ging te voet op pad.

Ik liep naar Beech Street en nam daar een bus naar Herring Street. Vervolgens liep ik een stukje verder naar Keate Street en nam weer een bus naar Clementine. Ik liep de kronkelende, pittoreske heuvel naar Marcies buurt op. Chiquer werd het niet in Coldwater. De geur van versgemaaid gras en hortensia's hing in de avondlucht en er was geen verkeer. De auto's stonden allemaal netjes in hun garages, waardoor de straten breder en schoner leken. De ramen van de witte koloniale huizen weerspiegelden de gloed van de langzaam ondergaande zon en ik stelde me voor hoe er achter de luiken gezinnen aan tafel zaten voor een laat diner. Ik beet op mijn lip en werd ineens overspoeld door een overweldigend verdriet. Mijn familie zou nooit meer samen aan tafel zitten. Drie avonden per week at ik alleen of bij Vee. Op de andere avonden, als mijn moeder thuis was, aten we meestal op de bank voor de tv.

Vanwege Patch.

Ik ging de hoek om naar Marcies straat en telde de huizen totdat ik bij die van haar was. Haar rode Toyota stond op de oprit, maar ik wist dat ze niet thuis was. Patch had haar waarschijnlijk opgehaald met zijn jeep. Ik liep door de tuin om het dagboek op de veranda te leggen, toen de voordeur opengING.

Marcie had haar handtas over haar schouder geslagen en haar sleutels in haar hand. Ze was duidelijk van plan om ergens heen te gaan. Ze stond stil in de deuropening toen ze me zag. 'Wat doe jij hier?' vroeg ze.

Ik opende mijn mond en er gingen drie hele seconden voorbij voordat er woorden uitkwamen. 'Ik... ik dacht dat je niet thuis zou zijn.'

Ze kneep haar ogen samen. 'Ik was dus wel thuis.'

'Ik dacht dat je... met Patch...' Ik kon geen normale zin produceren. Ik had het dagboek in mijn hand, vol in het zicht. Marcie zou het snel genoeg opmerken.

'Hij heeft afgezegd,' snauwde ze naar me, alsof het me niets aanging.

Ik hoorde haar amper. Ze zou het dagboek zo zien. Nog nooit had ik zo graag de tijd willen terugdraaien. Ik had beter na moeten denken voordat ik hierheen ging. Ik had er rekening mee moeten houden dat ze thuis kon zijn. Ik keek nerveus over mijn schouder, alsof iemand me zou komen redden.

Marcie hapte naar adem en slaakte een gilletje. 'Wat doe jij met mijn dagboek?'

Ik draaide me weer naar haar toe. Mijn wangen stonden in brand.

Ze liep met grote passen de veranda af, griste het dagboek uit mijn hand en sloeg het beschermend tegen haar borstkas. 'Heb je... heb je het gestolen?'

Mijn handen vielen slap langs mijn lichaam. 'De avond van je feestje.' Ik schudde mijn hoofd. 'Het was een stom idee. Het spijt me zo...'

'Heb je het gelezen?' wilde ze weten.

'Nee.'

'Je liegt!' riep ze. 'Je hebt het gelezen, of niet? Wie zou dat nou niet doen? Ik haat je! Is je eigen leven zo saai dat je door het mijne moet wroeten? Heb je alles gelezen of alleen de gedeeltes over jezelf?'

Ik stond op het punt om nogmaals te ontkennen dat ik het dagboek had geopend, toen Marcies woorden ineens tot me doordrongen. 'Mezelf? Wat heb je over mij geschreven?'

Ze gooide het dagboek achter zich op de veranda en rechtte haar schouders. 'Wat maakt het ook uit?' zei ze, terwijl ze haar armen over elkaar sloeg en mij aanstaarde. 'Nu weet je de waarheid in ieder geval. Hoe voelt het om te weten dat je moeder het met de man van iemand anders doet?'

Ik lachte vol ongeloof en woede. 'Pardón?'

'Denk je nou echt dat je moeder voor haar werk de stad uit is? Ha!'

Ik nam Marcies houding aan. 'Ja, dat denk ik echt.' Waar doelde ze op?

'Hoe verklaar je het dan dat haar auto hier één avond per week in de straat staat?'

'Je hebt de verkeerde persoon,' zei ik. Ik kookte van woede. Wat probeerde ze te doen? Hoe durfde ze mijn moeder te beschuldigen van een affaire? En met haar vader nog wel. Al was hij de laatste man op aarde, mijn moeder zou nog niet dood gevonden willen worden met hem. Ik haatte Marcie en dat wist mijn moeder. Ze had echt niet iets met Marcies vader. Dat zou ze mij nooit aandoen. Dat zou ze mijn vader nooit aandoen. *Nooit.*

'Een beige Ford Taurus, kenteken X4I24?' zei Marcie met een ijskoude stem.

'Dus je weet het kenteken, nou en?' zei ik na een moment, terwijl ik het stekende gevoel in mijn maag probeerde te negeren. 'Dat bewijst niets.'

'Word eens wakker, Nora. Onze ouders kennen elkaar al vanaf de middelbare school. Jouw moeder en mijn vader. Ze waren samen.'

Ik schudde mijn hoofd. 'Dat is een leugen. Mijn moeder heeft nooit iets gezegd over jouw vader.'

'Omdat ze niet wil dat jij het weet.' Haar ogen flakkerden. 'Omdat ze nog steeds iets hebben. Het is haar eigen smerige geheim.'

Ik schudde mijn hoofd nog harder, ik leek wel een kapotte pop. 'Misschien kende jouw vader mijn moeder wel op school, maar dat was lang geleden, voordat ze mijn vader ontmoette. Je hebt de verkeerde persoon voor je. Je hebt de auto van iemand anders gezien. Als mijn moeder niet thuis is, is ze de stad uit. Voor haar werk.'

'Ik heb ze samen gezien, Nora. Het was jouw moeder, dus hou maar op met smoesjes verzinnen. Ik heb die dag op school een bericht voor jouw moeder achtergelaten op je kluisje. Snap je het dan niet?' Haar stem siste van walging. 'Ze gaan met elkaar naar bed. Al die jaren al. Wat betekent dat mijn vader jouw vader kan zijn. En dat jij... mijn zus kan zijn.'

Marcies woorden vielen als een zwaard tussen ons in.

Ik sloeg mijn armen om mijn middel en draaide me om. Ik had het gevoel dat ik moest overgeven. Ik slikte mijn tranen weg en stikte er bijna in. Ze brandden in mijn neus. Zonder een woord te zeggen liep ik met lood in mijn schoenen de oprit af. Ik dacht dat Marcie me misschien nog iets ergers zou naschreeuwen, maar ze had het allerergste al gezegd.

Ik ging niet meer naar Patch.

Waarschijnlijk was ik helemaal terug naar Clementine Street gelopen, voorbij de bushalte, het park en het zwembad, want het volgende dat ik me herinnerde, was dat ik op een bankje voor de bibliotheek zat, precies in het licht van een lantaarnpaal. Het was een warme avond, maar ik trok mijn knieën op naar mijn borstkas, om mijn lichaam te laten ophouden met trillen. Mijn gedachten waren een warboel van schrikbarende theorieën.

Ik staarde naar de duisternis om me heen. De koplampen van de auto's op de straat kwamen dichterbij en verdwenen weer in de verte. Uit een open raam verderop in de straat klonk het blikken gelach van een comedyserie op televisie. De koude lucht blies kippenvel op mijn armen. De bedwelmende geur van gras, nog muskusachtig en vochtig van de zon, verstikte me.

Ik ging liggen op het bankje en sloot mijn ogen tegen het licht van de sterren. Ik legde mijn handen op mijn buik. Mijn vingers voelden als bevroren takken. Ik vroeg me af waarom ik soms zo'n rotleven had. Ik vroeg me af waarom de mensen van wie ik het meest hield, mij het hardst teleurstelden. Ik vroeg me af wie ik meer haatte: Marcie, haar vader of mijn moeder.

Diep vanbinnen klampte ik me vast aan de hoop dat Marcie

het mis had. Ik hoopte dat ik dit tegen haar zou kunnen gebruiken. Maar het zinkende gevoel dat me uiteenrukte, vertelde me dat ik alleen maar teleurgesteld zou worden als ik dat zou blijven denken.

Ik kon de herinnering niet helemaal plaatsen, maar het was ergens in het afgelopen jaar. Misschien vlak voor mijn vader was gestorven… nee. Daarna. Het was een warme dag geweest… lente. De begrafenis was geweest, de eerste verdrietige dagen waren voorbij en ik ging weer naar school. Vee had me overgehaald om te spijbelen en in die periode vond ik alles best. Het was allemaal prima. Omdat we dachten dat mijn moeder op haar werk zou zijn, liepen we naar mijn huis. We hadden er waarschijnlijk een uur over gedaan.

Toen de boerderij in zicht kwam, trok Vee aan mijn mouw.

'Er staat een auto op de oprit,' zei ze.

'Van wie? Ziet eruit als een soort jeep.'

'Niet van je moeder dus.'

'Zou het iemand van de politie zijn?' Het leek me vrij onwaarschijnlijk dat een rechercheur in een jeep van zestigduizend dollar zou rijden, maar ik was er na de moord op mijn vader zo aan gewend geraakt dat er politie over de vloer was, dat dat mijn eerste gedachte was.

'Laten we kijken wie het is.'

We waren bijna op de oprit toen de voordeur openging en er stemmen klonken. De stem van mijn moeder… en een lagere stem. Een mannenstem.

Vee trok me naar de zijkant van het huis, uit het zicht.

We zagen hoe Hank Millar in de jeep stapte en wegreed.

'Krijg nou de hik,' zei Vee. 'Normaal gesproken zou ik gelijk denken dat er een ordinaire affaire aan de gang was, maar je moeder is zo braaf als maar kan. Ik durf te wedden dat hij haar een auto probeerde te verkopen.'

'En dan komt hij helemaal hierheen?'

'O ja, schat. Autoverkopers kennen geen grenzen.'

'Ze heeft al een auto.'

'Een Ford. Dat is de ergste vijand van Toyota. Marcies vader is pas tevreden als de hele stad in een Toyota rijdt...'

Ik ontwaakte uit mijn dagdroom. Wat als hij daar niet was om haar een auto te verkopen? Wat als ze – ik slikte – een affaire hadden?

Waar moest ik nu heen? Naar huis? De boerderij voelde niet langer als thuis, was niet langer veilig en zeker. Het huis voelde als een doos met leugens. Mijn ouders hadden me een verhaal verkocht. Een verhaal over liefde, saamhorigheid en familie. Maar als Marcie de waarheid sprak – en dat was mijn grootste angst – was mijn familie een lachertje. Een grote leugen die ik nooit had zien aankomen. Waren er signalen geweest? Had ik dit al die tijd geweten maar het gewoon ontkend omdat ik de pijnlijke waarheid niet aankon? Dit was mijn straf voor het vertrouwen in anderen. Dit was mijn straf voor het goede zien in mensen. Hoe groot mijn haat voor Patch nu ook was, ik was jaloers op de kille afstandelijkheid die hem afzonderde van iedereen. Hij zag het slechtste in mensen. Hoe diep ze ook zonken, hij zag het altijd aankomen. Hij was ongevoelig, maar mensen respecteerden hem.

Ze respecteerden hem en logen tegen mij.

Ik ging rechtop op het bankje zitten en toetste het nummer van mijn moeder in op mijn telefoon. Ik wist niet wat ik zou zeggen als ze op zou nemen en liet me leiden door mijn woede en gevoel van verraad. De telefoon ging over en hete tranen stroomden over mijn wangen. Ik veegde ze weg. Mijn kin trilde en iedere spier in mijn lijf was aangespannen. Er sprongen woedende en hatelijke woorden in mijn gedachten. Ik stelde me voor dat ik ze naar mijn moeder schreeuwde en dat ik haar iedere keer onderbrak als ze zichzelf met nog meer leugens probeerde te verdedigen. En als ze zou huilen... zou ik geen medelijden hebben. Ze verdiende de consequenties van haar keuze. Ik kreeg haar voicemail en moest me inhouden om de telefoon niet in de struiken te gooien.

Ik belde Vee.

'Yo, lieverd. Is het belangrijk? Ik ben met Rixon...'

'Ik ga weg uit huis,' zei ik. Het kon me niet schelen dat ze kon horen dat ik huilde. 'Kan ik een tijdje bij jou komen wonen? Totdat ik een andere plek vind?'

Ik hoorde Vee ademen. 'Wat?'

'Mijn moeder komt zaterdag thuis. Dan wil ik weg zijn. Kan ik de rest van de week bij jou logeren?'

'Eh, mag ik vragen...'

'Nee.'

'Oké, prima,' zei Vee, die haar shock probeerde te verbergen. 'Je kunt hier logeren. Geen probleem. Helemaal geen probleem. Vertel me maar wat er aan de hand is als je er klaar voor bent.'

Ik voelde de tranen weer komen. Vee was de enige persoon op wie ik kon rekenen. Ze was af en toe irritant en lui, maar ze loog nooit tegen me.

Ik was rond negen uur bij de boerderij en trok een katoenen pyjama aan. Het was geen koude nacht, maar de lucht was vochtig en het vocht kroop onder mijn huid en maakte me koud tot op het bot. Nadat ik een beker warme melk voor mezelf had gemaakt, kroop ik in bed. Het was te vroeg om te slapen, maar zelfs al zou ik het proberen, dan zou ik toch niet kunnen slapen. Mijn gedachten tolden nog steeds razendsnel door mijn hoofd. Ik staarde naar het plafond en probeerde de afgelopen zestien jaar te wissen en opnieuw te beginnen. Hoe hard ik het ook probeerde, het lukte me niet om Hank Millar als mijn vader te zien.

Ik klom uit bed en liep naar mijn moeders slaapkamer. Ik deed de grote kist naast haar bed open en zocht naar haar jaarboek van school. Ik wist niet eens of ze er wel eentje had, maar als dat zo was, was dit de enige plek waar het kon liggen. Als ze met Hank Millar op school had gezeten, zouden er foto's zijn. Als ze verliefd waren geweest, zouden ze wel iets in het jaarboek hebben geschreven waaruit dat duidelijk werd. Vijf minuten later had ik de kist grondig doorzocht en niets gevonden.

Ik liep naar de keuken, doorzocht de kasten voor iets eetbaars, maar bedacht dat ik geen honger had. Ik kon niet eten als ik dacht aan de grote leugen die mijn familie was. Mijn blik dwaalde naar de voordeur, maar waar kon ik heen? Ik voelde me verloren in mijn eigen huis. Ik was rusteloos en wilde weg, maar kon nergens naartoe vluchten. Nadat ik een paar minuten in de gang had gestaan, ging ik terug naar mijn slaapkamer. Ik klom weer in bed, sloot mijn ogen en zag een reeks beelden in mijn gedachten voorbijtrekken. Beelden van Marcie, van Hank Millar, die ik amper kende en wiens gezicht ik me slechts met moeite voor de geest kon halen. Beelden van mijn ouders. De beelden kwamen steeds sneller en sneller totdat ze samensmolten tot een vreemde, krankzinnige collage.

De beelden leken ineens achteruit te gaan, terug de tijd in. Alle kleuren verdwenen, totdat er niets anders was dan vaag zwart en wit. Op dat moment realiseerde ik me dat ik een ander gebied in was geglipt.

Ik droomde.

Ik stond in de voortuin. Een gure wind blies de blaadjes over de oprit, langs mijn enkels. Er hing een vreemde trechtervormige wolk in de lucht, die geen poging deed om naar beneden te komen, alsof hij tevreden was dat hij daar hing, voordat hij toesloeg. Patch zat op de reling van de veranda met zijn hoofd gebogen en zijn handen losjes tussen zijn knieën.

'Ga uit mijn droom,' schreeuwde ik naar hem, boven de wind uit.

Hij schudde zijn hoofd. 'Niet totdat jij weet wat er aan de hand is.'

Ik trok mijn pyjama strakker om me heen. 'Ik wil niet horen wat je te zeggen hebt.'

'De aartsengelen kunnen ons hier niet horen.'

Ik slaakte een beschuldigend lachje. 'Was het niet genoeg om mij in de echte wereld te manipuleren? Moet je het hier nu ook doen?'

Hij tilde zijn hoofd op. 'Manipuleren? Ik probeer je te vertellen wat er aan de hand is.'

'Je dringt mijn dromen binnen,' riep ik. 'Dat deed je die avond na The Devil's Handbag en nu doe je het weer.'

Er trok een plotselinge windvlaag tussen ons op, waardoor ik gedwongen werd achteruit te stappen. De takken aan de bomen zuchtten en steunden. Ik veegde mijn haar uit mijn gezicht.

'Na de Z, in de jeep, vertelde je me dat je over Marcies vader had gedroomd,' zei Patch. 'Diezelfde nacht dat jij over hem had gedroomd, dacht ik aan hem. Exact hetzelfde wat jij droomde. Ik wenste op dat moment dat er een manier was waarop ik je de waarheid kon vertellen. Ik wist niet dat ik met jou communiceerde.'

'Heb jij ervoor gezorgd dat ik die droom had?'

'Het was geen droom. Het was mijn herinnering.'

Ik probeerde dit te verwerken. Als de droom echt was, had Hank Millar honderden jaren geleden in Engeland gewoond. Ik dacht terug aan de droom. *Vraag de herbergier om hulp*, had

Hank gezegd. *Zeg hem dat er geen man is. Zeg hem dat het een van de duivelsengelen is. Hij wil mijn lichaam overnemen en mijn ziel weggooien.*

Was Hank Millar… Nephilim?

'Ik weet niet hoe mijn herinnering in jouw dromen terecht is gekomen,' zei Patch. 'Maar sindsdien probeer ik op die manier met je te communiceren. Die avond dat ik je gezoend heb, na The Devil's Handbag, is het me gelukt. Maar nu loop ik steeds tegen muren op. Ik ben blij dat het nu is gelukt. Ik denk dat het aan jou ligt. Je laat me niet meer toe.'

'Omdat ik jou niet in mijn hoofd wil!'

Hij gleed van de reling af en liep naar me toe. 'Je moet me toelaten.'

Ik draaide me om.

'Ik ben toegewezen aan Marcie,' zei hij.

Er gingen vijf seconden voorbij voordat alles op zijn plek viel. Het misselijke, hete gevoel dat in mijn maag had gedraaid nadat ik bij Marcie was geweest, verspreidde zich nu over mijn hele lichaam. 'Ben je Marcies beschermengel?'

'Het is geen pretje, geloof me.'

'Hebben de aartsengelen hiervoor gezorgd?'

'Toen ik jouw beschermengel werd, hebben ze me duidelijk gemaakt dat ik het beste met jou voor moest hebben. Toen ik iets met jou kreeg, was dat in hun ogen niet goed voor jou. Ik wist dat wel, maar ik haatte het idee dat de aartsengelen mij vertelden wat ik wel en niet kon doen. Die avond dat jij mij de ring gaf, keken ze.'

In de jeep. De avond voordat we uit elkaar gingen. Ik wist het nog.

'Zodra ik me realiseerde dat ze keken, ging ik ervandoor. Maar het was al te laat. Ze vertelden me dat ze iemand anders voor jou gingen zoeken. Zodra ze die hadden gevonden, zou ik jouw beschermengel niet meer zijn. Toen kreeg ik Marcie toegewezen. Ik ging die avond naar haar huis omdat ik mezelf wilde confronteren met wat ik had gedaan.'

'Waarom Marcie?' vroeg ik verbitterd. 'Om mij te straffen?'

Hij legde zijn handen op zijn mond. 'Marcies vader is een eerstegeneratie, volbloed Nephilim. Nu Marcie zestien is, loopt ze het gevaar dat ze geofferd kan worden. Twee maanden geleden, toen ik jou probeerde te offeren om een mensenlichaam te krijgen, maar uiteindelijk jouw leven redde, waren er niet veel gevallen engelen die geloofden dat ze iets konden veranderen aan hun situatie. Ik ben nu een beschermengel. Ze weten het allemaal en ze weten ook allemaal dat dat is gebeurd omdat ik jouw leven heb gered. Ineens zijn er veel meer gevallen engelen die denken dat ze hun lot kunnen veranderen. Ze willen een mensenleven redden en hun vleugels terugkrijgen...' hij ademde uit '... of hun Nephil-onderdaan vermoorden en diens lichaam innemen.'

Ik dacht aan alles wat ik wist over gevallen engelen en Nephilim. In het *Boek van Henoch* stond een verhaal over een gevallen engel die menselijk werd nadat hij zijn Nephil-onderdaan had vermoord, door een van de vrouwelijke afstammelingen van zijn Nephil te offeren. Twee maanden geleden had Patch dit ook geprobeerd. Hij wilde mij gebruiken om Chauncey te vermoorden. Als de gevallen engel die Hank Millar de gelofte van trouw had laten afleggen nu menselijk wilde worden, dan moest hij...

Marcie offeren.

'Bedoel je dat jij er nu voor moet zorgen dat Marcie niet wordt geofferd door de gevallen engel die Hank Millar tot zijn onderdaan heeft gemaakt?' zei ik.

Alsof hij mij zo goed kende dat hij mijn volgende vraag kon raden, zei hij: 'Marcie weet het niet. Ze weet nergens iets van.'

Ik wilde hier niet over praten. Ik wilde Patch niet hier. Hij had mijn vader vermoord. Hij had iemand van wie ik hield voor altijd uit mijn leven gerukt. Patch was een monster. Niets wat hij zei kon mijn gevoelens veranderen.

'Chauncey is degene die het bloedgenootschap van Nephilim heeft opgericht,' zei Patch.

Ik had mijn aandacht er weer bij. 'Wat? Hoe weet je dat?'

Het leek wel alsof hij deze vraag niet wilde beantwoorden. 'Ik heb dat gezien in herinneringen. Herinneringen van andere mensen.'

'Herinneringen van andere mensen?' Ik schrok ervan, maar het was eigenlijk wel logisch. Hoe kon hij anders al die vreselijke dingen die hij deed voor zichzelf goedpraten? Hoe kon hij hier komen en mij vertellen dat hij stiekem de intiemste gedachten van mensen had doorzocht? Verwachtte hij bewondering? Verwachtte hij überhaupt dat ik naar hem zou luisteren?

'Chauncey had een opvolger en die opvolger ging verder met het genootschap. Ik weet nog niet wie het is, maar het gerucht gaat dat hij niet blij is met Chaunceys dood en dat slaat eigenlijk nergens op. Hij heeft nu de leiding en zou daar blij mee moeten zijn, maar hij treurt om Chauncey. Ik vraag me daarom af of de opvolger misschien een goede vriend van Chauncey was. Of een familielid.'

Ik schudde mijn hoofd. 'Ik wil dit niet horen.'

'De opvolger wil Chaunceys moordenaar doden. De leden van het bloedgenootschap hebben de opdracht gekregen de moordenaar te vinden.' Ik wilde protesteren, maar wist niet meer wat ik moest zeggen. Patch en ik keken elkaar aan. 'Hij wil de moordenaar laten boeten.'

'Je bedoelt dat hij mij wil laten boeten,' zei ik. Mijn stem klonk zo zachtjes dat ik hem zelf amper hoorde.

'Niemand weet dat jij Chauncey hebt vermoord. Hij wist

pas heel kort voor zijn dood dat jij zijn vrouwelijke afstammeling was, dus de kans is groot dat niemand dat verder weet. Chaunceys opvolger is waarschijnlijk bezig om Chaunceys afstammelingen te vinden, maar dat gaat nog wel even duren. Ik heb er zelf ook lang over gedaan om jou te vinden.' Hij zette een stap in mijn richting, maar ik stapte achteruit. 'Als je wakker wordt, moet je zeggen dat je mij weer als je beschermengel wilt. Zeg het alsof je het echt meent, zodat de aartsengelen het horen. Hopelijk gaan ze daarmee akkoord. Ik doe alles wat ik kan om jou veilig te houden, maar dat is nu erg moeilijk. Ik heb toegang nodig tot de mensen om jou heen, jouw gevoelens en alles in jouw wereld.'

Wat bedoelde hij? Dat de aartsengelen een nieuwe beschermengel voor mij hadden gevonden? Was hij daarom mijn droom binnengedrongen? Omdat hij van me was afgesloten en geen toegang meer had tot mijn gevoelens en gedachten?

Ik voelde hoe hij zijn handen op mijn heupen legde en me beschermend naar zich toe trok. 'Ik zal je niets laten gebeuren.'

Ik verstijfde en rukte me los. Mijn gedachten kolkten door mijn hoofd. *Hij wil de moordenaar laten boeten.* Ik kon de gedachte niet van me afschudden. Het idee dat er iemand was die mij dood wilde, was verlammend. Ik wilde hier niet zijn. Ik wilde deze dingen niet weten. Ik wilde me weer veilig voelen.

Ik besefte dat Patch niet van plan was om mijn droom te verlaten, dus besloot ik het zelf te doen. Ik vocht tegen de onzichtbare grenzen van mijn droom en dwong mezelf wakker te worden. *Open je ogen*, zei ik tegen mezelf. *Open je ogen!*

Patch greep mijn elleboog. 'Wat doe je?'

Ik kon voelen hoe alles helderder werd. Ik voelde de warmte van mijn lakens, mijn kussen tegen mijn wang. Alle vertrouwde geuren van mijn kamer.

'Niet wakker worden, engel.' Hij streek met zijn handen over mijn haar en dwong me hem aan te kijken. 'Er is meer dat je moet weten. Er is een heel belangrijke reden dat jij deze herinneringen moet zien. Ik probeer je iets te vertellen en dat kan niet op een andere manier. Je moet erachter komen wat ik je probeer te vertellen. Je moet me toelaten.'

Ik trok mijn gezicht los. Mijn voeten leken los te komen van het gras en ik zweefde naar de kolkende trechtervormige wolk. Patch probeerde me nog naar beneden te trekken. Ik hoorde hem binnensmonds vloeken, maar zijn grip was zo licht als een veertje, denkbeeldig.

Wakker worden, zei ik tegen mezelf. *Wakker worden.*

Ik liet me volledig opnemen door de wolk.

Hoofdstuk 18

Ik werd wakker terwijl ik scherp inademde. Mijn kamer was gehuld in schaduwen en aan de andere kant van het raam gloeide de maan als een kristallen bol. Mijn lakens waren heet en vochtig en zaten om mijn benen gedraaid. Ik keek naar mijn wekkerradio en zag dat het halftien was.

Ik zwaaide mijn benen uit bed, liep naar de badkamer en vulde een glas met ijskoud water. Ik sloeg het water achterover en leunde tegen de muur. Ik mocht niet weer in slaap vallen. Wat ik ook deed, ik mocht Patch niet weer in mijn dromen laten. Ik liep heen en weer door de gang voor mijn slaapkamer om mezelf wakker te houden, maar was zo woedend dat ik me afvroeg of ik überhaupt zou kunnen slapen.

Een paar minuten later ging mijn hart niet meer zo tekeer, maar mijn gedachten raasden nog wel. De Zwarte Hand. Die drie woorden spookten door mijn hoofd. Ze waren ongrijpbaar, dreigend, tergend. Ik durfde ze niet onder ogen te komen. Niet nu mijn wereld in elkaar stortte. Ik wist dat ik vermeed om een manier te vinden om de aartsengelen te laten weten dat Patch de Zwarte Hand en mijn vaders moordenaar was. Ik schermde mezelf af van de beschamende waarheid: ik was verliefd geworden op een moordenaar. Ik had me door hem laten kussen, tegen me laten liegen en me laten verraden. Toen hij mij aanraakte in mijn droom, brokkelde mijn weerstand af en raakte ik weer verstrikt in zijn web. Mijn hart was nog van hem en dat was nog wel het grootste verraad. Wat was ik voor iemand als ik de moordenaar van mijn vader niet eens kon beschuldigen?

Patch had gezegd dat ik de aartsengelen moest vertellen dat ik hem weer als mijn beschermengel wilde. Ik hoefde het alleen maar hardop te zeggen. Het leek me logisch dat ik dan ook gewoon 'Patch heeft mijn vader vermoord!' kon roepen. Ze zouden het horen. Er zou gerechtigheid volgen. Patch zou naar de hel gestuurd worden en ik zou mijn leven weer langzaam kunnen opbouwen. Maar ik kreeg de woorden niet uit mijn mond, alsof ze ergens diep in mijn lichaam vastgeketend zaten.

Te veel dingen klopten niet. Waarom was Patch, een engel, betrokken bij een bloedgenootschap van Nephilim? Als hij de Zwarte Hand was, waarom brandmerkte hij dan nieuwe Nephilimleden? Waarom was hij eigenlijk op zoek naar nieuwe leden? Het was niet alleen raar, het was ook onlogisch. Het Nephilimras haatte engelen, en vice versa. En als de Zwarte Hand een afstammeling was van Chauncey en de nieuwe leider van het genootschap… hoe was het dan mogelijk dat die persoon Patch was?

Ik kneep in de rug van mijn neus. Mijn hoofd leek wel uit elkaar te barsten van al die vragen. Alles wat met de Zwarte Hand te maken had, leek een eindeloos doolhof met eindeloos veel valkuilen.

Op dit moment was Scott mijn enige betrouwbare link met de Zwarte Hand. Hij wist meer dan hij mij had verteld, dat wist ik zeker. Maar hij was te bang om te praten. Toen hij over de Zwarte Hand had verteld, had ik pure paniek in zijn stem gehoord. Ik wilde weten wat hij wist, maar hij was gevlucht voor zijn verleden en het zou mij niet lukken om hem te dwingen de confrontatie aan te gaan. Ik duwde mijn voorhoofd tegen mijn handpalmen en probeerde helder na te denken.

Ik belde Vee.

'Goed nieuws,' zei ze, voordat ik er een woord tussen kon krijgen. 'Ik heb mijn vader overgehaald om me naar het strand te rijden en de boete te betalen voor de wielklem. Ik ben dus weer mobiel.'

'Mooi, want ik heb je hulp nodig.'

'Mensen helpen is wat ik het liefst doe.'

Er waren honderd andere dingen die ze liever deed, maar ik hield mijn mening voor me. 'Ik heb iemand nodig die me helpt om Scotts slaapkamer te doorzoeken.' De kans was groot dat Scott erg voorzichtig was en dat het bewijs dat hij lid was van het genootschap niet zomaar op zijn kamer lag, maar ik kon niets anders bedenken. Hij had mij voortdurend onduidelijke antwoorden op mijn vragen gegeven en na onze laatste ontmoeting wist ik zeker dat hij erg op zijn hoede zou zijn bij mij in de buurt. Als ik erachter wilde komen wat hij wist, zou ik zelf op onderzoek uit moeten.

'Patch heeft onze afspraak van vanavond afgezegd, dus heb ik niets te doen,' zei Vee. Ze klonk een beetje te vrolijk. Ik had verwacht dat ze zou vragen waar we naar op zoek waren.

'Dit wordt geen spannend of gevaarlijk avontuur, hoor,' zei ik, om even duidelijk te krijgen dat we allebei dezelfde verwachtingen hadden. 'Alles wat jij gaat doen is buiten in de Neon zitten en mij bellen zodra je hem aan ziet komen. Ik ben degene die naar binnen gaat.'

'Ook al ben jij degene die het speurwerk gaat verrichten, dat maakt het voor mij niet minder spannend. Het wordt net als het kijken naar een film. Alleen wordt de hoofdpersoon in de film bijna nooit betrapt. Maar dit is het echte leven en er is een grote kans dat je wel betrapt wordt. Snap je wat ik bedoel? Het wordt superspannend!'

Ik vond eigenlijk dat Vee het idee dat ik betrapt zou worden iets te leuk vond.

'Je gaat me toch wel echt waarschuwen als Scott eraan komt, hè?' vroeg ik.

'Natuurlijk, lieverd.'

Mijn volgende telefoontje was naar het huis van Scott. Mevrouw Parnell nam op.

'Nora, wat fijn om je stem te horen! Ik hoorde van Scott dat het behoorlijk is opgelaaid tussen jullie,' voegde ze er op samenzweerderige toon aan toe.

'Nou ja, eh...'

'Ik heb het altijd een fijn idee gevonden als Scott zou trouwen met een meisje uit Coldwater. Ik wil gewoon niet dat hij in een gestoorde familie terechtkomt. Wat als zijn schoonfamilie een stelletje idioten is? Jouw moeder en ik zijn zulke goede vriendinnen. Stel je eens voor hoe leuk het zou zijn om samen jullie bruiloft te regelen! Maar ik loop op de zaken vooruit. Alles op zijn tijd, zoals ze zeggen.'

O, man.

'Is Scott er ook, mevrouw Parnell? Ik heb een interessant nieuwtje voor hem.'

Ik hoorde hoe ze haar hand over de telefoon legde en 'Scott! Neem de telefoon even op! Het is Nora!' schreeuwde.

Een moment later kwam Scott aan de lijn. 'Je kunt ophangen nu, mam.' Hij klonk erg voorzichtig.

'Ik wilde alleen even weten of je hem had, lieverd.'

'Ik heb hem.'

'Nora heeft een interessant nieuwtje voor je,' zei ze.

'Hang dan op, dan kan ze het zelf vertellen.'

Er klonk een zucht van teleurstelling en toen een klik.

'Ik dacht dat ik jou had verteld om bij me uit de buurt te blijven,' zei Scott.

'Heb je al een band gevonden?' vroeg ik. Ik kwam maar gelijk ter zake, in de hoop de controle over het gesprek te houden en zijn interesse te wekken voordat hij ophing.

'Nee,' zei hij, op datzelfde voorzichtige, sceptische toontje.

'Ik vertelde aan een vriend dat je gitaar speelde...'

'Ik speel bas.'

'... en hij zei dat hij wel een band wist. Ze willen dat je auditie komt doen. Vanavond.'

'Hoe heet de band?'

Hier had ik niet op gerekend. 'Eh... The Pigmen.'

'Klinkt als iets uit de jaren zestig.'

'Wil je auditie doen of niet?'

'Hoe laat?'

'Tien uur. In The Devil's Handbag.' Ik kende helaas geen pakhuizen die verder weg lagen, anders had ik die wel genoemd. Het zou hem ongeveer twintig minuten kosten om heen en terug te rijden en daar zou ik het mee moeten doen.

'Heb je een naam en telefoonnummer van een contactpersoon?'

Daar had ik helemaal al niet op gerekend.

'Ik heb tegen die vriend van me gezegd dat ik de informatie aan jou zou doorgeven. Ik heb er niet aan gedacht om namen en nummers te vragen.'

'Ik ga mijn avond niet verspillen aan een auditie zonder dat ik weet wie die jongens zijn, wat voor muziek ze spelen en waar ze hebben opgetreden. Zijn ze punk, pop of metal?'

'Wat ben jij?'

'Punk.'

'Ik ga even een telefoonnummer vragen en dan bel ik je zo terug.'

Ik hing op en belde onmiddellijk Vee. 'Ik heb Scott verteld

dat hij vanavond een auditie heeft bij een band, maar hij wil eerst weten wat voor muziek het is. Als ik hem jouw nummer geef, kun jij dan doen alsof je de vriendin bent van iemand in de band? Zeg maar gewoon dat jij altijd de telefoon van je vriendje opneemt als hij aan het oefenen is. Zeg verder niets. Hou je aan de feiten. Ze zijn een punkband en heel goed en hij zou gek zijn als hij geen auditie zou doen.'

'Ik begin dit speurwerk steeds leuker te vinden,' zei Vee. 'Als mijn leven saai wordt, hoef ik alleen jou maar te bellen.'

Ik zat met mijn knieën opgetrokken op de veranda toen Vee de oprit op kwam rijden.

'Ik vind dat we eerst langs Skippy's moeten voor een hotdog,' zei ze toen ik instapte. 'Ik weet niet wat het is met hotdogs, maar ik krijg er altijd heel veel moed van. Als ik een hotdog op heb, heb ik het gevoel dat ik alles aankan.'

'Dat komt door al het vergif dat erin zit.'

'Zoals ik al zei, we moeten langs Skippy's.'

'Ik heb al pasta gehad vanavond.'

'Pasta vult niet echt.'

'Pasta vult juist heel erg.'

'Ja, maar niet zoals mosterd en mayonaise,' zei Vee.

Een kwartier later reden we door de drive-in van Skippy's met twee hotdogs, een grote zak friet en twee aardbeien-milkshakes.

'Ik haat dit soort eten,' zei ik, toen ik het vet door het dunne papiertje om de hotdog heen op mijn hand voelde druppen. 'Het is ongezond.'

'Een relatie met Patch ook, maar dat heeft je ook niet tegen-gehouden.'

Ik reageerde niet.

Tweehonderd meter van Scotts appartementencomplex zette

Vee de auto aan de kant van de weg. Het grootste probleem was onze locatie. Scotts appartement was aan het eind van een doodlopende straat. Vee en ik stonden vol in het zicht. Zodra Scott voorbij zou rijden en Vee in de Neon zou zien, zou hij weten dat er iets aan de hand was. Ik had me geen zorgen gemaakt dat hij haar stem zou herkennen aan de telefoon, maar ik vermoedde dat hij haar gezicht wel zou herkennen. Hij had ons vaak genoeg samen gezien en hij had de Neon ook gezien toen we hem achtervolgden. Ze was medeplichtig.

'Je moet een stukje van de weg af parkeren, ergens in de struiken,' legde ik uit aan Vee.

Vee leunde voorover en tuurde de duisternis in. 'Zit er een greppel tussen mij en de struiken?'

'Die is niet heel diep. Geloof me, daar rij je zo overheen.'

'Het ziet er anders wel diep uit. Dit is een Neon, geen Hummer.'

'De Neon weegt niet zoveel. Als we vast komen te zitten, duw ik ons los.'

Vee zette de auto in de eerste versnelling en reed de voorwielen van de weg af. We hoorden hoe het gras en het onkruid tegen de onderkant van de auto aan kwamen.

'Meer g-gas!' stamelde ik, terwijl mijn kaken op elkaar klapten toen we over de hobbelige kant van de weg reden. De auto kantelde voorover en reed de greppel in. De voorwielen raakten de bodem en de auto stond stil.

'Ik denk niet dat het gaat lukken,' zei Vee, die nog meer gas gaf. De wielen draaiden, maar vonden geen grip. 'Misschien komen we eruit als ik wat meer stuur.' Ze rukte het stuur hard naar links en gaf weer gas. 'Zo doen we dat,' zei ze, terwijl de Neon vooruitschoot.

'Pas op die steen...' begon ik, maar het was al te laat.

Vee reed de Neon recht over een grote uitstekende steen die

half in de grond zat. Ze trapte op de rem en zette de motor uit. We stapten uit en staarden naar het linkervoorwiel.

'Dit ziet er niet goed uit,' zei Vee. 'Hoort de band er zo uit te zien?'

Ik ramde mijn hoofd tegen de dichtstbijzijnde boomstam.

'We hebben een lekke band,' zei Vee. 'Wat nu?'

'We houden ons aan het plan. Ik doorzoek Scotts kamer en jij staat op wacht. Als ik terug ben, bel jij Rixon.'

'Wat moet ik hem vertellen?'

'Dat we een hert probeerden te ontwijken en dat je de Neon toen door een greppel en over een steen hebt gereden.'

'Goed verhaal,' zei Vee. 'Op die manier lijk ik een dierenliefhebber. Dat vindt Rixon vast cool.'

'Vragen?' vroeg ik haar.

'Nee, ik snap het. Ik bel je als Scott weggaat. Ik bel je nog een keer als hij terugkomt, zodat ik kan zeggen dat je als de wiedeweerga naar buiten moet rennen.' Vee keek naar mijn schoenen. 'Ga je het gebouw beklimmen en dan door een raam? Want dan had je je gympen wel aan mogen doen. Die ballerina's zijn schattig hoor, maar niet zo praktisch.'

'Ik ga door de voordeur naar binnen.'

'Wat ga je zeggen tegen Scotts moeder?'

'Dat maakt niet uit. Ze vindt me aardig. Ze laat me zo naar binnen.' Ik stak mijn hotdog naar haar uit. Hij was koud geworden. 'Wil jij deze?'

'Echt niet. Die heb jij nodig. Als er iets gebeurt, dan neem je een hapje. Dan voel je je tien seconden later helemaal warm en blij vanbinnen.'

Ik rende Deacon Road af en verdween in de schaduwen van de bomen, toen ik iemand voor de ramen van Scotts appartement op de tweede verdieping heen en weer zag lopen. Ik kon zien dat mevrouw Parnell in de keuken was en heen en weer liep tussen de koelkast en het aanrecht. Waarschijnlijk bakte ze een taart of smeerde ze een boterham. Het licht in Scotts kamer was aan, maar de gordijnen zaten dicht. Het licht ging uit en een moment later verscheen Scott in de keuken en gaf hij zijn moeder een vluchtige zoen op haar wang.

Ik bleef nog vijf minuten tussen de muggen staan, voordat Scott de voordeur uit kwam met iets wat eruitzag als een gitaarkoffer. Hij deed de koffer in de achterbak van de Mustang en reed de straat uit.

Een minuut later voelde ik de telefoon in mijn zak trillen.

'De adelaar heeft het nest verlaten,' zei ze.

'Weet ik,' zei ik. 'Blijf waar je bent. Ik ga naar binnen.'

Ik beklom de trappen naar de voordeur en belde aan. De deur ging open en zodra mevrouw Parnell me zag, verscheen er een brede glimlach op haar gezicht.

'Nora!' zei ze, terwijl ze mijn schouders stevig beetpakte. 'Je hebt Scott net gemist. Hij is onderweg naar de auditie. Ik vind het zo lief van je dat je de moeite hebt genomen om dat voor hem te regelen. Hij gaat iedereen in die band helemaal omverblazen. Wacht maar af.' Ze kneep liefkozend in mijn wang.

'Scott heeft me net gebeld. Hij heeft zijn bladmuziek hier laten liggen en vroeg me of ik die op kon halen voor hem. Hij had zelf wel terug kunnen gaan, maar hij wilde niet te laat komen. Dan maakt hij gelijk zo'n slechte indruk.'

'O! Ja, natuurlijk! Kom erin. Zei hij ook om welke bladmuziek het ging?'

'Hij heeft me een paar titels ge-sms't.'

Ze gooide de deur helemaal open. 'Ik loop wel even met je mee naar zijn kamer. Scott zal het zo erg vinden als de auditie niet gaat zoals hij het wil. Hij vindt het altijd zo belangrijk dat hij de goede muziek meeneemt, maar dit was allemaal zo op het laatste moment. Hij is vast helemaal van streek nu, arme jongen.'

'Zo klonk het ook,' beaamde ik. 'Ik pak het zo snel als ik kan.'

Mevrouw Parnell liep voor me uit de gang in. Toen ik de drempel naar Scotts kamer over stapte, viel me gelijk op dat alles er volledig anders uitzag dan de vorige keer dat ik hier was. Hij had de muren, die de vorige keer nog wit waren geweest, helemaal zwart geverfd. De poster van *The Godfather* en het vaandel van de New England Patriots waren ook weg. Het rook er sterk naar verf en luchtverfrisser.

'Sorry van de muren,' zei mevrouw Parnell. 'Scott is nogal depressief de laatste tijd. Verhuizen kan zwaar zijn. Hij moet echt meer onder de mensen komen.' Ze keek me betekenisvol aan, maar ik deed alsof ik de hint niet snapte.

'Is dat de bladmuziek?' vroeg ik, terwijl ik naar een stapel papier op de grond wees.

Mevrouw Parnell veegde haar handen af aan haar schort. 'Wil je dat ik even help met het vinden van de juiste nummers?'

'O, nee. Het lukt wel, hoor. Ik wil je niet ophouden. Ik ben zo klaar.'

Zodra ze weg was, deed ik de deur dicht. Ik legde mijn telefoon en de hotdog op het bureau tegenover het bed en liep naar de kast. Er lag een stapel spijkerbroeken op een paar witte hoge sportschoenen en er lagen enkele T-shirts. Er hingen drie houthakkersblouses aan hangers. Ik vroeg me af of mevrouw Parnell die had gekocht, want ik kon me niet voorstellen dat Scott die zou dragen.

Onder het bed vond ik een aluminium honkbalknuppel, een honkbalhandschoen en een plant in een pot. Ik belde Vee.

'Hoe ziet marihuana eruit?'

'Vijf blaadjes,' zei Vee.

'Scott kweekt zijn eigen marihuana. Onder zijn bed.'

'Verbaast je dat?'

Niet echt, maar het was wel een verklaring voor de luchtverfrisser. Ik wist niet zeker of Scott zelf blowde, maar hij had waarschijnlijk wel een handeltje. Hij kon het geld wel gebruiken.

'Ik bel als ik iets anders vind,' zei ik. Ik liet mijn telefoon op het bed vallen en draaide langzaam rond in de kamer. Er waren niet veel plekken om iets te verstoppen. Er zat niets onder het bureau geplakt. Er lag niets op de verwarming. Er was niets in zijn laken genaaid. Ik wilde het net opgeven toen mijn blik viel op een plek hoog boven de kast. De muur was beschadigd.

Ik sleepte de bureaustoel ernaartoe en stapte erop. Er was een klein gat in de muur gemaakt, maar de pleisterkalk was vervangen, zodat het leek alsof er helemaal geen gat zat. Ik pakte een kleerhanger en probeerde erbij te komen. Uiteindelijk lukte het me om het vierkante stukje pleister eruit te krijgen. Ik zag een oranje Nike-schoenendoos staan en probeerde de doos naar me toe te trekken met de hanger, maar ik duwde hem alleen maar verder weg.

Ik werd uit mijn concentratie gehaald door een zacht trilgeluid en ik realiseerde me dat het mijn telefoon was. De dekens op Scotts bed dempten het geluid.

Ik sprong van de stoel. 'Vee?' antwoordde ik.

'Je moet nu weg!' siste ze in paniek. 'Scott belde me weer en vroeg wantrouwig om een routebeschrijving naar het pakhuis, maar ik wist niet waar jij hem heen had gestuurd. Ik heb het geprobeerd te rekken en zei dat ik slechts het vriendinnetje was en dat ik niet wist waar de audities gehouden werden. Hij vroeg me in welk pakhuis ze altijd repeteerden en ik zei dat ik dat ook niet wist. Het goede nieuws is dat hij ophing, dus hoefde ik niet nog meer leugens te verzinnen. Het slechte nieuws is dat hij onderweg is naar huis. Nu.'

'Hoeveel tijd heb ik?'

'Aangezien hij net met tachtig kilometer per uur langsscheurde, zou ik zeggen een minuut. Of minder.'

'Vee!'

'Je hoeft mij de schuld niet te geven! Jij nam niet op!'

'Ga hem achterna en probeer tijd te rekken. Ik heb nog twee minuten nodig.'

'Hem achternagaan? Hoe? Ik heb een lekke band.'

'Met je benen!'

'Lopen bedoel je?'

Ik klemde de telefoon onder mijn kin, pakte een stukje papier uit mijn tas en zocht in Scotts bureaula naar een pen. 'Het is nog geen tweehonderd meter! Dat is één rondje om een sportveld. Schiet op!'

'Wat zeg ik als ik hem zie?'

'Dat improviseer je! Dat is wat spionnen doen. Je bedenkt wel iets. Ik moet ophangen.' Ik klapte mijn telefoon dicht.

Waar waren alle pennen? Hoe kon Scott nou een bureau hebben zonder potloden en pennen? Ik vond uiteindelijk een pen in mijn tas. Ik krabbelde snel iets op het papiertje en schoof het onder de hotdog.

Buiten hoorde ik de Mustang de parkeerplaats oprijden.

Ik rende naar de kast en klom voor de tweede keer op de stoel. Ik stond helemaal op mijn tenen en duwde met de kleerhanger tegen de doos.

De voordeur sloeg dicht.

'Scott?' hoorde ik mevrouw Parnell vanuit de keuken roepen. 'Waarom ben je zo vroeg terug?'

Het lukte me om de haak van de hanger onder de deksel van de doos te krijgen en ik trok hem uit zijn bergplaats. Toen de doos halverwege was, deed de zwaartekracht de rest. De doos viel in mijn armen. Ik schoof hem net in mijn tas en duwde de stoel met mijn voet terug naar het bureau toen de deur openvloog.

Scott zag me gelijk. 'Wat doe je?' wilde hij weten.

'Ik verwachtte niet dat je zo snel terug zou zijn,' stamelde ik.

'De auditie was nep, of niet?'

'Ik...'

'Je wilde mij hier weg hebben.' Hij was in twee stappen bij me en greep mijn arm stevig vast. 'Je hebt een hele grote fout gemaakt. Je had hier nooit mogen komen.'

Mevrouw Parnell stond in de deuropening. 'Wat is er aan de hand, Scott? Laat haar los, in hemelsnaam! Ze kwam hier om de bladmuziek die je was vergeten op te halen.'

'Ze liegt. Ik ben mijn bladmuziek helemaal niet vergeten.'

Mevrouw Parnell staarde me aan. 'Is dat waar?'

'Ik heb gelogen,' gaf ik trillend toe. Ik slikte en probeerde kalm te klinken. 'Het zit zo, ik wilde Scott heel graag meevragen naar het midzomernachtfeest in Delphic, maar ik durfde het niet. Dit is echt heel gênant.' Ik liep naar het bureau en gaf hem de hotdog en het papiertje.

'Je bent een hansworst als je niet met me naar het midzomernachtfeest gaat,' las Scott.

'Nou? Wat denk je ervan?' Ik probeerde te glimlachen. 'Ben je een hansworst of niet?'

Scott keek van het papiertje naar de hotdog en toen naar mij. 'Wat?'

'O, is dat niet schattig?' zei mevrouw Parnell. 'Je wilt geen hansworst zijn, toch Scott?'

'Geef ons even een momentje alleen, mam.'

'Is het een gala?' vroeg mevrouw Parnell. 'Dan kan ik alvast bellen naar Todd's Tuxes om een smoking te reserveren...'

'Mám!'

'O, oké. Ik ga naar de keuken. Nora, ik moet toegeven, ik

had geen idee dat je een uitnodiging voor het feest wilde neerleggen. Ik dacht echt dat je op zoek was naar bladmuziek. Heel slim.' Ze knipoogde en deed de deur dicht.

Ik was alleen met Scott en al mijn opluchting verdween.

'Wat doe je hier echt?' herhaalde Scott. Zijn stem was ineens veel killer.

'Ik zei toch...'

'Ik geloof het niet.' Hij keek om zich heen. 'Wat heb je aangeraakt?'

'Ik kwam om je de hotdog te geven. Echt. Ik heb alleen je bureaula opengedaan omdat ik een pen zocht voor het briefje. Ik zweer het.'

Scott liep met grote passen naar zijn bureau en opende iedere la. 'Ik weet dat je liegt.'

Ik liep achteruit naar de deur. 'Weet je wat? Hou de hotdog, maar vergeet het midzomernachtfeest maar. Ik probeerde alleen maar aardig te doen. Ik wilde het goedmaken voor die keer dat Patch je sloeg. Vergeet maar dat dit is gebeurd.'

Hij bestudeerde me in stilte. Ik had geen idee of hij me geloofde, maar het kon me niets schelen. Ik wilde alleen maar zo snel mogelijk weg.

'Ik hou je in de gaten,' zei hij. Zijn stem klonk zo dreigend dat ik ervan schrok. Ik had Scott nog nooit zo ijskoud en vijandig meegemaakt. 'Onthou dat. Iedere keer als je alleen bent, kijk dan over je schouder. Ik hou je in de gaten. Als ik je nog een keer op mijn kamer betrap, ben je dood. Helder?'

Ik slikte. 'Glashelder.'

Op mijn weg naar buiten liep ik langs mevrouw Parnell, die een glas ijsthee stond te drinken bij de open haard. Ze nam een slok, zette het glas op de schoorsteenmantel en gebaarde dat ik moest stoppen.

'Scott is me er eentje, hè?' zei ze.

'Dat kun je wel zeggen, ja.'

'Ik durf te wedden dat je hem nu al hebt gevraagd omdat je wist dat de meisjes voor hem in de rij zouden staan.'

Het midzomernachtfeest was morgenavond en iedereen die ging had allang een date. Maar dat kon ik natuurlijk niet aan mevrouw Parnell vertellen, dus glimlachte ik alleen maar. Ze kon het opvatten hoe ze het wilde.

'Moet ik een smoking voor hem reserveren?' vroeg ze.

'O nee, het is een heel informeel feestje. Spijkerbroek en blouse is prima.' Scott mocht zelf vertellen dat we niet gingen.

Haar gezicht betrok. 'Nou ja, we hebben altijd nog het schoolbal. Ga je hem ook vragen naar het schoolbal?'

'Daar heb ik nog niet over nagedacht. En Scott wil misschien niet met mij.'

'Doe niet zo gek! Jij en Scott kennen elkaar al zo lang. Hij is gek op je.'

Of gewoon gek.

'Ik moet gaan, mevrouw Parnell. Leuk om hier weer eens geweest te zijn.'

'Rij voorzichtig!' riep ze, terwijl ze naar me zwaaide.

Vee stond buiten op de parkeerplaats, voorovergebogen, met haar vuisten op haar knieën. Ze ademde zwaar. Achter op haar T-shirt zat een zweetplek.

'Goed afleidingswerk,' zei ik.

Ze keek op. Haar gezicht was zo roze als een ham van de slagerij. 'Heb je wel eens een auto geprobeerd in te halen?' hijgde ze.

'Je wilt niet weten wat ik heb gedaan. Ik heb Scott mijn hotdog gegeven en gevraagd of hij met me meegaat naar het midzomernachtfeest.'

'Wat heeft de hotdog daarmee te maken?'

'Ik zei dat hij een hansworst was als hij niet mee zou gaan.'

Vee gierde het uit van het lachen. 'Als ik had kunnen zien hoe jij hem een hansworst noemde, had ik nog harder gerend.'

***

Drie kwartier later had Vee's vader de wegenwacht gebeld. De Neon werd weggesleept en ik thuis afgezet. Ik wilde geen tijd meer verliezen. Zodra ik in de keuken was, haalde ik de schoenendoos uit mijn tas. Er zaten meerdere lagen tape omheen gewikkeld, bijna een centimeter dik. Wat Scott ook verborg, hij wilde niet dat iemand het zou vinden.

Ik sneed de tape door met een vleesmes, haalde de deksel van de doos en staarde naar de inhoud. Op de bodem van de doos lag een witte sok.

Ik staarde vol teleurstelling naar de sok. Toen fronste ik. Ik trok de sok aan de bovenkant open en tuurde naar binnen. Mijn knieën knikten.

In de sok zat een ring. Het was een ring van de Zwarte Hand.

Hoofdstuk 19

Ik staarde wezenloos naar de ring en wist niet wat ik ervan moest denken. *Twee ringen?* Ik wist niet wat dat betekende. De Zwarte Hand had dus meer dan één ring, maar waarom had Scott er eentje? En waarom had hij al die moeite gedaan om de ring te verstoppen in zijn muur?

En als hij zich zo schaamde voor het brandmerk op zijn borst, waarom bewaarde hij de ring dan?

In mijn slaapkamer haalde ik mijn cello uit de kast. Ik deed de ring van Scott in het voorvakje van de hoes, naast de andere ring, die ik vorige week in de envelop had gekregen. Ik snapte er niets meer van. Ik was naar Scott gegaan omdat ik op zoek was naar antwoorden, maar was nu nog veel meer in de war. Ik probeerde na te denken over de ringen, misschien kon ik een paar theorieën bedenken, maar mijn hoofd was leeg.

Toen de klok twaalf uur sloeg, controleerde ik nog een keer of ik de deuren wel op slot had gedaan en kroop in bed. Ik legde de kussens in mijn rug, ging rechtop zitten en lakte mijn nagels donkerblauw. Na mijn vingernagels deed ik mijn teennagels. Ik zette mijn iPod aan en las een paar hoofdstukken in mijn scheikundeboek. Ik wist dat ik niet eeuwig zonder slaap kon, maar ik wilde het zo lang mogelijk uitstellen, omdat ik doodsbang was dat Patch mij aan de andere kant weer stond op te wachten.

Ik realiseerde me pas dat ik in slaap was gevallen toen ik wakker werd van een vreemd schrapend geluid. Doodstil wachtte ik tot ik het geluid nog een keer zou horen. De gordijnen waren dicht en de kamer was donker. Voorzichtig stapte ik uit bed en keek door de gordijnen. De achtertuin lag er stil bij. Onverstoord. Bedrieglijk vredig.

Beneden kraakte iets. Ik greep mijn telefoon van mijn nachtkastje en zette de slaapkamerdeur voorzichtig op een kiertje, zodat ik net de gang in kon kijken. Er was niemand. Ik liep de gang op. Mijn hart sloeg zo hard tegen mijn ribben dat ik dacht dat ze zouden breken. Ik was boven aan de trap toen ik hoorde hoe de knop van de voordeur met een klik opendraaide.

De deur ging open en er liep iemand voorzichtig de donkere gang in. Scott was in mijn huis. Hij stond nog geen vijf meter van me af, onder aan de trap. Ik greep mijn telefoon stevig vast, want hij glipte bijna uit mijn zweterige handen.

'Wat doe jij hier?' riep ik naar Scott.

Hij keek verschrikt op en stak zijn handen in de lucht om te laten zien dat hij geen wapen bij zich had. 'We moeten praten.'

'De deur was op slot. Hoe ben je binnengekomen?' Mijn stem was hoog en trillerig.

Hij gaf geen antwoord, maar dat was ook niet nodig. Scott was Nephilim. Hij was ongelofelijk sterk. Ik wist bijna zeker dat hij de deurknop met zijn blote handen had opengedraaid.

'Inbreken is strafbaar,' zei ik.

'Diefstal ook. Jij hebt iets van me gestolen.'

Ik likte mijn lippen. 'Jij hebt een ring van de Zwarte Hand.'

'De ring is niet van mij. Ik... ik heb hem gestolen.' Zijn korte aarzeling vertelde me dat hij loog. 'Geef mij de ring terug, Nora.'

'Niet totdat je me alles vertelt.'

'We kunnen dit ook op een andere manier doen, als je dat wilt.' Hij stapte de eerste tree op.

'Blijf staan!' schreeuwde ik, terwijl ik op mijn telefoon het alarmnummer intoetste. 'Als je nog één stap zet, bel ik de politie.'

'De politie zal er minstens twintig minuten over doen om hier te komen.'

'Dat is niet waar.' Maar we wisten allebei dat dat wel zo was.

Hij stapte de tweede tree op.

'Blijf staan!' riep ik. 'Ik bel de politie. Ik doe het echt.'

'En wat ga je ze dan vertellen? Dat je hebt ingebroken in mijn kamer? Dat je een kostbaar sieraad hebt gestolen?'

'Jouw moeder heeft me binnengelaten,' zei ik nerveus.

'Dat had ze niet gedaan als ze had geweten dat je iets van me zou stelen.' Hij nam nog een stap. De trap kraakte onder zijn gewicht.

Ik probeerde iets te bedenken om hem af te leiden. Tegelijkertijd wilde ik hem dwingen om mij voor eens en voor altijd de waarheid te vertellen. 'Je hebt tegen me gelogen over de Zwarte Hand. Die avond in jouw slaapkamer… wow, wat een toneelstuk. De tranen waren bijna geloofwaardig.'

Ik kon zien dat zijn gedachten op hol sloegen. Hij probeerde te bedenken hoeveel ik wist. 'Ik heb inderdaad gelogen,' zei hij uiteindelijk. 'Ik wilde jou er niet bij betrekken. Je wilt niets te maken hebben met de Zwarte Hand, geloof me.'

'Te laat. Hij heeft mijn vader vermoord.'

'De Zwarte Hand wil wel meer mensen dood hebben. Hij wil mij vermoorden, Nora. Ik heb de ring nodig.' Ineens stond hij op de vijfde tree.

Dood? De Zwarte Hand kon Scott niet vermoorden. Hij was onsterfelijk. Dacht Scott echt dat ik dat niet wist? En waarom wilde hij de ring zo graag terug? Ik dacht dat hij walgde van zijn brandmerk. Ineens bedacht ik iets. 'De Zwarte Hand heeft jou helemaal niet gedwongen, of wel? Jij wilde het brandmerk,' zei ik. 'Jij wilde bij het bloedgenootschap. Jij wilde een gelofte zweren. Daarom heb je de ring gehouden, omdat die een soort heilig symbool is. Heeft de Zwarte Hand je de ring gegeven nadat hij klaar was met het brandmerken?'

Zijn hand sloot zich om de trapleuning. 'Nee. Ik werd gedwongen.'

'Ik geloof je niet.'

Hij kneep zijn ogen samen. 'Denk je nou echt dat ik het zou toestaan dat een of andere psychopaat mij met een brandende ring zou bewerken? Als ik zo trots zou zijn op mijn brandmerk, waarom bedek ik het dan altijd?'

'Omdat het een geheim genootschap is. Een brandmerk is niet zo erg, toch? Als je bedenkt welke voordelen het heeft om lid te zijn van een machtig genootschap?'

'Voordelen? Denk je dat de Zwarte Hand ooit iets voor mij heeft gedaan?' Hij klonk razend. 'Hij is de Dood zelf! Ik kan niet aan hem ontsnappen en geloof me, dat heb ik geprobeerd. Vaker dan ik me kan herinneren.'

Ik nam dit in me op. Scott had daar dus ook over gelogen. 'Hij is teruggekomen,' zei ik, hardop denkend. 'Nadat hij je gebrandmerkt heeft. Je loog toen je zei dat je hem nooit meer gezien had.'

'Natuurlijk is hij teruggekomen!' schreeuwde Scott. 'Hij belde me 's avonds laat op of zat me achterna met een bivakmuts als ik terug naar huis liep van mijn werk. Hij was er altijd.'

'Wat wilde hij?'

Hij keek me bedachtzaam aan. 'Als ik het vertel, geef je me de ring dan terug?'

'Ligt eraan of je me de waarheid vertelt.'

Scott wreef hard met zijn knokkels over zijn hoofd. 'De eerste keer dat ik hem zag was op mijn veertiende verjaardag. Hij vertelde me dat ik geen mens was. Hij zei dat ik Nephilim was, net als hij, en dat ik bij zijn groep moest. Hij zei dat alle Nephilim samen moesten zweren en dat er geen andere mogelijkheid was om onszelf te verlossen van de gevallen engelen.' Scott keek me uitdagend aan, maar ik zag ook angst in zijn ogen, alsof hij bang was dat ik zou denken dat hij gek was. 'Ik dacht dat hij gestoord was. Ik dacht dat hij hallucineerde. Ik bleef hem ontwijken en hij bleef terugkomen. Hij begon me te bedreigen en vertelde me dat de gevallen engelen me zouden vinden zodra ik zestien was. Hij volgde me na school en na mijn werk. Hij zei dat hij mij in de gaten hield en dat ik dankbaar zou moeten zijn. Toen kwam hij erachter dat ik gokschulden had. Hij betaalde ze en dacht dat ik zo blij zou zijn dat ik wel bij zijn groep zou willen. Hij snapte het niet. Ik wilde alleen maar dat hij wegging. Toen ik zei dat mijn vader een straatverbod voor hem zou regelen, sleepte hij me naar het pakhuis, waar hij me vastbond en brandmerkte. Hij zei dat het de enige manier was om mij veilig te houden, dat er een dag zou komen waarop ik het allemaal zou begrijpen en dat ik hem dan dankbaar zou zijn.' De toon in Scotts stem vertelde me dat die dag nooit zou komen.

'Klinkt alsof hij geobsedeerd is door je.'

Scott schudde zijn hoofd. 'Hij vindt dat ik hem verraden heb. Mijn moeder en ik zijn hierheen verhuisd om aan hem te ontsnappen. Zij weet niets van Nephilim of van het brandmerk. Ze denkt dat hij gewoon een stalker is. We zijn verhuisd, maar hij houdt er niet van dat ik wegren en houdt er al helemaal niet van dat ik mijn mond voorbijpraat over zijn geheime sekte.'

'Weet hij dat je in Coldwater bent?'

'Dat weet ik niet. Daarom heb ik de ring nodig. Toen hij mij had gebrandmerkt, gaf hij mij de ring. Hij zei dat ik hem moest bewaren en nieuwe leden moest werven. Als ik de ring zou verliezen, zou er iets heel ergs gebeuren.' Scotts stem trilde. 'Hij is gek, Nora. Hij kan van alles met me doen.'

'Je moet me helpen om hem te vinden.'

Hij kwam nog twee treden omhoog. 'Vergeet het maar. Ik ga niet naar hem op zoek.' Hij stak zijn hand uit. 'Geef me de ring. Hou de boel niet langer op. Ik weet dat je hem hier hebt.'

Instinctief draaide ik me om en rende weg. Ik sloeg de badkamerdeur achter me dicht en deed hem op slot.

'Dit heeft geen zin,' zei Scott door de deur. 'Doe open.' Hij wachtte. 'Denk je dat deze deur mij kan tegenhouden?'

Nee, maar ik wist niet wat ik anders moest doen. Ik stond met mijn rug tegen de achterste muur toen ik een aardappelschilmesje op de wasbak zag liggen. Die bewaarde ik in de badkamer om verpakkingen te openen en kaartjes van mijn kleren te halen. Ik pakte het mesje en stak de punt naar voren.

Scott ramde tegen de deur en hij sloeg open en klapte tegen de muur.

We stonden recht tegenover elkaar en ik stak het mes naar hem uit.

Scott liep op me af, rukte het mes uit mijn handen en stak het naar mij uit. 'Wie is hier nu de baas?' snauwde hij.

De gang achter Scott was donker en het licht van de badkamer verlichtte het verbleekte bloemetjesbehang. De schaduw bewoog zo snel langs het behang dat ik hem bijna niet zag. Rixon verscheen achter Scott, met de koperen lamp in zijn hand die op het tafeltje bij de voordeur stond. Hij sloeg de lamp met een verpletterende klap op Scotts hoofd.

'Oef!' brabbelde Scott, die zich wankelend omdraaide om te zien wat hem had geraakt. In een reflex stak hij het mes uit naar Rixon.

Het mes miste zijn doel en Rixon sloeg met de lamp op Scotts arm, die het mes liet vallen en tegen de muur viel. Rixon schopte het mes de gang in, zodat Scott er niet meer bij kon. Hij haalde vol met zijn vuist uit naar Scotts gezicht en bloed spatte op de muur. Rixon sloeg weer en Scott gleed met zijn rug tegen de muur naar beneden, totdat hij in elkaar gezakt op de grond zat. Rixon greep Scotts kraag en trok hem overeind om hem een derde keer te slaan. Scotts ogen rolden naar achteren.

'Rixon!'

Het was Vee's hysterische stem. Ze kwam de trap op gerend en gebruikte de trapleuning om nog sneller omhoog te klimmen. 'Hou op, Rixon! Je vermoordt hem nog!'

Rixon liet Scott los en deed een stap terug. 'Patch zou mij vermoorden als ik het niet zou doen.' Hij richtte zich tot mij. 'Gaat het?'

Scotts gezicht zat onder het bloed, waardoor mijn maag zich omdraaide. 'Het gaat wel,' zei ik zachtjes.

'Zeker weten? Wil je een glas water? Een deken? Even liggen?'

Ik keek naar Rixon en Vee. 'Wat gaan we nu doen?'

'Ik ga Patch bellen,' zei Rixon, die zijn telefoon openklapte. 'Dit wil hij niet missen.'

Ik was te erg in shock om me ertegen te verzetten.

'We moeten de politie bellen,' zei Vee. Ze keek naar Scotts bewusteloze en gehavende lichaam. 'Moeten we hem vastbinden? Wat als hij wakker wordt en ontsnapt?'

'Als ik klaar ben met dit telefoontje, bind ik hem vast en leg ik hem achter in mijn auto,' zei Rixon.

'Kom eens hier, lieverd,' zei Vee, die haar armen om me heen sloeg. Ze leidde me de trap af, met haar arm om mijn schouder. 'Gaat het?'

'Ja,' antwoordde ik automatisch. Ik was nog steeds helemaal ontsteld. 'Hoe zijn jullie hier gekomen?'

'Rixon kwam langs en we zaten in mijn slaapkamer en toen had ik ineens zo'n griezelig gevoel dat er iets met jou aan de hand was en dat we moesten kijken of het wel goed met je ging. Toen we aan kwamen rijden, zagen we de auto van Scott op de oprit staan. Ik had er gelijk een slecht gevoel bij, helemaal omdat jij zijn slaapkamer hebt doorzocht. Ik vertelde Rixon dat het waarschijnlijk goed mis was en toen ging hij naar binnen en bleef ik in de auto wachten. Ik ben allang blij dat we hier waren voordat er echt iets ergs was gebeurd. Godallemachtig, zeg. Wat dacht hij wel niet om zomaar op je af te komen met een mes?'

Voordat ik haar kon vertellen dat ik het mes eerst op hem had gericht, rende Rixon de trap af. 'Ik heb een bericht achtergelaten voor Patch,' zei hij. 'Hij zal hier zo wel zijn. Ik heb ook de politie gebeld.'

Twintig minuten later reed rechercheur Basso met zwaailichten de oprit op. Scott kwam langzaam weer bij en kronkelde en kreunde in de achterbak van Rixons auto. Zijn gezicht was opgezwollen en zijn handen zaten vastgebonden op zijn rug. Rechercheur Basso trok hem uit de auto en verving het touw door handboeien.

'Ik heb niets gedaan,' zei Scott. Zijn lip was één dikke massa opgedroogd bloed.

'Dus jij vindt inbraak niets?' vroeg rechercheur Basso. 'Grappig, want in de wet staat iets heel anders.'

'Ze heeft iets van mij gestolen.' Scott gebaarde met zijn kin in mijn richting. 'Vraag het haar maar. Ze was eerder vanavond in mijn slaapkamer.'

'Wat heeft ze gestolen?'

'Ik... daar kan ik niet over praten.'

Rechercheur Basso keek naar mij voor bevestiging.

'Ze was de hele avond bij ons,' zei Vee snel. 'Toch, Rixon?'

'Ja, zeker,' zei Rixon.

Scott keek me met een verraderlijke blik aan. 'Nu ben je ineens niet meer zo'n brave nerd, hè?'

Rechercheur Basso negeerde hem. 'Laten we het eens even hebben over dat mes.'

'Zij had het mes eerst!'

'Je had bij mij ingebroken,' zei ik. 'Het was zelfverdediging.'

'Ik wil een advocaat,' zei Scott.

Rechercheur Basso glimlachte ongeduldig. 'Een advocaat? Je klinkt schuldig, Scott. Waarom bedreigde je haar met een mes?'

'Dat deed ik niet. Ik heb het mes alleen van haar afgepakt. Ze wilde me neersteken.'

'Hij kan goed liegen, dat moet je hem nageven,' zei Rixon.

'Je staat onder arrest, Scott Parnell,' zei rechercheur Basso, die Scotts hoofd beschermde, terwijl hij hem op de achterbank van de politiewagen duwde. 'Je hebt het recht om te zwijgen.'

Scott bleef vijandig kijken, maar onder alle sneeën en blauwe plekken kon ik zien dat hij lijkbleek was. 'Je begaat een grote fout,' zei hij, terwijl hij mij recht aankeek. 'Als ik de cel in ga, zit ik als een rat in de val. Hij zal me vinden en me vermoorden. De Zwarte Hand gaat me vermoorden.'

Hij klonk oprecht bang, maar ik wist niet of ik hem moest feliciteren met zijn mooie toneelstukje of dat ik moest geloven dat hij echt geen idee had waar hij als Nephilim toe in staat was. Hoe kon hij lid zijn van een bloedgenootschap van Nephilim en geen idee hebben dat hij onsterfelijk was? Hoe kon het dat het genootschap hem dat niet had verteld?

Scott hield zijn blik op mij gericht. Hij keek nu smekend. 'Dit is het einde, Nora. Als ik hier wegga, ben ik dood.'

'Ja, ja,' zei rechercheur Basso, die de deur hard dichtsloeg. Hij keek naar mij. 'Denk je dat het je lukt om de rest van de avond uit de problemen te blijven?'

Hoofdstuk 20

Ik deed mijn slaapkamerraam open en ging op de vensterbank zitten. Ik dacht na. Een verfrissend briesje en een koor van nachtelijke insecten hielden me gezelschap. Aan de overkant van het veld brandde een licht in een van de huizen. Het voelde op een vreemde manier geruststellend dat er ergens nog iemand wakker was op dit tijdstip.

Nadat rechercheur Basso was weggereden met Scott, hadden Vee en Rixon de voordeur geïnspecteerd.

'Ja hoor!' had Vee geroepen, terwijl ze de deur bekeek. 'Hoe heeft Scott het slot omgebogen? Met een soldeerbout?'

Rixon en ik wisselden een betekenisvolle blik uit.

'Ik kom morgen wel even een nieuw slot installeren,' zei hij.

Dat was twee uur geleden geweest en Rixon en Vee waren allang weer weg. Ze hadden me achtergelaten met mijn eigen gedachten. Ik wilde niet aan Scott denken, maar mijn gedachten dwaalden toch naar hem af. Had hij overdreven gereageerd of zou ik morgen horen dat hij op onverklaarbare wijze in elkaar geslagen was in een politiecel? Hoe dan ook, hij zou niet doodgaan. Een paar blauwe plekken misschien, maar niet dood. Ik wilde niet denken aan wat de Zwarte Hand nog meer zou kunnen doen. Als de Zwarte Hand al een bedreiging was.

Scott wist niet eens zeker of de Zwarte Hand wist dat hij in Coldwater was.

Ik vertelde mezelf dat ik op dit moment niets aan de situatie kon veranderen. Scott had bij mij ingebroken en een mes op mij gericht. Het was zijn eigen schuld dat hij nu in de cel zat. Hij zat opgesloten en was veilig. Ironisch genoeg zou ik ook wel willen dat ik in de cel zat vanavond. Als Scott lokaas was voor de Zwarte Hand, wilde ik er zijn om hem voor eens en voor altijd te confronteren.

Mijn concentratie verzwakte door mijn behoefte aan slaap, maar ik deed mijn best om na te denken over de informatie die ik had. Scott was gebrandmerkt door de Zwarte Hand, een Nephil. Rixon had gezegd dat Patch de Zwarte Hand was, een engel. Het leek bijna alsof ik op zoek was naar twee verschillende personen met dezelfde naam...

Het was al lang en breed middernacht geweest, maar ik wilde niet slapen. Niet als dat betekende dat ik mezelf blootstelde aan Patch, zodat hij zijn web om mij heen kon sluiten en mij kon verleiden met woorden en zijn zachte aanraking. Daardoor zou ik alleen maar meer in de war raken. Ik wilde niet slapen. Ik wilde antwoorden. Nog steeds was ik niet naar het appartement van Patch geweest en had nu meer dan ooit het gevoel dat ik de antwoorden daar kon vinden.

Ik trok een donkere strakke spijkerbroek en een zwart strak T-shirt aan. Er was regen voorspeld, dus ging ik voor sportschoenen en mijn waterdichte windjack.

Ik nam een taxi naar de meest oostelijke rand van Coldwater. De rivier glom als een brede, zwarte slang. De fabrieksschoorstenen aan de overkant van de rivier leken vanuit mijn ooghoek wel opdoemende monsters. Toen ik een stukje langs de rivier liep, zag ik twee appartementencomplexen. Ze waren allebei drie verdiepingen hoog. Ik liep de hal van het eerste gebouw binnen. Het was er doodstil en ik nam aan dat alle bewoners netjes in hun bed lagen. Ik liep langs de brievenbussen, maar zag nergens de naam Cipriano staan. Dat was ook logisch. Als Patch zoveel moeite deed om zijn huis verborgen te houden, zou hij natuurlijk niet zo dom zijn om zijn naam op zijn brievenbus te zetten. Ik nam de trap naar boven. Appartementen 3a, b en c. Geen appartement 34. Ik jogde de trap weer af en liep naar het tweede gebouw.

Ik deed de deur open en liep een kleine hal binnen met versleten tegels en een dun laagje verf op de muur, dat de rood met zwarte graffiti maar net bedekte. Net als in het vorige gebouw stond achter in de hal een rij brievenbussen. Naast de voordeur stond een airconditioner te zoemen. Er was een ouderwetse kooilift en de deuren stonden open. Het leken wel ijzeren kaken, die klaarstonden om mij op te slokken. Ik liet de lift voor wat hij was en nam de trap. Het gebouw voelde eenzaam en verlaten. Een plek waar de buren elkaar met rust lieten. Een plek waar niemand elkaar kende en geheimen makkelijk bewaard konden worden.

Het was doodstil op de bovenste verdieping. Ik liep langs appartement 31, 32 en 33. Helemaal aan het eind was nummer 34. Ik vroeg me ineens af wat ik zou doen als Patch thuis was. Ik kon alleen maar hopen dat dat niet zo was. Ik klopte aan, maar er gebeurde niets. Ik probeerde de deurklink en tot mijn verrassing gaf hij mee.

Ik tuurde de duisternis in, stond even doodstil en luisterde of ik iets hoorde bewegen.

Naast de deur was een lichtknop, maar het licht ging niet aan. De lampen waren opgebrand of de elektriciteit was afgesloten. Ik haalde de zaklamp uit mijn jas, stapte de drempel over en deed de deur weer achter me dicht.

Er hing een enorm sterke geur van bedorven eten. Ik scheen

met mijn zaklamp in de richting van de keuken. Er stond een pan met roerei, waarschijnlijk al een paar dagen oud. Ook stond er melk die zo te ruiken al een tijd geleden zuur was geworden. Ik had me het huis van Patch heel anders voorgesteld, maar dit bewees alleen maar dat ik lang niet alles van hem wist.

Ik legde mijn sleutels en handtas op het aanrecht en trok mijn shirt over mijn neus tegen de stank. De muren waren kaal en er stonden niet veel meubels. In de woonkamer stonden een oude televisie met een antenne, waarschijnlijk zwart-wit, en een sjofele bank. Ze stonden weg van het raam, dat was afgeplakt met papier.

Ik hield de zaklamp laag en liep de gang in naar de badkamer, waar alleen een beige douchegordijn hing, dat waarschijnlijk ooit wit was geweest. Een vieze hotelhanddoek hing over het rekje. Geen zeep, geen scheermesje, geen scheerschuim. De linoleumvloer zat los aan de randjes en het medicijnkastje boven de wasbak was leeg.

Ik liep naar de slaapkamer. Ik greep de deurklink en opende de deur, die naar binnen openging. Er hing een muffe geur van zweet en ongewassen beddengoed. Het licht werkte niet en ik meende dat het veilig genoeg was om de luxaflex omhoog te doen. Ik deed het raam open zodat er wat frisse lucht naar binnen kon komen. De straatverlichting scheen naar binnen en wierp een grijze gloed op de kamer.

Op het nachtkastje stond een stapel borden met aangekoekt eten en hoewel er wel lakens op het bed lagen, zagen ze er niet bepaald frisgewassen uit. Afgaand op de geur waren ze waarschijnlijk al maanden niet meer gewassen. In de hoek stond een klein bureau met een monitor. De computer zelf was weg en het viel me op dat Patch enorm veel moeite had gedaan om echt alle sporen die naar hem zouden kunnen leiden, uit te wissen.

Ik hurkte voor het bureau en opende alle laden. Ik zag niets onopvallends: potloden en de Gouden Gids. Op het moment dat ik de slaapkamer wilde verlaten, zag ik dat er een klein, zwart juwelendoosje met tape aan de onderkant van het bureau zat geplakt. Ik ging met mijn hand onder het bureau en rukte het doosje los van de tape. Ik deed de deksel open en er trok een rilling over mijn rug.

In het doosje zaten zes ringen van de Zwarte Hand.

Aan het einde van de gang hoorde ik de voordeur opengaan.

Ik sprong op. Was Patch teruggekomen? Hij mocht mij niet betrappen. Niet nu ik de ringen van de Zwarte Hand had gevonden in zijn appartement.

Ik keek om me heen om te zien of ik me ergens kon verstoppen. Het tweepersoonsbed stond tussen mijzelf en de kast in. Als ik om het bed heen zou lopen, moest ik langs de deur en liep ik het risico om gezien te worden. Als ik over het bed heen zou klimmen, zou het matras kunnen piepen.

De voordeur ging met een zachte klik weer dicht. Er klonken stevige voetstappen op de linoleumvloer in de keuken. Ik zag geen andere optie. Ik klom op de vensterbank, zwaaide mijn benen naar buiten en liet me zo zachtjes mogelijk op de brandtrap vallen. Ik probeerde het raam achter me dicht te trekken, maar het zat klem en het lukte me niet. Ik dook zo ver mogelijk naar beneden, zodat ik nog net de kamer in kon kijken.

Er verscheen een schaduw in de gang. De schaduw kwam dichterbij en ik dook naar beneden.

Ik was bang dat het nu allemaal afgelopen was. Ik zou worden betrapt. Maar de voetstappen verwijderden zich weer. Ongeveer een minuut later ging de voordeur open en dicht. Het appartement was weer griezelig stil.

Langzaam ging ik staan. Ik bleef nog even een minuut wachten en toen ik zeker wist dat het appartement echt leeg was, kroop ik weer naar binnen. Ik voelde me ineens opvallend en kwetsbaar. Ik wilde ergens heen waar het stil was, waar ik kon nadenken, want ik snapte het niet. Het was nu overduidelijk dat Patch de Zwarte Hand was, maar wat was zijn link met het bloedgenootschap van Nephilim? Wat was zijn rol? *Wat was er in hemelsnaam aan de hand?* Ik sloeg mijn handtas over mijn schouder en liep naar de voordeur.

Ik had mijn hand al op de deurklink toen een vreemd geluid mijn gedachten binnendrong. Een klok. Het zachte, ritmische getik van een klok. Ik fronste en liep weer naar de keuken. Het geluid was er niet geweest toen ik binnenkwam. Of tenminste... ik dacht van niet. Ik spitste mijn oren en volgde het geluid. Ik hurkte bij het keukenkastje onder de gootsteen.

Met het gevoel dat er iets helemaal mis was, opende ik langzaam het kastje. Door al mijn paniek en verwarring heen probeerde ik te snappen wat ik op slechts een centimeter van mijn knieën zag. Staven dynamiet. Tape. Witte, blauwe en gele draadjes.

Ik krabbelde overeind en rende de voordeur uit. Mijn benen kletterden zo snel de trap af dat ik de leuning moest vasthouden om niet te vallen. Beneden holde ik de deur uit en rende de straat op. Ik keek nog één keer achterom. Ik zag een lichtflits, gevolgd door vlammen die uit een raam op de bovenste verdieping knalden. Rook golfde de nacht in. Stukken steen en hout, gloeiend oranje van de hitte, regenden naar beneden.

Het verre geluid van sirenes weerkaatste tegen de gebouwen en ik liep snel naar de volgende zijstraat. Ik was doodsbang dat ik de aandacht op mezelf zou vestigen, dus durfde ik niet te rennen, maar ik wilde ook zo snel mogelijk weg. Toen ik de hoek om was, rende ik zo hard als ik kon, maar wist niet waarheen. Mijn hart ging tekeer en mijn gedachten tolden. Als ik nog een minuut langer in het appartement was gebleven, was ik dood geweest.

Een bevende snik ontsnapte uit mijn keel. Ik had een loopneus en mijn maag trok samen. Ik veegde mijn ogen droog met de achterkant van mijn hand en probeerde me te concentreren op de vormen in het donker: straatbordjes, geparkeerde auto's, de stoeprand, de bedrieglijke gloed van straatlantaarns op de ruiten. In slechts een paar seconden was de wereld veranderd in een verwarrend doolhof. De waarheid dan weer hier en dan weer daar, onder me vandaan getrokken en verdwijnend als ik haar bijna had.

Had iemand geprobeerd het bewijs in het appartement op te blazen? Wilde iemand de ringen van de Zwarte Hand vernietigen? Zat Patch hier zelf achter?

Even verderop doemde een benzinestation op. Ik strompelde naar het openbare toilet en sloot mezelf op. Mijn knieën knikten en mijn vingers trilden zo hard dat het me bijna niet lukte om de kraan open te draaien. Ik gooide ijskoud water in mijn gezicht, om te voorkomen dat ik in shock zou raken. Ik zette mijn handen op de wasbak en hapte snikkend naar lucht.

Hoofdstuk 21

Ik had al zesendertig uur niet geslapen, behalve dat halve uurtje donderdagavond, toen Patch mij had opgezocht in mijn droom.

Het was niet moeilijk geweest om de hele nacht wakker te blijven. Iedere keer dat mijn ogen dichtvielen, schoot de explosie weer door mijn hoofd en schoot ik rechtovereind. Het lukte me niet om te slapen en ik dacht de hele nacht aan Patch.

Toen Rixon me had verteld dat Patch de Zwarte Hand was, was dat het begin geweest van een wantrouwen dat steeds groter was geworden, maar dat me niet helemaal had verstikt. Nog niet. Er was nog steeds een gedeelte van mij dat niet kon geloven dat Patch mijn vader had vermoord. Ik beet hard op mijn lip en probeerde me te concentreren op de pijn, in plaats van me al die keren te herinneren dat hij mijn lippen had gestreeld met zijn vinger, of mijn hals had gekust. Ik kon niet denken aan die dingen.

Om zeven uur deed ik geen moeite uit bed te kruipen en naar school te gaan. In de loop van de ochtend had ik meerdere berichten achtergelaten voor rechercheur Basso en 's middags had ik weer ieder uur gebeld. Hij had me niet teruggebeld. Ik maakte mezelf wijs dat ik wilde controleren hoe het met Scott ging, maar diep vanbinnen wist ik dat ik eigenlijk gewoon wilde weten dat de politie dichtbij was. Ik had dan wel een hekel aan rechercheur Basso, maar ik voelde me een stuk veiliger als ik wist dat hij slechts een telefoontje van mij verwijderd was. Want ik begon langzaam te geloven dat het gisteravond misschien niet was gegaan om het vernietigen van bewijs.

Wat als iemand had geprobeerd me te vermoorden?

Toen ik gisteravond alles had overdacht, had ik alle puzzelstukjes heen en weer geschoven, in een poging ze te laten passen. Het enige wat steeds terugkwam was het bloedgenootschap. Patch had gezegd dat Chaunceys opvolger zijn dood wilde wreken. Patch had gezworen dat niemand kon weten dat ik afstamde van Chauncey, maar ik begon te vermoeden dat dat niet waar was. Als zijn opvolger van mijn bestaan wist, was gisteravond misschien de eerste poging tot wraak geweest.

Het leek me onwaarschijnlijk dat iemand me naar Patch' appartement was gevolgd op dat tijdstip, maar als ik één ding wist over Nephilim, was het dat ze onvoorspelbaar waren.

Mijn telefoon ging en ik nam na een halve keer overgaan al op.

'Hallo?'

'Laten we naar het midzomernachtfeest gaan,' zei Vee. 'We eten een suikerspin, gaan in een paar attracties, langs een waarzegger en daarna gaan we zo los dat MTV het niet eens zou durven uitzenden.'

Mijn hart, dat in mijn keel had geklopt, zakte weer terug op zijn plek. Geen rechercheur Basso. 'Hé.'

'Wat zeg je ervan? Ben je in de stemming voor een beetje actie? Ben je in de stemming voor Delphic?'

Dat was ik niet. Ik was eigenlijk van plan om rechercheur Basso ieder uur te bellen, totdat hij een keer opnam.

'Aarde aan Nora.'

'Ik voel me niet zo lekker,' zei ik.

'Hoe bedoel je? Buikpijn? Hoofdpijn? Misselijk? Voedselvergiftiging? Want voor al die dingen is Delphic het beste medicijn.'

'Ik ga niet mee, sorry.'

'Is dit vanwege Scott? Want hij zit in de cel. Hij kan niet bij je komen. Ga gewoon gezellig mee. Rixon en ik zullen niet voor je neus gaan zoenen, als je daar soms bang voor bent.'

'Ik ga mijn pyjama aantrekken en een film kijken.'

'Probeer je nu te zeggen dat dat leuker is dan een avond met mij?'

'Vanavond wel.'

'Weet je wat een leuke film is? Die film van dat meisje dat haar beste vriendin bleef lastigvallen totdat ze meeging naar Delphic.'

'Vee...'

'Dus maak het jezelf gemakkelijk en zeg gewoon ja.'

Ik slaakte een zucht. Ik kon de hele avond thuis zitten wachten tot rechercheur Basso zijn telefoon op zou nemen, of ik kon er even tussenuit en daarna weer verdergaan. Bovendien had hij mijn mobiele nummer en zou hij mij overal kunnen bereiken.

'Oké,' zei ik tegen Vee. 'Geef me tien minuten.'

In mijn slaapkamer trok ik een strakke spijkerbroek, een T-shirt met opdruk en een vest aan. Ik maakte mijn outfit af met suède mocassins. Ik deed mijn haar in een lage staart en trok hem scheef zodat hij over mijn rechterschouder hing. Door de vermoeidheid zaten er donkere kringen onder mijn ogen. Ik deed wat mascara, zilveren oogschaduw en lipgloss op en hoopte dat ik er wakkerder en beter uitzag dan ik me voelde. Op het aanrecht liet ik een kort briefje voor mijn moeder achter. Ik schreef dat ik naar het midzomernachtfeest in Delphic was. Ze zou morgenochtend pas terugkomen, maar ze had me al vaak genoeg verrast door eerder thuis te komen. Als ze vanavond thuiskwam, zou het waarschijnlijk de eerste keer zijn dat ze zou willen dat ze langer weg was gebleven. Ik had geoefend wat ik tegen haar zou zeggen. Wat ik ook deed, ik kon haar niet meer recht aankijken nu ik wist van haar affaire met Hank. En ik wilde niet dat ze er een woord tussen zou krijgen voordat ik haar vertelde dat ik ergens anders ging wonen. Ik had het zo gepland dat ik precies op dat moment weg zou lopen. Ik wilde haar duidelijk maken dat het te laat was om te praten. Als ze mij de waarheid had willen vertellen, had ze dat zestien jaar geleden moeten doen. Nu was het te laat.

Ik sloot het huis af en rende de oprit af om op Vee te wachten.

Een uur later parkeerde Vee de Neon met moeite tussen twee grote auto's. We stapten aan de achterkant uit om te voorkomen dat we de lak van de andere auto's zouden beschadigen wanneer we de portieren openden. We liepen de parkeerplaats over en betaalden de entree. Het park was op deze langste dag van het jaar nog drukker dan normaal. Ik herkende direct een paar gezichten van school, maar voelde me voornamelijk alsof ik in een zee van onbekenden stond. De meeste mensen droegen glittermaskers die meer dan de helft van hun gezicht bedekten. Verderop stond waarschijnlijk iemand die ze verkocht.

'Waar zullen we beginnen?' vroeg Vee. 'De speelhal? De cakewalk? De hotdogkraam? Ik vind zelf dat we eerst iets moeten eten. Dan eten we de rest van de avond minder.'

'Heb je die theorie zelf bedacht?'

'Als we pas op het laatst iets gaan eten, hebben we supererge honger. Ik eet altijd meer als ik heel erg honger heb.'

Het maakte mij niet uit waar we begonnen. Ik was hier alleen om mezelf een paar uur af te leiden. Ik keek op mijn telefoon maar had geen gemiste oproepen. Waarom duurde het zo lang voordat rechercheur Basso terugbelde? Was er iets met hem gebeurd? Ergens achter in mijn gedachten bekroop me een donker gevoel. Een gevoel dat er iets helemaal mis was.

'Wat zie je bleek,' zei Vee.

'Ik zei toch al dat ik me niet lekker voelde.'

'Dat komt omdat je niet genoeg gegeten hebt. Ga zitten. Ik ga wel even suikerspinnen en hotdogs voor ons halen. Denk gewoon aan al die mayonaise en mosterd. Ik weet niet hoe het met jou zit, maar ik voel me altijd stukken beter als ik er alleen al aan denk.'

'Ik heb geen honger, Vee.'

'Natuurlijk heb je honger. Iedereen heeft honger. Daarom staan hier allemaal van die kraampjes.' Voordat ik haar kon tegenhouden, liep ze de menigte in.

Ik ijsbeerde over het pad en wachtte op Vee toen mijn telefoon ging. Het was rechercheur Basso.

'Eindelijk,' zei ik.

'Nora, waar ben je?' zei hij zodra ik opnam. Hij praatte snel en ik hoorde aan zijn stem dat er iets aan de hand was. 'Scott is ontsnapt. Het hele korps is naar hem op zoek, maar ik wil dat jij bij hem uit de buurt blijft. Ik kom je ophalen en je blijft bij mij totdat we hem hebben. Ik ben nu onderweg naar jouw huis.'

Het leek wel of mijn keel werd samengeknepen en het lukte me amper om de woorden uit mijn mond te krijgen. 'Wat? Hoe heeft hij dat gedaan?'

Rechercheur Basso aarzelde even voordat hij antwoordde. 'Hij heeft de tralies van zijn cel omgebogen.'

Uiteraard. Hij was Nephilim. Twee maanden geleden had ik gezien hoe Chauncey mijn telefoon met één hand kapot had geknepen. Het viel te verwachten dat Scott zijn Nephilimkracht zou gebruiken om te ontsnappen uit zijn cel.

'Ik ben niet thuis,' zei ik. 'Ik ben in het pretpark in Delphic.' Zonder dat ik het doorhad wierp ik een blik op de menigte, op zoek naar Scott. Maar hij kon niet weten dat ik hier was. Nadat hij was ontsnapt, was hij waarschijnlijk gelijk naar mijn huis gereden, in de verwachting mij daar te vinden. Ik was Vee enorm dankbaar dat ze me had meegesleept. Scott was waarschijnlijk nu bij mijn huis…

De telefoon glipte bijna uit mijn hand. Het briefje. Op het aanrecht. Het briefje aan mijn moeder dat ik in Delphic was.

'Ik denk dat hij weet waar ik ben,' zei ik tegen rechercheur Basso. Ik voelde de paniek in me opkomen. 'Hoe snel kunnen jullie hier zijn?'

'Delphic? Dertig minuten. Ga naar de beveiliging. Wat je ook doet, hou je telefoon bij je. Als je Scott ziet, bel me dan onmiddellijk.'

'Er is geen beveiliging hier,' zei ik. Mijn mond was kurkdroog. Het was algemeen bekend dat het pretpark geen beveiliging had. Daarom vond mijn moeder het nooit zo fijn als ik hierheen ging.

'Dan moet je daar nu weg,' beval hij. 'Rij terug naar Coldwater, naar het politiebureau. Lukt dat?'

Ja, dat lukte wel. Vee kon me een lift geven. Ik liep al in de richting waarin Vee was verdwenen en keek of ik haar zag in de menigte.

Rechercheur Basso ademde diep uit. 'Het komt wel goed. Schiet alleen wel op. Ik stuur mensen naar Delphic om Scott te zoeken. We vinden hem wel.' De angst in zijn stem stelde me niet gerust.

Ik hing op. Scott was ontsnapt. De politie was onderweg en het kwam allemaal goed. Ik moest alleen wel direct weg. Ik bedacht snel een plan. Eerst moest ik Vee vinden. En ik moest niet zo in het zicht blijven staan. Als Scott nu het pad op zou komen lopen, zou hij me gelijk zien.

Ik rende naar de hotdogkraampjes toen iemand zijn elleboog in mijn rib zette. Het gebeurde zo krachtig dat ik gelijk wist dat het niet per ongeluk ging. Ik draaide me om en zag een bekend gezicht. Het eerste wat me opviel was zijn glimmende zilveren oorring. Het tweede was hoe erg zijn gezicht eraan toe was. Zijn neus was gebroken en stond scheef. Onder allebei zijn ogen zaten donkerblauwe en paarse plekken.

Voordat ik het wist, pakte Scott me bij mijn elleboog en duwde mij het pad op.

'Laat me los,' zei ik, terwijl ik me verzette. Maar Scott was sterker en ik kwam niet los uit zijn grip.

'Natuurlijk, Nora. Maar nadat je me vertelt waar hij is.'

'Waar wat is?' zei ik uitdagend.

Hij lachte zonder humor.

Ik probeerde mijn uitdrukking zo kalm mogelijk te houden, maar mijn gedachten raasden door mijn hoofd. Als ik hem zou vertellen dat de ring thuis lag, zou hij het park verlaten en mij waarschijnlijk meeslepen. Als de politie dan kwam, zouden ze ons allebei niet kunnen vinden. Met Scott erbij zou ik rechercheur Basso niet kunnen bellen om hem te vertellen dat we onderweg waren naar mijn huis. Nee, ik moest hem hier houden.

'Heb je de ring aan Vee's vriendje gegeven? Dacht je dat hij daar veilig was? Ik weet dat hij niet... normaal is.' Scott had weer die angstige onzekerheid in zijn ogen. 'Ik weet dat hij dingen kan die andere mensen niet kunnen.'

'Net als jij?'

Scott staarde me aan. 'Hij is niet zoals ik. Hij is niet hetzelfde. Zoveel weet ik nog wel. Ik ga je geen pijn doen, Nora. Ik heb alleen de ring nodig. Geef me de ring en je zult me nooit meer zien.'

Hij loog. Hij zou me wel pijn doen. Hij was zo wanhopig dat hij was ontsnapt uit de gevangenis. Niets ging hem te ver, als hij de ring maar terugkreeg. De adrenaline pompte door mijn lijf en ik kon niet helder nadenken. Maar ergens achter in mijn gedachten zei mijn overlevingsinstinct dat ik de situatie onder controle moest krijgen. Ik moest wegkomen van Scott. 'Ik heb de ring,' zei ik zonder er verder over na te denken.

'Ik weet dat je de ring hebt,' zei hij ongeduldig. 'Waar?'

'Hier. Ik heb hem bij me.'

Hij keek me even aarzelend aan en rukte toen mijn handtas van mijn arm. Hij trok hem open en doorzocht de inhoud.

Ik schudde mijn hoofd. 'Ik heb hem weggegooid.'

Hij duwde de handtas terug in mijn handen. Ik drukte hem tegen me aan. 'Waar?' wilde hij weten.

'Een prullenbak bij de ingang,' zei ik automatisch. 'In een van de damestoiletten.'

'Breng me erheen.'

Terwijl we over het pad liepen, probeerde ik kalm te blijven en de volgende stap te bedenken. Kon ik rennen? Nee, Scott zou me inhalen. Kon ik me verstoppen in de damestoiletten? Niet oneindig. Scott was niet verlegen en hij zou het geen probleem vinden om de damestoiletten in te lopen. Maar ik had mijn telefoon nog steeds. Ik kon rechercheur Basso bellen op de toiletten.

'Daar,' zei ik, terwijl ik naar een van de toiletgebouwtjes wees. De ingang van de damestoiletten was recht vooruit, onder aan een aflopend stuk cement. De herentoiletten waren aan de achterkant van het gebouw.

Scott greep mijn schouders en schudde me door elkaar. 'Waag het niet om tegen me te liegen. Ze vermoorden me als ik de ring verlies. En als jij tegen mij liegt...' Hij brak zijn zin af, maar ik wist wat hij had willen zeggen. *Als jij tegen mij liegt, vermoord ik jou.*

'Hij ligt echt hier.' Ik knikte, meer om mezelf te overtuigen dan om hem gerust te stellen. 'Ik ga hem nu pakken. En daarna laat je me met rust, oké?'

In plaats van antwoord te geven, stak Scott zijn hand uit. 'Je telefoon.'

Mijn hart sloeg op hol, maar ik had weinig keus en gaf hem mijn telefoon. Mijn hand trilde, maar ik probeerde het te verbergen. Ik wilde niet dat hij zou weten dat ik een plan had gehad en dat hij dat net verijdeld had.

'Je hebt één minuut. Probeer niets stoms uit te halen.'

Binnen keek ik snel om me heen. Vijf wasbakken tegen één muur en vijf toiletten tegen de andere muur. Twee meisjes van een jaar of twintig stonden bij de wasbakken en wasten hun handen. In de muur tegenover de ingang zat een klein raampje, dat openstond. Ik wilde geen tijd verspillen, dus zette ik een voet op de laatste wasbak en trok mezelf omhoog. Het raam zat nu op ellebooghoogte. Het zou krap worden. Ik voelde hoe de twee meisjes naar me keken, maar negeerde ze en zette mijn handen op de rand van het raam. Ik lette niet op de vogelpoep en de spinnenwebben.

Toen ik het raam verder openduwde, kwam het los en viel met een harde klap buiten op de grond. Ik ademde diep in en was bang dat Scott het had gehoord, maar de menigte buiten op het pad had het geluid overstemd. Ik trok mezelf op, zodat ik met mijn bovenlichaam buiten hing. Ik tilde mijn linkerbeen op en duwde dat door het raam. Mijn rechterbeen was er het laatst uit. Ik hing aan het kozijn en liet me vallen op de stoep, waar ik even gehurkt bleef zitten. Ik verwachtte bijna dat Scott eraan zou komen.

Toen rende ik naar het grote pad en glipte de menigte in.

Hoofdstuk 22

De duisternis strekte zich uit over de lucht en overschaduwde de bleke stroken licht aan de horizon. Ik liep zo snel als ik kon naar de uitgang van het park. Ik zag de hekken al en was er bijna. Ik baande me een weg door de menigte aan de rand van het park maar stopte toen abrupt. Op nog geen honderd meter afstand liep Scott heen en weer voor de uitgang. Hij bestudeerde iedereen die naar binnen en buiten liep. Hij was erachter gekomen dat ik uit het toiletgebouw was ontsnapt en blokkeerde nu de enige uitgang. Om het hele park stond een hoog hek met prikkeldraad en de enige uitgang was bij de hekken, waar Scott nu stond. Hij wist dat natuurlijk ook.

Ik draaide me snel om en liet me weer opslokken door de menigte, zo nu en dan achteromkijkend om te zien of Scott me had gezien.

Steeds verder liep ik het park in omdat ik zo ver mogelijk bij Scott vandaan wilde zien te komen. Ik zou me kunnen verstoppen in de duisternis van de cakewalk tot de politie er was, of ik kon in het reuzenrad gaan zitten, zodat ik hem van bovenaf in de gaten kon houden. Zolang hij niet omhoogkeek, zou ik veilig zijn. Maar als hij mij wel zou zien, zou hij me natuurlijk opwachten. Ik besloot om te blijven lopen en in het drukste gedeelte van het park te blijven. Ik moest gewoon wachten tot de politie er was.

Het pad splitste in tweeën bij het reuzenrad. Eén pad ging naar de wildwaterbaan en het andere naar de Aartsengel, de grote achtbaan. Ik nam het laatste pad… en zag Scott. Hij zag mij ook. Hij stond op het andere pad en het enige wat tussen ons in stond, was het reuzenrad. Een jongen en een meisje stapten net in een zitje en Scott verdween even uit het zicht. Ik greep dat moment aan om te rennen.

Ik baande me een weg door de menigte, maar de paden waren vol en het lukte me amper om vooruit te komen. Bovendien waren de paden in dit gedeelte van het park omheind met hoge struiken en werd de mensenmassa door een labyrint van bochten en hoeken gestuurd. Ik durfde niet achterom te kijken, maar ik wist dat Scott niet ver kon zijn. Hij zou mij toch niets aandoen waar al deze mensen bij waren? Ik schudde mijn hoofd om de gedachte los te laten en concentreerde me op het pad. Ik was nog maar drie of vier keer in Delphic geweest, altijd 's avonds, en wist niet zo goed hoe het park in elkaar stak. Ik kon mezelf wel voor mijn kop slaan dat ik geen plattegrond had gepakt bij de ingang. Het was behoorlijk ironisch dat ik dertig seconden geleden nog wegrende van de uitgang maar daar nu meer dan wat dan ook heen wilde.

'Hé! Kijk uit!'

'Pardon,' zei ik buiten adem. 'Waar is de uitgang?'

'Is er brand of zo? Doe eens rustig, man.'

Ik duwde de mensen opzij. 'Pardon. Ik moet erdoor. Sorry.' Boven de hoge struiken flikkerden de lichten van de attracties tegen de donkere lucht. Ik was op een kruispunt en probeerde me te oriënteren. Links of rechts? Wat was de snelste weg naar de uitgang?

'Daar ben je.' Scotts adem verwarmde mijn oor. Hij greep mijn nek vast en de rillingen trokken over mijn rug.

'Help!' schreeuwde ik. 'Alsjeblieft, help me!'

'Mijn vriendin,' legde Scott uit aan de mensen die naar ons keken. 'Dit spelletje spelen we altijd.'

'Ik ben zijn vriendin niet!' schreeuwde ik in paniek. 'Laat me los!'

'Kom, schatje.' Scott sloeg zijn armen om me heen en drukte me tegen zich aan. 'Ik zei toch dat je niet tegen me moest liegen,' fluisterde hij in mijn oor. 'Ik heb de ring nodig. Ik wil je geen pijn doen, Nora, maar als je niet meewerkt, heb ik geen andere keuze.'

'Haal hem bij me weg!' schreeuwde ik naar iedereen die wilde luisteren.

Scott draaide mijn arm op mijn rug. Ik klemde mijn kaken op elkaar en probeerde te vechten tegen de pijn. 'Ben je gek?' zei ik. 'Ik heb de ring niet. Ik heb hem aan de politie gegeven. Gisteravond. Ga hem daar maar halen.'

'Hou op met liegen!' gromde hij.

'Bel ze zelf maar. Het is de waarheid. Ik heb de ring aan hen gegeven. Ik heb hem niet.' Ik sloot mijn ogen en hoopte vurig dat hij mij geloofde en me los zou laten.

'Dan ga jij hem zelf voor me terughalen.'

'Ze zullen hem nooit aan mij geven. Het is bewijs. Ik heb ze verteld dat het jouw ring was.'

'Ze geven hem heus wel terug,' zei hij langzaam, alsof hij ter plekke een plan verzon. 'Als ik jou ruil tegen de ring.'

Ineens snapte ik wat hij bedoelde. 'Ga je me gijzelen? Mij ruilen tegen de ring? Help!' schreeuwde ik. 'Laat me los!'

Iemand die voorbijliep lachte.

'Dit is geen grap!' schreeuwde ik. Ik voelde het bloed naar mijn hoofd stromen en de angst en de wanhoop vraten me vanbinnen op. 'Laat me...'

Scott legde zijn hand over mijn mond en ik schopte hem hard tegen zijn scheenbeen. Hij kreunde en klapte dubbel van de pijn.

Zijn grip verslapte iets en ik rukte me los. Ik strompelde een stap achteruit en zag hoe zijn gezicht vertrok van de pijn. Toen draaide ik me om en nam de benen. Tussen de mensen door ving ik glimpen op van de attracties. Ik hoefde alleen maar naar de uitgang te lopen. De politie moest in de buurt zijn. Dan zou ik veilig zijn. *Veilig*. Ik herhaalde het woord en gebruikte het als motivatie om door te gaan en niet toe te geven aan mijn paniek. Ergens ten westen van me zag ik nog een streepje licht van de lucht, dus wist ik wat het noorden was en als ik naar het noorden zou blijven lopen, zou ik bij de uitgang komen.

Een explosie spatte uiteen in mijn oren. Ik schrok zo dat ik struikelde en op mijn knieën viel. Of misschien was het wel een reflex, want om me heen doken meer mensen naar de grond. Er was even een moment van angstaanjagende stilte, gevolgd door gegil en mensen die alle kanten op stoven.

'Hij heeft een pistool!' De woorden smolten samen in mijn oren en klonken ver weg.

Hoewel iedere vezel in mijn lichaam protesteerde, draaide ik me toch om. Scott stond met zijn handen tegen zijn zij. Helderrode vloeistof sijpelde door zijn blouse. Zijn mond stond open en zijn ogen waren verwijd van schrik.

Hij ging op één knie zitten en ik zag iemand een paar meter achter hem staan, met een pistool. Rixon. Vee stond naast hem met haar handen voor haar mond geslagen. Haar gezicht was lijkbleek.

Er was een chaotische stormloop van mensen. Iedereen was in paniek en schreeuwde en gilde en ik liep naar de zijkant van het pad, zodat ik niet omvergelopen zou worden.

'Hij ontsnapt!' hoorde ik Vee gillen. 'Pak hem!'

Rixon schoot nog een paar keer, maar deze keer dook er niemand naar de grond. De mensen gingen alleen nog harder lopen. Ik ging rechtop staan en keek naar de plek waar ik Rixon en Vee voor het laatst had gezien. De echo van de schoten rinkelde nog na in mijn oren, maar ik zag aan Rixons lippen wat hij zei. *Kom hier.* Hij zwaaide met zijn vrije arm in de lucht. Ik rende tegen de stroom in naar hem toe, het leek wel in slow motion te gaan.

'Doe even normaal!' gilde Vee. 'Heb je hem neergeschoten? Waarom?'

'Burgerarrest. In opdracht van de politie,' zei hij. 'Nou ja, niet helemaal. In opdracht van Patch, bedoel ik eigenlijk.'

'Je kunt niet zomaar mensen neerknallen omdat Patch het zegt!' gilde Vee. Haar ogen stonden wild. 'Je wordt gearresteerd. Wat gaan we nu doen?' zei ze.

'De politie is al onderweg,' zei ik. 'Ze weten dat Scott ontsnapt is.'

'We moeten hier weg!' zei Vee, die nog steeds hysterisch was en met haar armen wapperde. Ze liep een stukje van ons weg, draaide zich om en liep weer terug. 'Ik breng Nora naar het politiebureau. Rixon, haal Scott, maar schiet hem niet nog een keer neer! Bind hem vast, net zoals laatst!'

'Nora kan niet door de hoofduitgang,' zei Rixon. 'Dat is precies wat hij verwacht. Ik weet nog een uitgang. Vee, haal de Neon en wacht ons op aan de zuidkant van de parkeerplaats, bij de afvalcontainers.'

'Hoe komen jullie dan naar buiten?' wilde Vee weten.

'Door de ondergrondse tunnels.'

'Zijn er ondergrondse tunnels?' vroeg Vee.

Rixon kuste haar voorhoofd. 'Schiet op, lieverd.'

De menigte was verdwenen en het pad was leeg. In de verte hoorde ik nog gegil en geschreeuw, maar het klonk alsof het van een andere planeet kwam. Vee aarzelde even en knikte toen. 'Schiet wel op, oké?'

'In de kelder van de cakewalk is een machinekamer,' legde Rixon mij uit, terwijl we over het pad renden. 'Er is daar een deur en die leidt naar de tunnels onder Delphic. Scott heeft misschien wel eens gehoord van de tunnels, maar voordat hij doorheeft dat wij daar zijn, zijn wij allang weg. Hij vindt ons nooit. Het is een doolhof daar en het is kilometers lang.' Hij glimlachte nerveus. 'Maak je geen zorgen. Delphic is gebouwd door gevallen engelen. Niet door mij persoonlijk, maar ik ken wel een paar mensen die hebben geholpen. Ik ken de routes uit mijn hoofd. Eh... grotendeels.'

Hoofdstuk 23

Terwijl we dichter bij de cakewalk kwamen, werd het verre gegil vervangen door luide, griezelige circusmuziek. De ingang van de cakewalk was een grijnzend clownshoofd. Ik liep door de mond van de clown naar binnen en de vloer verschoof. Ik greep naar de muur om mezelf in evenwicht te houden, maar de muren draaiden en rolden onder mijn handen. Toen mijn ogen zich hadden aangepast aan het donker, zag ik dat ik me in een ronddraaiende ton bevond, die eindeloos door leek te gaan. Er waren rood-witte strepen geschilderd op de zijkanten van de ton en door het draaien werd het een duizelingwekkend roze.

'Hierheen,' zei Rixon, die me door de ton leidde.

Ik liep hem voetje voor voetje achterna en gleed steeds bijna uit. Uiteindelijk stapte ik op vaste grond, maar toen kwam er ineens ijskoude lucht uit de vloer. De kou prikte op mijn huid en ik sprong geschrokken opzij.

'Het is niet echt,' stelde Rixon me gerust. 'We moeten door blijven lopen. Als Scott besluit dat hij de tunnels wil doorzoeken, moeten we eerder binnen zijn.'

De lucht was muf en vochtig en het rook er naar roest. Het hoofd van de clown was nu een verre herinnering. Het enige licht kwam van de rode lampjes in het plafond die aan en uit sprongen en die steeds op een bungelend skelet, een zombie of een vampier in een kist schenen.

'Is het nog ver?' vroeg ik Rixon. Ik moest moeite doen om boven het getoeter, gekakel en geloei uit te komen.

'We zijn bijna bij de machinekamer. En dan zijn we ook gelijk in de tunnels. Scott bloedt behoorlijk, maar hij zal niet sterven. Patch heeft je alles over Nephilim verteld, toch? Maar hij kan wel flauwvallen door het bloedverlies. De kans is groot dat hij de ingang van de tunnels niet vindt voordat wij er zijn. Voor je het weet zijn we weer boven de grond.' Zijn zelfvertrouwen kwam een tikkeltje overdreven op mij over. Een beetje te optimistisch.

We liepen verder en ik kreeg het griezelige gevoel dat we gevolgd werden. Ik draaide me om, maar de duisternis slokte alles op en ik zag niets.

'Zou Scott ons gevolgd hebben?' vroeg ik Rixon fluisterend.

Rixon stond stil en draaide zich om. Hij luisterde. Even later zei hij: 'Er is niemand.' Hij klonk erg zeker van zichzelf.

We liepen snel door naar de machinekamer toen ik weer het gevoel kreeg dat er iemand achter me stond. Mijn nek prikte en ik keek over mijn schouder. Deze keer zag ik de omtrek van een gezicht uit de duisternis opdoemen. Ik schreeuwde bijna van angst toen het gezicht een duidelijke en vertrouwde vorm aannam.

Mijn vader.

Zijn blonde haar was helder in het donker en zijn ogen glommen en stonden vol verdriet. *Ik hou van je.*

'Papa?' fluisterde ik. Maar ik deed voorzichtig een stap terug bij de gedachte aan de vorige keer. Hij was een truc. Een leugen.

Het spijt me dat ik jou en mama in de steek moest laten.

Ik wenste hem weg. Hij was niet echt. Hij was een bedreiging en wilde me pijn doen. Ik herinnerde me hoe hij mijn arm door het raam had getrokken en hoe hij me geprobeerd had open te snijden. Ik herinnerde me hoe hij me achterna had gezeten door de bibliotheek.

Maar zijn stem had dezelfde zachte klank die hij had gebruikt toen ik hem voor het eerst hoorde bij het verlaten huis. Niet de scherpe, strenge stem die ik daarna had gehoord. Dit was zijn stem.

Ik hou van je, Nora. Wat er ook gebeurt, beloof me dat je dat altijd onthoudt. Het kan me niet schelen hoe of waarom jij in mijn leven bent gekomen. Ik kan me niet meer zo goed herinneren wat ik allemaal verkeerd heb gedaan. Ik herinner me alleen wat ik goed heb gedaan. Ik herinner me jou. Jij hebt mijn leven zinvol gemaakt. Jij hebt mijn leven bijzonder gemaakt.

Ik schudde mijn hoofd en probeerde zijn stem weg te krijgen. Ik vroeg me af waarom Rixon niets zei. Kon hij mijn vader niet zien? Konden we iets doen om hem weg te krijgen? Maar de waarheid was dat ik niet wilde dat hij weg zou gaan. Ik wilde dat hij echt was, dat hij zijn armen om me heen sloeg en me vertelde dat alles goed kwam. Ik wilde gewoon dat hij weer thuiskwam.

Beloof me dat je dat onthoudt.

De tranen biggelden over mijn wangen. *Dat beloof ik*, dacht ik terug, ook al wist ik dat hij mij niet kon horen.

Een doodsengel heeft mij geholpen om hier te komen om jou te zien. Ze heeft de tijd voor ons stilgezet, Nora. Ze helpt me om tegen jouw gedachten te praten. Er is iets heel belangrijks dat ik je moet vertellen, maar ik heb niet veel tijd. Ik moet snel weer terug en je moet goed naar mij luisteren.

'Nee,' snikte ik. Mijn stem klonk gesmoord. 'Ik ga met je mee. Laat me hier niet achter. Ik ga met je mee! Je mag me niet weer in de steek laten!'

Ik kan niet blijven, lieverd. Ik hoor nu ergens anders.

'Blijf alsjeblieft hier,' snikte ik. Ik hield mijn vuisten tegen mijn borst geklemd, alsof ik zo kon voorkomen dat mijn hart tekeerging. Ik werd overspoeld door een wanhopig paniekgevoel als ik eraan dacht dat hij weer weg zou gaan. Mijn verlatingsangst overheerste al mijn andere gevoelens. Hij zou mij weer verlaten. Hier in de cakewalk. In het donker, met niemand om me te helpen, behalve Rixon. 'Waarom ga je weer bij me weg? Ik heb je nodig!'

Raak Rixons littekens aan. Daar zul je de waarheid vinden.

Mijn vaders gezicht verdween langzaam in de duisternis. Ik stak mijn hand naar hem uit om hem tegen te houden, maar zijn gezicht werd een sliert mist toen ik hem aanraakte. De zilverwitte linten losten op in de duisternis.

'Nora?'

Ik schrok van het geluid van Rixons stem. 'We moeten opschieten,' zei hij, alsof er geen tijd voorbij was gegaan. 'Ik wil Scott niet tegenkomen in de buitenste ring van de tunnels, waar alle ingangen zijn.'

Mijn vader was weg. Ik kon niet uitleggen waarom, maar ik had heel sterk het gevoel dat dit de laatste keer was dat ik hem had gezien. De pijn en het verlies waren ondraaglijk. Op het moment dat ik hem het meest nodig had, hier in de tunnels, bang en verloren, liet hij mij in de steek.

'Ik kan niet zo goed zien waar ik loop,' zei ik, terwijl ik mijn ogen droog veegde. Ik deed mijn best om mijn frustratie en verdriet achter me te laten en me te concentreren op één ding: de tunnels doorkomen en naar Vee aan de andere kant. 'Ik moet me ergens aan vasthouden.'

Rixon stak de rand van zijn shirt ongeduldig naar mij uit. 'Hou de achterkant van mijn shirt vast en volg me. Blijf doorlopen. We hebben niet veel tijd.'

Ik pakte het versleten katoen van zijn shirt stevig vast. Mijn hart ging sneller slaan. De blote huid van zijn rug was nu heel dichtbij. Mijn vader had gezegd dat ik zijn littekens aan moest raken. Het zou nu zo gemakkelijk zijn. Ik hoefde alleen maar mijn hand onder zijn shirt te laten glijden...

Me overgeven aan de duistere kracht die mij zijn wereld in zou zuigen...

Ik dacht terug aan de keren dat ik Patch' littekens had aangeraakt en hoe ik in zijn herinneringen terecht was gekomen. Hetzelfde zou ongetwijfeld gebeuren als ik Rixons littekens aan zou raken.

Ik wilde het niet. Ik wilde met mijn voeten op de grond blijven staan. Door de tunnels en weg uit Delphic.

Maar mijn vader was teruggekomen om me te vertellen waar ik de waarheid kon vinden. Wat ik ook zou zien in Rixons verleden, het moest wel belangrijk zijn. Het deed pijn als ik eraan dacht dat mijn vader mij hier had achtergelaten, maar ik moest hem vertrouwen. Ik moest erop vertrouwen dat hij alles had geriskeerd om mij dit te vertellen.

Ik liet mijn hand onder Rixons shirt glijden. Ik voelde een gladde huid... en toen een hobbelige rand van littekenweefsel. Ik spreidde mijn hand uit over het litteken en wachtte totdat ik zou worden meegetrokken naar een vreemde, onbekende wereld.

De straat was stil en donker. De huizen aan beide kanten waren vervallen en krakkemikkig. De voortuintjes hadden hekken en waren klein. Voor de ramen zaten tralies of houten balken. Een strenge vorst beet zich vast in mijn huid.

Twee luide explosies doorbraken de stilte. Ik draaide me om naar de overkant van de straat. *Pistoolschoten?* dacht ik in paniek. Ik zocht automatisch in mijn zak naar mijn telefoon om het alarmnummer te bellen, toen ik me herinnerde dat ik in Rixons herinnering zat. Alles wat ik zag was al gebeurd. Ik kon er niets aan veranderen.

Het geluid van rennende voetstappen klonk door de nacht en ik keek gechoqueerd toe hoe mijn vader het hek van het huis aan de overkant opendeed en langs de heg naar de achtertuin rende. Zonder te aarzelen rende ik hem achterna.

'Papa!' schreeuwde ik. Ik kon er niets aan doen, het ging vanzelf. 'Niet doen!' Hij droeg dezelfde kleren als op de avond dat hij vermoord was. Ik duwde het hek open en rende naar de hoek van het huis, waar hij stond. Snikkend sloeg ik mijn armen om hem heen. 'We moeten terug. We moeten hier weg. Er gaat iets vreselijks gebeuren.'

Mijn vader liep recht door mijn armen heen richting een kleine stenen muur die langs de tuin liep. Hij hurkte achter de muur en hield zijn blik gericht op de achterdeur van het huis. Ik leunde tegen het huis, legde mijn hoofd in mijn armen en huilde. Ik wilde dit niet zien. Waarom had mijn vader gewild dat ik Rixons littekens zou aanraken? Ik wilde dit niet. Wist hij dan niet hoeveel pijn ik had?

'Dit is je laatste kans.' De woorden kwamen uit het huis en zweefden door de open achterdeur.

'Loop naar de hel.'

Er volgde nog een explosie en ik zakte op mijn knieën en duwde mezelf tegen de muur. Ik wilde hier weg.

'Waar is ze?'

Uit mijn ooghoek zag ik mijn vader bewegen. Hij sloop door de tuin, richting de deur. Hij had een pistool in zijn hand en richtte het. Ik rende op hem af en greep zijn handen. Ik probeerde het pistool van hem los te rukken en hem terug de schaduw in te duwen. Maar het was alsof ik een geest probeerde te bewegen. Mijn handen gingen dwars door hem heen.

Mijn vader haalde de trekker over. Het schot spleet de nacht open en scheurde de stilte doormidden. Hij schoot nog een keer. En nog een keer. Hoewel ik het niet wilde, keek ik naar het huis. Ik zag de slanke bouw van de jongeman op wie mijn vader van achteren schoot. Net achter hem zat een andere man op de grond. Zijn rug leunde tegen een bank. Hij bloedde en zijn gezicht was vertrokken van pijn en angst.

In een moment van verwarring realiseerde ik me dat het Hank Millar was.

'Ga weg!' schreeuwde Hank naar mijn vader. 'Laat mij hier achter! Ren en red jezelf!'

Mijn vader rende niet. Hij hield het pistool voor zich uit gericht en bleef schieten, maar de jongen met het blauwe baseballpetje leek ongevoelig voor de kogels. En toen draaide hij zich langzaam om naar mijn vader.

Hoofdstuk 24

Rixon greep mijn pols hardhandig beet. 'Steek je neus niet in andermans zaken,' zei hij met opengesperde neusvleugels en op elkaar geklemde kaken. 'Patch vond dat misschien prima, maar niemand raakt mijn littekens aan.' Hij keek me dwingend aan.

Ik had zo'n grote knoop in mijn maag dat ik bijna moest kokhalzen. 'Ik zag mijn vader sterven.' De woorden waren mijn mond uit voordat ik er erg in had.

'Heb je de moordenaar gezien?' vroeg Rixon, die hard aan mijn pols schudde om me weer helemaal terug naar het heden te krijgen.

'Ik zag Patch van achteren,' bracht ik haperend uit. 'Hij droeg zijn baseballpetje.'

Hij knikte, alsof hij accepteerde wat ik had gezien. 'Hij wilde het je wel vertellen, maar hij wist dat hij jou kwijt zou raken als jij het zou weten. Het is gebeurd voordat hij jou kende.'

'Het kan me niet schelen wanneer het gebeurd is,' zei ik met trillende stem. 'Ik wil gerechtigheid.'

'Dat kan niet. Hij is Patch. Denk je nou echt dat hij zich zomaar zou laten arresteren door een paar politieagenten?'

Nee, dat dacht ik niet. De politie betekende niets voor Patch.

Alleen de aartsengelen konden hem stoppen. 'Er is alleen iets wat ik niet begrijp. Er waren drie mensen in de herinnering. Mijn vader, Patch en Hank Millar. Die drie hebben gezien wat er is gebeurd. Maar waarom zag ik dit dan in jouw herinnering?'

Rixon zei niets, maar de lijnen om zijn mond werden strakker.

Ik werd overspoeld door een verschrikkelijke nieuwe gedachte. Alle zekerheid over mijn vaders moordenaar verdween. Ik had de moordenaar van achteren gezien en ik was ervan uitgegaan dat het Patch was, vanwege zijn petje. Maar hoe langer ik de herinnering op mij in liet werken, hoe meer ik ervan overtuigd raakte dat de moordenaar te slungelachtig was om Patch te zijn en dat zijn schouders te hoekig waren.

Eigenlijk leek de moordenaar verdacht veel op...

'Jij hebt hem vermoord,' fluisterde ik. 'Jij was het. Jij droeg de pet van Patch.' De schok van de ontdekking werd opgeslokt door afschuw en ijskoude angst. 'Jij hebt mijn vader vermoord.'

Ieder spoortje van vriendelijkheid of medeleven verdween van Rixons gezicht. 'Zo, is dit even ongemakkelijk...'

'Je droeg de pet van Patch die avond. Je hebt zijn pet geleend, of niet? Je kon mijn vader niet vermoorden zonder een andere identiteit aan te nemen. Je kon het niet doen zonder jezelf los te koppelen van de situatie,' zei ik. Ik probeerde me te herinneren wat ik had geleerd van de psychologielessen die ik een paar jaar geleden had gehad op school. 'Nee. Wacht. Dat is het niet. Je deed alsof je Patch was, omdat je hem heel graag wilt zijn. Je bent jaloers op hem. Dat is het, of niet? Je bent liever hem...'

Rixon greep mijn kin en dwong me te stoppen. 'Hou je kop!'

Ik deinsde terug van schrik. Mijn kaak deed pijn waar hij me had geknepen. Ik wilde mezelf op hem storten en hem met al mijn kracht slaan, maar ik wist dat ik kalm moest blijven. Ik moest erachter komen wat er precies was gebeurd. Ik begon te vermoeden dat Rixon me niet had meegenomen naar de tunnels om me te helpen ontsnappen. Ik vreesde zelfs dat hij helemaal niet van plan was om me hier ooit nog uit te laten komen.

'Jaloers op hem?' zei hij kwaad. 'Natuurlijk ben ik jaloers. Hij is niet langer onderweg naar de hel. We deden dit samen en nu is hij weg en heeft hij zijn vleugels terug.' Hij keek me vol walging aan. 'Vanwege jou.'

Ik schudde mijn hoofd. Ik geloofde hem niet. 'Je hebt mijn vader vermoord voordat je wist wie ik was.'

Hij lachte wreed. 'Ik wist dat je ergens moest zijn. Ik was naar je op zoek.'

'Waarom?'

Rixon haalde zijn pistool onder zijn shirt vandaan en duwde me verder het pad af. 'Blijf lopen.'

'Waar gaan we heen?'

Hij gaf geen antwoord.

'De politie is onderweg.'

'Wat moet ik met de politie?' zei Rixon. 'Ik ben hier allang klaar voordat zij hier zijn.'

Klaar?

Kalm blijven, vertelde ik mezelf. *Tijd rekken.* 'Ga je me vermoorden omdat ik de waarheid nu ken? Omdat ik nu weet dat jij mijn vader hebt vermoord?'

'Harrison Grey was jouw vader niet.'

Ik opende mijn mond, maar de woorden kwamen niet. Het enige waar ik aan kon denken was hoe Marcie op haar oprit stond en me vertelde dat Hank Millar mijn vader zou kunnen zijn. Ik voelde mijn maag samentrekken. Betekende dit dat Marcie de waarheid vertelde? Was ik zestien jaar lang voorgelogen? Ik vroeg me af of mijn vader dit had geweten. Mijn échte vader. Harrison Grey. De man die me had opgevoed en van me had gehouden. Niet mijn biologische vader, die me in de steek had gelaten. Niet Hank Millar, die van mij naar de hel mocht lopen.

'Jouw vader is een Nephil. Hij heet Barnabas,' zei Rixon. 'Maar jij kent hem als Hank Millar.'

Nee.

Ik stapte opzij. De waarheid maakte me duizelig. De droom. De droom van Patch. Het was een echte herinnering. Hij had niet gelogen. Barnabas... Hank Millar... was Nephilim.

En hij was mijn vader.

Mijn wereld stortte in, maar ik dwong mezelf mijn hoofd erbij te houden. Ergens achter in mijn gedachten schudde ik mijn herinneringen heen en weer en probeerde ik me te herinneren waar ik de naam Barnabas eerder had gehoord. Ik kon het niet plaatsen, maar wist dat dit niet de eerste keer was dat ik die naam had gehoord. De naam was te vreemd om zomaar te vergeten. *Barnabas, Barnabas, Barnabas...*

Ik worstelde om de puzzelstukjes op hun plaats te laten vallen. Waarom vertelde Rixon mij dit? Wat wist hij over mijn biologische vader? Wat kon het hem schelen? En toen wist ik het ineens. Toen ik Patch' littekens een keer had aangeraakt, kwam ik in een herinnering van hem waarin hij het over zijn Nephil-onderdaan had gehad, Chauncey Langeais. Hij had ook gepraat over de onderdaan van Rixon, Barnabas...

'Nee,' fluisterde ik.

'Ja, zeker.'

Ik wilde wegrennen, maar mijn benen voelden stijf als houten palen.

'Toen Hank jouw moeder zwanger had gemaakt, had hij genoeg geruchten over het *Boek van Henoch* gehoord om te weten dat ik op zoek zou gaan naar de baby, helemaal als het een meisje zou zijn. Dus deed hij het enige wat hij kon doen. Hij verstopte haar. Jou. Toen Hank zijn maatje Harrison Grey vertelde dat jouw moeder in de problemen zat, stemde hij ermee in om met haar te trouwen en te doen alsof jij van hem was.'

Nee, nee, nee. 'Maar ik stam af van Chauncey. Van mijn vaders kant. Van de kant van Harrison Grey. Ik heb een moedervlek op mijn pols. Dat is het bewijs.'

'Je stamt ook af van Chauncey. Eeuwen geleden had Chauncey iets met een naïef boerenmeisje. Zij kreeg een zoon. De jongen leek niet bijzonder en zijn zoons en daarna hun zoons ook niet. Dit ging eeuwen zo door, totdat een van de zoons een buitenechtelijke affaire had. Hij bracht het pure Nephilimbloed, bloed van zijn voorvader, de hertog van Langeais, in een andere lijn. De lijn die uiteindelijk Barnabas, Hank dus, voortbracht.' Rixon keek ongeduldig, alsof hij wilde dat ik het snel zou snappen. Maar ik snapte het al.

'Je zegt dus dat Harrison en Hank allebei afstammen van Chauncey,' zei ik. En Hank was een volbloed eerstegeneratie Nephilim en dus ook onsterfelijk, terwijl het Nephilimbloed van mijn eigen vader door de eeuwen heen verdund was, net als dat van mij. Hank, een man die ik amper kende en nog minder respecteerde, kon eeuwig leven.

Terwijl mijn vader voor altijd weg was.

'Dat zeg ik inderdaad, schatje.'

'Noem me geen schatje.'

'Hoe moet ik je dan noemen, engel?'

Hij zette me voor gek. Hij speelde met me, omdat hij mij precies had waar hij mij wilde hebben. Ik had dit al eens eerder meegemaakt met Patch en wist wat er komen ging. Hank Millar was mijn biologische vader en de onderdaan van Rixon.

Rixon wilde mij offeren om Hank Millar te vermoorden en een mensenlichaam te krijgen.

'Mag ik nog wat vragen aan je stellen?' vroeg ik. Mijn toon was uitdagend, ook al was ik doodsbang.

Hij haalde zijn schouders op. 'Waarom ook niet...'

'Ik dacht dat alleen eerstegeneratie volbloed Nephilim de gelofte van trouw konden afleggen. Hank is toch niet van de eerste generatie? Dan zou hij een mens én een gevallen engel als ouders moeten hebben. Maar zijn vader was geen gevallen engel. Hij was een van Chaunceys mannelijke afstammelingen.'

'Je vergeet dat mannen affaires kunnen hebben met vrouwelijke gevallen engelen.'

Ik schudde mijn hoofd. 'Vrouwelijke gevallen engelen hebben geen mensenlichamen. Ze kunnen geen kinderen krijgen. Dat heeft Patch me verteld.'

'Maar een vrouwelijke gevallen engel die tijdens Cheshvan bezit neemt van een vrouwenlichaam, kan wel een baby krijgen. De vrouw bevalt misschien lang na Cheshvan, maar de baby is dan wel besmet. Hij is verwekt door een gevallen engel.'

'Dat is walgelijk.'

Hij glimlachte. 'Dat ben ik met je eens.'

'En even uit nieuwsgierigheid... als jij mij offert, wordt jouw lichaam dan gelijk menselijk of moet je bezit nemen van een ander mensenlichaam?'

'Ik word gelijk menselijk.' Zijn lippen krulden omhoog. 'Dus als je me komt kwellen vanuit het graf, dan weet je dat je op zoek moet naar ditzelfde knappe koppie.'

'Patch kan hier ieder moment zijn om jou tegen te houden,' zei ik. Ik probeerde sterk te zijn, maar kon niet ophouden met trillen.

Hij lachte. 'Ik heb dit goed voorbereid. Ik weet vrijwel zeker dat ik de kloof tussen jullie zo diep mogelijk heb gemaakt. Jij hebt het balletje zelf aan het rollen gebracht toen je het uitmaakte. Ik had het zelf niet beter kunnen bedenken. Daarna hadden jullie constant ruzie. Jij was jaloers op Marcie en toen was er ook nog die kaart van Patch, die ik natuurlijk van dat bedwelmende parfum had voorzien om nog meer wantrouwen te kweken. Toen ik de ring van Barnabas stal en hem bij jou liet bezorgen in de bakkerij, wist ik zeker dat Patch wel de laatste persoon was naar wie je toe zou rennen. Je zou nooit je trots opzijzetten en zijn hulp vragen. Niet terwijl je wist dat hij iets met Marcie had. Je maakte het me wel heel makkelijk toen je mij vroeg of Patch de Zwarte Hand was. Het bewijs tegen hem werd nog groter toen ik jou vertelde dat dat zijn bijnaam was. Toen heb ik je het adres gegeven van een van de schuilplaatsen van Barnabas. Ik wist zeker dat je daar rond zou gaan snuffelen en nog meer spulletjes van de Zwarte Hand zou vinden. Ik heb die avond de double-date afgezegd, niet Patch. Ik wilde niet vastzitten in een bioscoop, terwijl jij alleen was in het appartement. Ik ben je gevolgd. Ik heb het dynamiet neergelegd toen jij binnen was en hoopte je toen te kunnen offeren, maar je ontsnapte.'

'Ik voel me vereerd, Rixon. Een bom. Wat ingewikkeld. Waarom heb je het niet gewoon simpel gehouden en mij 's nachts in mijn eigen bed door mijn hoofd geschoten?'

Hij spreidde zijn handen voor zich uit. 'Dit is een belangrijk moment voor me, Nora. Je kunt me toch niet kwalijk nemen dat ik het een beetje leuk wil aankleden? Ik probeerde me voor te doen als de geest van Harrison. Het leek me fantastisch om jou te laten sterven met het idee dat jouw eigen vader je had vermoord, maar je vertrouwde me niet. Je bleef maar wegrennen.' Hij fronste.

'Je bent een psychopaat.'

'Nee, hoor. Ik ben creatief.'

'Wat was er nog meer gelogen? Op het strand vertelde je me dat Patch nog steeds mijn beschermengel was...'

'Om jou een vals gevoel van veiligheid te geven. Inderdaad.'

'En de bloedeed?'

'Gewoon een leugen die ik op dat moment bedacht. Om het allemaal een beetje leuk te houden.'

'Dus eigenlijk heb je me nooit de waarheid verteld.'

'Behalve toen ik zei dat ik je ga offeren. Toen was ik bloedserieus. Genoeg gepraat. Laten we hier snel een eind aan maken.' Hij duwde me met het pistool zo hard verder dat ik mijn evenwicht verloor. Ik stapte opzij om niet te vallen en landde op een gedeelte van de vloer dat op en neer golfde. Ik voelde hoe Rixon mijn pols greep om me terug te trekken, maar dat ging mis. Zijn hand schoot door en hij liet me los. Ik hoorde zijn lichaam met een zachte plof op de grond terechtkomen. Het geluid kwam van recht onder me. Een gedachte kwam in me op. Was hij in een geheime valkuil gevallen waarvan iedereen altijd zei dat die in de cakewalk zaten? Maar ik bleef niet lang genoeg om te kijken of ik gelijk had.

Ik draaide me om en rende terug naar de ingang, op zoek naar het clownshoofd. Een figuur sprong voor me op. Een lichtflits verlichtte een met bloed besprenkelde bijl boven een piratenhoofd met een baard. Hij staarde me aan, voordat zijn ogen wegrolden in zijn hoofd en het licht weer uitging.

Ik haalde een paar keer diep adem en vertelde mezelf dat het allemaal nep was, maar het lukte me niet om recht te blijven staan, want de vloer schoof onder mijn voeten vandaan. Ik viel op mijn knieën en kroop over de grond. Het vuil en gruis staken in mijn handpalmen en ik probeerde mezelf te kalmeren, maar de vloer bleef bewegen. Ik kroop nog een paar meter verder. Ik wilde niet dat Rixon zich uit de valkuil zou bevrijden.

'Nora!' Rixons schreeuw kwam van achter mij.

Ik trok mezelf overeind en gebruikte de muren om mezelf te ondersteunen, maar ze zaten onder het slijm, dat aan mijn handen bleef plakken. Ergens voor me klonk een dof gelach, dat uiteindelijk een soort gekakel werd. Ik schudde het slijm van mijn handen af en liep de duisternis in. Ik was verdwaald. *Verdwaald, verdwaald, verdwaald.*

Ik rende een paar stappen vooruit, ging een hoek om en kneep mijn ogen samen tegen het zwakke oranje licht, een paar meter verderop. Het was niet het clownshoofd, maar ik hoopte dat het oranje licht betekende dat ik bijna bij de uitgang was. Toen ik dichterbij kwam, zag ik een kitscherige Halloweenlantaarn die de woorden TUNNEL DES DOODS verlichtte. Ik stond op een soort steiger. Kleine plastic bootjes lagen achter elkaar in het water.

Ik hoorde voetstappen achter me. Er was geen tijd meer te verliezen en ik stapte in het dichtstbijzijnde bootje. Net had ik mijn evenwicht weer gevonden, toen de bootjes in beweging kwamen en ik achteroverviel op het stuk hout dat als zitje moest dienen. De boten bewogen in een rijtje achter elkaar over de rails. Een paar houten klapdeuren vlogen open en de bootjes werden door de tunnel opgeslokt.

Ik klom over de veiligheidsstang naar de voorkant van de boot. Daar bleef ik even zitten met één hand op de boot, terwijl ik met mijn andere hand de boot voor me probeerde te pakken. Ik kon er net niet bij. Ik zou moeten springen. Dus schoof ik zo ver mogelijk naar voren, ging op mijn hurken zitten en sprong. Het lukte me maar net om op de achterkant van de volgende boot te komen.

Even stond ik mezelf toe om een paar seconden opgelucht adem te halen, voordat ik verderging. Ik kroop weer naar de voorkant van de boot en wilde op deze manier helemaal naar voren klimmen. Rixon was langer en sneller en hij had een pistool. Mijn enige hoop om te overleven was om te blijven bewegen, om tijd te blijven rekken en te zorgen dat hij mij niet in zou halen.

Ik maakte me klaar om te springen toen er een sirene klonk en de ruimte ineens rood verlicht werd. Een skelet viel naar beneden uit het plafond van de tunnel en sloeg me omver. Ik verloor mijn evenwicht en gleed van de boot af. IJskoud water doordrenkte mijn kleren en sloot zich boven mijn hoofd. Ik zette mijn voeten op de grond en ging staan. Het water kwam tot mijn middel en ik liep terug naar de boot. Ik klemde mijn kaken op elkaar tegen de kou, greep de boot stevig vast en trok mezelf omhoog.

Een paar harde schoten klonken door de tunnel. Een van de kogels vloog langs mijn oor. Ik ging liggen en hoorde hoe Rixon een paar boten terug lachte. 'Een kwestie van tijd,' riep hij.

Er flitsten weer een paar lichten en tussen de flitsen door kon ik zien hoe Rixon naar mij onderweg was.

Voor mij klonk een zacht gezoem en geratel. Ik voelde hoe mijn maag zich omdraaide. Ineens werd de lucht vochtig. Mijn hart leek even te stoppen en sloeg daarna op hol.

Ik greep de veiligheidsstang en zette mezelf schrap voor de val. De voorkant van de boot kantelde voorover en dook de waterval af. Het water kwam de boot in en als ik niet al zeiknat was geweest, had het waarschijnlijk koud aangevoeld. Ik veegde mijn ogen droog en ineens zag ik rechts van het water een klein onderhoudsplatform met daarachter een deur. HOOGSPANNING: GEVAARLIJK stond er op een bordje op de deur.

Ik keek achter me naar de waterval. Rixons boot was nog niet naar beneden gevallen. Ik wist dat ik nog maar een paar seconden had en nam een riskante beslissing. Ik sprong van de boot af en liep zo snel als ik kon door het water naar het platform. Daar trok ik mezelf omhoog en duwde de deur open. Ik hoorde het luide gesis en gerinkel van machines. Honderden mechanismes draaiden en maalden. Ik was in de machinekamer van de cakewalk, de ingang van de ondergrondse tunnels.

Ik trok de deur dicht, maar ik liet een kiertje open en zag hoe de volgende boot van de waterval viel. Rixon zat in de boot. Hij leunde over de veiligheidsstang en keek in het water. Had hij mij uit de boot zien springen? Zocht hij mij? Zijn boot ging verder en hij sprong in het water. Hij veegde zijn natte haar uit zijn gezicht en tuurde door het water heen naar de grond. Ik realiseerde me dat zijn handen leeg waren. Hij was niet op zoek naar mij. Hij had zijn pistool in het water laten vallen toen de boot viel. Hij zocht zijn pistool.

Het was donker in de tunnel en Rixon zou het pistool nooit gelijk vinden. Hij zou het op de tast moeten doen en dat zou tijd kosten. Ik kon die tijd natuurlijk wel gebruiken, maar wat ik echt kon gebruiken was een dosis geluk. De politie was het park nu waarschijnlijk aan het uitkammen, maar zouden ze ook zoeken in de machinekamer van de cakewalk?

Ik sloot de deur en hoopte dat hij op slot kon, maar dat was niet zo. Plotseling baalde ik dat ik hier was. Ik had gewoon door moeten gaan met de bootjes. Nu was ik alleen maar verder verwijderd van de uitgang. Als Rixon de machinekamer in zou komen, zat ik in de val.

Aan mijn linkerkant hoorde ik iemand onregelmatig ademen. Het geluid kwam van achter een elektriciteitskastje vandaan.

Mijn ogen doorzochten de duisternis. 'Wie is daar?'

'Wie denk je?'

Ik knipperde met mijn ogen. 'Scott?' Angstig deed ik een paar stappen achteruit.

'Ik ben verdwaald geraakt in de tunnels. Ik ging door een deur en toen kwam ik hier uit.'

'Bloed je nog?'

'Ja. Maar verrassend genoeg hou ik het nog steeds vol.' Hij sprak haperend en ik merkte dat het hem veel energie kostte.

'Je hebt een dokter nodig.'

Hij lachte. 'Ik heb de ring nodig.'

Ik had geen idee hoe serieus hij dit bedoelde. Hij was uitgeput en had pijn en ik wist vrij zeker dat het hem niet zou lukken om mij mee te slepen en me te gijzelen. Hij was verzwakt door het schot, maar hij was Nephilim. Hij zou dit overleven. Als we samen zouden werken, zouden we een kans hebben om hier weg te komen. Maar voordat ik hem zou kunnen overhalen om samen te ontsnappen, moest ik zijn vertrouwen winnen.

Ik liep naar het elektriciteitskastje en knielde naast hem. Hij had zijn hand tegen zijn zij geklemd, net onder zijn ribbenkast, om het bloed tegen te houden. Zijn gezicht had de kleur van cement en de blik in zijn ogen vertelde me wat ik al wist: hij had heel veel pijn. 'Ik geloof niet dat je de ring wilt gebruiken om nieuwe leden te werven,' zei ik zachtjes. 'Je wilt helemaal niemand dwingen om bij het genootschap te komen.'

Scott schudde zijn hoofd. 'Ik moet je iets zeggen. Weet je nog dat ik je vertelde dat ik aan het werk was, de avond dat jouw vader werd neergeschoten?'

Ik herinnerde me inderdaad dat hij had verteld dat hij op zijn werk was toen hij hoorde dat mijn vader was vermoord.

'Wat wil je daarmee zeggen?' vroeg ik aarzelend.

'Ik werkte in een buurtwinkel een paar straten verderop.' Hij was even stil, alsof hij verwachtte dat ik zelf mijn conclusies zou trekken. 'Het was de bedoeling dat ik jouw vader die avond zou volgen. Dat was de opdracht van de Zwarte Hand.

Hij zei dat jouw vader onderweg was naar een afspraak en dat ik hem moest beschermen.'

'Wat bedoel je?' zei ik. Mijn mond was kurkdroog geworden.

'Ik ben hem niet gevolgd.' Scott legde zijn gezicht in zijn handen. 'Ik wilde de Zwarte Hand duidelijk maken dat hij mij niet kon commanderen. Ik wilde hem laten zien dat ik geen zin had om lid te worden van zijn genootschap. Dus ben ik op mijn werk gebleven en ben jouw vader niet gevolgd. En toen ging hij dood. Hij is dood vanwege mij.'

Ik liet mijn rug tegen de muur zakken, totdat ik ook zat. Ik kon niets zeggen. Ik kon de juiste woorden niet vinden.

'Je haat mij, of niet?' vroeg hij.

'Jij hebt mijn vader niet vermoord,' zei ik gevoelloos. 'Het is niet jouw schuld.'

'Ik wist dat hij in de problemen zat. Waarom wilde de Zwarte Hand anders zeker weten dat hij veilig zou zijn? Ik had moeten gaan. Als ik de bevelen van de Zwarte Hand had opgevolgd, zou jouw vader nog leven.'

'Het is gebeurd,' fluisterde ik. Ik deed mijn best om niet kwaad te worden op Scott. Ik had zijn hulp nodig om samen te kunnen ontsnappen. Ik kon mezelf niet toestaan om hem te haten. Ik moest hem aan mijn kant krijgen. Ik moest hem vertrouwen en hij moest mij vertrouwen.

'Het is dan misschien al wel gebeurd, maar dat betekent niet dat het makkelijk te vergeten is. Nog geen uur nadat ik jouw vader had moeten volgen, werd mijn vader gebeld met het nieuws.'

Zonder dat ik het wilde, snikte ik.

'Toen kwam de Zwarte Hand naar de winkel waar ik werkte. Hij droeg een masker, maar ik herkende zijn stem.' Scott rilde. 'Ik zal die stem nooit vergeten. Hij gaf mij een pistool en vertelde me dat ik ervoor moest zorgen dat het verdween. Het was het pistool van jouw vader. Hij zei dat hij wilde dat de politie zou denken dat jouw vader een onschuldige, ongewapende man was. Hij wilde jouw familie niet nog meer verdriet doen en hij wilde niet dat jullie erachter zouden komen wat er die avond echt was gebeurd. Niemand mocht denken dat jouw vader iets te maken had met criminelen zoals hijzelf. Hij wilde dat het een gewone, willekeurige overval zou lijken.

Ik moest het pistool van hem in de rivier gooien, maar ik heb het gehouden. Ik wilde weg bij het genootschap en de enige manier om dat te doen was om de Zwarte Hand te chanteren. Dus ik hield het pistool. Toen mijn moeder en ik naar Coldwater verhuisden, heb ik een boodschap voor de Zwarte Hand achtergelaten. Ik zei dat ik ervoor zou zorgen dat de politie het pistool van Harrison Grey in handen zou krijgen als hij mij op zou zoeken en dat de hele wereld te weten zou komen dat jouw vader banden had met de Zwarte Hand. Ik vertelde hem dat ik jouw vaders naam zo vaak als nodig was door het slijk zou halen, als dat zou betekenen dat ik mijn leven terug zou krijgen. Ik heb het pistool nog steeds.' Hij opende zijn handen en het pistool viel tussen zijn knieën, op de betonnen vloer. 'Ik heb het nog steeds.'

Een doffe en woedende pijn schoot door mij heen.

'Het was zo moeilijk om bij jou in de buurt te zijn,' zei Scott met een broze stem. 'Ik wilde dat je me zou haten. Ik haatte mezelf al meer dan genoeg. Iedere keer dat ik je zag, kon ik maar aan één ding denken. Dat ik te bang was geweest. Ik had het leven van jouw vader kunnen redden. Het spijt me,' zei hij met trillende stem.

'Het is al goed.' Ik zei het meer voor mezelf dan voor Scott. 'Alles komt goed.' Maar dat voelde als de grootste leugen tot nu toe.

Scott pakte het pistool op. Voordat ik het goed en wel doorhad, zag ik hoe hij het naar zijn hoofd bracht. 'Ik verdien het niet om te leven,' zei hij.

Mijn hart bevroor. 'Scott...' begon ik.

'Jouw familie verdient dit. Ik kan jou niet meer onder ogen komen. Ik kan mezelf niet onder ogen komen.' Zijn vinger schoof naar de trekker.

Ik had geen tijd om na te denken. 'Jij hebt mijn vader niet vermoord,' zei ik. 'Dat heeft Rixon gedaan. Vee's vriendje. Hij is een gevallen engel. Het is allemaal echt. Alles is echt. Jij bent Nephilim, Scott. Je kunt jezelf niet vermoorden. Niet op deze manier. Je bent onsterfelijk. Je zult nooit sterven. Als je iets voor mij wilt doen, help me dan om te ontsnappen. Rixon is aan de andere kant van die deur en hij wil me vermoorden. De enige manier waarop ik hier levend uit kan komen, is als jij mij helpt.'

Scott staarde me met open mond aan. Voordat hij iets kon zeggen, ging de deur open. Rixon stond in de deuropening. Hij veegde zijn haar van zijn voorhoofd en keek de kleine ruimte rond. Uit zelfbescherming kroop ik dichter tegen Scott aan.

Rixon keek van mij naar Scott.

'Je moet eerst langs mij als je bij haar wilt komen,' zei Scott, die opschoof en mij afschermde met zijn lichaam. Hij ademde snel.

'Geen probleem.' Rixon richtte zijn pistool en schoot meerdere keren op Scott. Scott zakte in elkaar. Zijn lichaam lag slap tegen het mijne.

De tranen stroomden over mijn wangen. 'Hou op,' fluisterde ik.

'Niet huilen, schatje. Hij is niet dood. Hij zal natuurlijk wel enorm veel pijn hebben als hij wakker wordt, maar dat is de prijs die je betaalt voor een lichaam. Sta op en kom hier.'

'Flikker op!' Ik wist niet waar mijn moed ineens vandaan

kwam, maar ik zou niet doodgaan zonder een strijd. 'Je hebt mijn vader vermoord. Ik doe helemaal niets voor jou. Als je wilt dat ik kom, dan moet je me maar komen halen.'

Rixon streek met zijn duim over zijn lippen. 'Ik snap niet waarom je je zo opwindt. Harrison was jouw vader helemaal niet.'

'Je hebt mijn vader vermoord!' herhaalde ik. Ik keek Rixon recht aan en was zo ontzettend kwaad dat het leek alsof de woede me van binnenuit opvrat.

'Harrison Grey is verantwoordelijk voor zijn eigen dood. Hij had zich nergens mee moeten bemoeien.'

'Hij probeerde het leven van een andere man te redden!'

'Een man?' Rixon lachte hard en rolde zijn natte mouwen op. 'Ik zou Hank Millar geen man willen noemen. Hij is Nephilim, een beest.'

Ik lachte. Het was een echte lach, maar ik stikte er bijna in. 'Weet je? Ik krijg bijna medelijden met je.'

'Grappig, want ik wilde net hetzelfde tegen jou zeggen.'

'Je gaat me nu vermoorden, of niet?' Ik verwachtte dat ik weer een golf van angst zou voelen, maar al mijn angst was op. Ik voelde me ijzig kalm. De tijd ging niet langzamer en niet sneller, maar keek me recht in mijn ogen aan, net zo koud en gevoelloos als het pistool dat Rixon nu op mij richtte.

'Nee, ik ga je niet vermoorden. Ik ga je offeren.' Zijn mond krulde aan één kant omhoog. 'Dat is nogal een verschil.'

Ik probeerde weg te rennen, maar een schroeiend vuur ontplofte en mijn lichaam werd tegen de muur gesmeten. De pijn was overal en ik opende mijn mond om te schreeuwen, maar het was te laat. Een onzichtbare deken verstikte me. Ik zag hoe Rixon lachte. Hij werd steeds onscherper en ik probeerde tevergeefs onder de deken vandaan te klauteren. Mijn longen zetten uit en dreigden te barsten en net toen ik dacht dat ik het niet langer volhield, kon ik weer gewoon ademhalen. Achter Rixon, in de deuropening, stond Patch.

Ik probeerde hem te roepen, maar de wanhopige behoefte om lucht in te ademen, loste op.

Het was voorbij.

Hoofdstuk 25

'Nora?'

Ik probeerde mijn ogen te openen, maar mijn lichaam luisterde niet naar mijn hersenen. Een sliert stemmen zweefde in en uit mijn hoofd. Ergens heel ver weg wist ik dat het een warme avond was, maar ik was bedekt met koud zweet. En nog iets. Bloed.

Mijn bloed.

'Het komt goed,' zei rechercheur Basso toen ik het uitschreeuwde. Mijn stem klonk gesmoord. 'Ik ben bij je. Ik ga nergens heen. Blijf bij me, Nora. Alles komt goed.'

Ik probeerde te knikken, maar het voelde nog steeds alsof ik ergens boven mijn eigen lichaam zweefde.

'De ambulance brengt je zo naar het ziekenhuis. Je ligt op een brancard. We rijden Delphic zo uit.'

Hete tranen vielen over mijn wangen en ik knipperde mijn ogen open. 'Rixon.' Mijn tong voelde verdoofd, de woorden rolden uit mijn mond. 'Waar is Rixon?'

Rechercheur Basso legde zijn vinger op zijn lippen. 'Sst. Niet praten. Je bent in je arm geschoten. Het is niet erg. Je hebt geluk gehad. Alles komt goed.'

'Scott?' zei ik. Het kwam ineens allemaal terug. Ik probeerde rechtop te gaan zitten, maar was vastgebonden. 'Hebben jullie Scott gevonden?'

'Was Scott daar?'

'Achter de elektriciteitskast. Hij is gewond. Rixon heeft hem ook neergeschoten.'

Rechercheur Basso schreeuwde iets naar de agenten die naast de ambulance stonden en een van hen kwam er gelijk aan. 'Ja, rechercheur?'

'Ze zegt dat Scott Parnell ook in de machinekamer was.'

De agent schudde zijn hoofd. 'We hebben de ruimte doorzocht. Er was niemand anders.'

'Dan zoeken jullie nog een keer!' schreeuwde rechercheur Basso, die wild naar de hekken van Delphic gebaarde. Hij draaide zich om naar mij. 'Wie is Rixon in hemelsnaam?'

Rixon. Als de politie niemand had gevonden in de machinekamer, was hij dus ontsnapt. Hij was daar nog ergens. Hij bekeek alles waarschijnlijk van een afstandje en wachtte tot hij weer een kans zou krijgen om me te vermoorden. Ik greep de hand van rechercheur Basso. 'Laat me niet alleen.'

'Niemand laat je alleen. Wat kun je me vertellen over Rixon?'

De brancard hobbelde over de parkeerplaats en de ambulancebroeders tilden me in de ziekenauto. Rechercheur Basso klom er ook in en ging naast me zitten. Ik merkte het amper. Mijn gedachten waren afgedwaald. Ik moest met Patch praten, hem over Rixon vertellen...

'Hoe ziet hij eruit?'

Het geluid van rechercheur Basso's stem trok me uit mijn gedachten. 'Hij was er ook. Gisteravond. Hij had Scott vastgebonden achterin de auto.'

'Heeft die jongen jou neergeschoten?' Rechercheur Basso pakte zijn radio. 'Naam van verdachte is Rixon. Lange, magere jongen. Zwart haar. Haakneus. Jaar of twintig.'

'Hoe hebben jullie me gevonden?' Mijn herinnering aan wat er was gebeurd kwam langzaam terug. Ik had Patch in de deuropening zien staan. Het was maar een fractie van een seconde geweest, maar ik had hem echt gezien. Waar was hij nu? Waar was Rixon?

'Anonieme tip. De beller zei dat we jou konden vinden in de machinekamer van de Tunnel des Doods in de cakewalk. Het leek me vrij onwaarschijnlijk, maar ik kon het niet negeren. Hij zei ook dat hij wel zou afrekenen met degene die jou had neergeschoten. Ik dacht dat hij het over Scott had, maar jij zegt nu dus dat Rixon dit heeft gedaan. Wil je me vertellen wat er aan de hand is? Wie is die jongen die heeft gebeld? Waar kan ik hem vinden?'

Een paar uur later reed rechercheur Basso de oprit van de boerderij op. Het was bijna twee uur 's nachts en de sterrenloze hemel weerspiegelde in de ramen. Ik was ontslagen uit het ziekenhuis en mijn arm zat in het verband. De mensen van het ziekenhuis hadden mijn moeder aan de telefoon gehad, maar ik zelf niet. Ik wist dat ik haar vroeg of laat onder ogen moest komen, maar de drukte van het ziekenhuis leek me niet de juiste plek en ik had mijn hoofd geschud toen de verpleegkundige de telefoon naar mij had uitgestoken.

Ik had ook een verklaring afgelegd bij de politie. Ik wist vrij zeker dat rechercheur Basso dacht dat ik had gehallucineerd en dat ik Scott niet echt had gezien in de machinekamer. Hij vermoedde ook dat ik informatie over Rixon achterhield. Dat laatste was waar, maar zelfs als ik hem alles over Rixon zou vertellen, zou hij hem niet vinden. Patch wilde hem duidelijk wel vinden. Of dat was in ieder geval zijn plan geweest. Maar meer wist ik niet. Sinds ik weg was uit Delphic had ik al een naar gevoel over waar Patch was. Ik wilde weten wat er was gebeurd nadat ik mijn bewustzijn had verloren.

We stapten uit de auto en rechercheur Basso liep met me mee naar de deur.

'Bedankt,' zei ik. 'Voor alles.'

'Bel maar als je me weer nodig hebt.'

Binnen deed ik alle lichten aan. In de badkamer kleedde ik me uit. Het ging nogal langzaam met mijn linkerarm in het verband. De geur van angst en paniek hing nog in mijn kleren en ik gooide ze op een stapeltje op de vloer. Ik pakte het verband in met plastic en stapte de douche in.

Ik liet het hete water over me heen stromen en alles wat er vanavond gebeurd was, kwam voorbij in mijn gedachten. Ik deed alsof het water alles kon wegspoelen en dat alles verdween in het putje. Het was voorbij. Alles was voorbij. Maar er was één ding dat ik niet van me af kon spoelen. De Zwarte Hand.

Als Patch de Zwarte Hand niet was, wie was het dan wel? En hoe wist Rixon, een gevallen engel, zoveel van hem?

Twintig minuten later droogde ik me af en luisterde ik naar de berichten op het antwoordapparaat. Eén telefoontje van Enzo's of ik vanavond een dienst kon overnemen. Een ziedend telefoontje van Vee, die wilde weten waar ik was. De politie had haar weggestuurd van de parkeerplaats, maar niet voordat ze haar verteld hadden dat ik veilig was. Ze hadden haar gevraagd om naar huis te rijden en daar te blijven. Ze eindigde haar verhaal met: 'Als ik alle actie heb gemist, word ik echt boos!'

Het derde bericht was van een onbekend nummer, maar ik herkende Scotts stem zodra hij begon te praten. 'Als je dit bericht aan de politie laat horen, ben ik allang weg. Ze zullen me nooit vinden. Ik wilde alleen nog een keer zeggen dat het me spijt.' Hij was even stil en ik hoorde hoe er een glimlach in zijn stem kroop. 'En omdat je je waarschijnlijk al de hele avond zorgen maakt, wilde ik je even laten weten dat ik genees en dat ik bijna weer zo goed als nieuw ben. Bedankt voor de tip over mijn... eh... gezondheid.'

Ik glimlachte en voelde me een heel klein beetje opgelucht. Scott had het gered.

'Het was leuk om je te kennen, Nora Grey. Wie weet. Misschien is dit niet het laatste wat je van me hoort. Misschien komen we elkaar in de toekomst nog eens tegen.' Weer een stilte. 'En nog één ding. Ik heb de Mustang verkocht. Te opvallend. En je moet nu niet al te blij worden, maar ik heb iets voor je gekocht met het geld van de Mustang. Ik hoorde dat je je oog had laten vallen op een Volkswagen. De eigenaar komt hem morgen langsbrengen. Ik heb betaald voor een volle tank, dus dat moet je wel even controleren.'

Het bericht was afgelopen, maar ik staarde nog steeds naar het antwoordapparaat. De Volkswagen? Voor mij? Ik kon het niet geloven. Een auto. Scott had een auto voor me gekocht. Ik wiste het bericht. Dat was wel het minste wat ik kon doen. Als de politie Scott zou vinden, zou dat niet door mij komen. Maar ik had op de een of andere manier het gevoel dat ze hem toch niet zouden vinden.

Ik pakte de hoorn van de haak en belde mijn moeder. Geen uitstel meer. Ik was bijna doodgegaan vanavond en wilde met een schone lei beginnen. Het enige wat nog in de weg stond was dit telefoontje.

'Nora?' zei ze in paniek. 'Ik kreeg het bericht van de rechercheur. Ik ben nu onderweg naar huis. Gaat het wel? Zeg me alsjeblieft dat het goed gaat!'

Ik ademde trillend uit. 'Het gaat wel weer goed.'

'O, lieverd. Ik hou zoveel van je. Dat weet je toch?' snikte ze.

'Ik ken de waarheid.'

Een stilte.

'Ik weet wat er zestien jaar geleden is gebeurd,' zei ik.

'Waar heb je het over? Ik ben bijna thuis. Ik kan echt niet ophouden met trillen na dat telefoontje van de politie. Ik ben echt een wrak. Heb je enig idee wie deze Rixon is? Wat wilde hij van je? Ik snap niet hoe je hierbij betrokken bent geraakt.'

'Waarom heb je het me niet gewoon verteld?' fluisterde ik door mijn tranen heen.

'Schatje?'

'Nora.' *Ik ben geen klein meisje meer*. 'Al die jaren heb je tegen me gelogen. Al die keren dat ik het over Marcie had. Al die keren dat we lachten om de familie Millar en hoe stom en rijk en tactloos ze waren...' Mijn stem haperde.

Ik was eerst zo woedend geweest, maar ik wist nu niet meer hoe ik me voelde. Overstuur? Bang? Verloren en alleen? Mijn ouders hadden Hank Millar een gunst verleend, maar blijkbaar was hun liefde door de jaren heen gegroeid. Hun liefde voor elkaar... en hun liefde voor mij. We hadden er iets van gemaakt. We waren gelukkig geweest. Mijn vader was er niet meer, maar hij dacht nog wel aan me. Hij gaf nog om me, en zou willen dat ons gezin samen zou blijven. Hij zou niet willen dat ik weg zou rennen van mijn moeder.

Dat wilde ik ook niet.

Ik haalde diep adem. 'Als je thuis bent, moeten we praten. Over Hank Millar.'

Ik maakte warme chocolademelk en nam de beker mee naar mijn slaapkamer. Mijn eerste reactie was angst dat ik helemaal alleen op de boerderij was, terwijl ik wist dat Rixon nog ergens rondliep. Mijn tweede reactie was een ijzige kalmte. Ik kon niet uitleggen waarom, maar ik wist dat ik veilig was. Ik probeerde me te herinneren wat er was gebeurd in de machinekamer, voordat ik was flauwgevallen. Patch was er geweest...

En toen wist ik het niet meer. Dat was frustrerend, want ik wist dat er iets was wat ik me niet herinnerde. Het danste in mijn gedachten, maar ik kon er net niet bij. Ik wist dat het belangrijk was.

Na een tijdje gaf ik het op en ineens kwam er een andere verontrustende gedachte in mij op. Mijn biologische vader leefde nog. Hank Millar had mij het leven geschonken en mij toen opgegeven om mij te beschermen. Op dit moment had ik geen behoefte om contact met hem op te nemen. Het was te pijnlijk. Door contact met hem te zoeken, gaf ik toe dat hij mijn vader was en dat wilde ik niet. Het was al moeilijk genoeg om de herinnering aan mijn echte vader levend te houden. Ik wilde niet dat die herinnering zou vervagen of vervangen zou worden. Nee, ik zou Hank Millar laten waar hij was: op afstand. Ik vroeg me af of ik er ooit anders over zou denken en die mogelijkheid beangstigde me. Niet alleen het feit dat ik ergens een verborgen leven had, maar ook dat mijn leven voor altijd zou veranderen als ik dat toe zou geven.

Ik wilde niet langer aan Hank denken, maar er klopte iets niet. Hank had mij als baby verborgen willen houden voor Rixon, omdat ik een meisje was. Maar Marcie dan? Mijn... zus. Zij had hetzelfde bloed als ik. Waarom verstopte hij haar niet? Ik probeerde een verklaring te bedenken, maar dat lukte niet.

Ik was net onder de dekens gaan liggen toen er op de deur geklopt werd. Ik zette de beker chocolademelk op het nachtkastje. Er waren niet zoveel mensen die zo laat nog aan zouden kloppen. Ik liep naar beneden en keek door het kijkgaatje in de deur. Maar ik wist eigenlijk al wie er zou staan. Ik voelde aan mijn hartslag dat het Patch was.

Ik deed de deur open. 'Jij hebt rechercheur Basso gewaarschuwd. Jij hebt Rixon tegengehouden.'

Patch keek me met zijn donkere ogen aan. Heel even dacht ik dat ik allerlei emoties in zijn blik kon ontwaren. Vermoeidheid, bezorgdheid, opluchting. Hij rook naar roest, suikerspin en vies water en ik wist dat hij in de buurt was geweest toen rechercheur Basso me had gevonden in de machinekamer. Hij was daar de hele tijd geweest om mij veilig te houden.

Hij sloeg zijn armen om me heen en hield me stevig vast. 'Ik dacht dat ik te laat was. Ik dacht dat je dood was.'

Ik pakte zijn shirt en legde mijn hoofd tegen zijn borstkas. Het maakte me niet uit dat ik huilde. Ik was veilig en Patch was hier. De rest was niet belangrijk.

'Hoe heb je me gevonden?'

'Ik dacht al een tijdje dat het Rixon was,' zei hij zachtjes. 'Maar ik moest het zeker weten.'

Ik keek op. 'Wist je dat Rixon mij wilde vermoorden?'

'Ik kreeg steeds aanwijzingen in die richting, maar ik wilde het niet geloven. Rixon en ik waren vrienden...' Patch' stem sloeg over. 'Ik wilde niet geloven dat hij mij zou verraden. Toen ik jouw beschermengel was, kreeg ik het gevoel dat iemand van plan was jou te vermoorden. Ik wist niet wie, want diegene was erg voorzichtig. Hij hield zich op de achtergrond, dus lukte het me niet om een goed beeld te vormen. Ik wist dat een mens zijn gedachten nooit zo goed zou kunnen afschermen. Een mens zou niet weten dat hij allerlei gedachten naar de engelen stuurde. Heel af en toe pikte ik iets op. Kleine dingen die naar Rixon leidden, ook al wilde ik dat niet geloven. Ik heb hem aan Vee gekoppeld zodat ik hem in de gaten kon houden. En om hem niet te laten vermoeden dat ik hem verdacht. Ik wist dat hij maar één reden zou kunnen hebben om jou te vermoorden: hij wilde een mensenlichaam.

Ik ben dus in het verleden van Barnabas gedoken. Toen ontdekte ik de waarheid. Rixon was me steeds twee stappen voor, maar hij moet er vorig jaar achter zijn gekomen. Rond het tijdstip dat ik jou had gevonden en bij je in de klas kwam. Hij heeft er toen alles aan gedaan om mij over te halen het *Boek van Henoch* op te geven en jou niet te vermoorden. Maar alleen zodat hij jou zelf kon vermoorden.'

'Waarom heb je me dit niet eerder verteld?'

'Dat kon niet. Jij had mij ontslagen als je beschermengel. Ik kon me niet meer bemoeien met jouw veiligheid. Telkens als ik het probeerde, hielden de aartsengelen me tegen. Maar ik vond een manier om ze te omzeilen. Ik liet je mijn herinneringen zien als je sliep. Ik probeerde je er zelf achter te laten komen dat Hank Millar jouw biologische vader en Rixons onderdaan was. Ik weet dat jij vindt dat ik je in de steek heb gelaten toen je mij het hardst nodig had, maar ik ben nooit opgehouden met mijn pogingen jou te waarschuwen voor Rixon.' Hij probeerde te glimlachen, maar het lukte hem niet helemaal. 'Zelfs niet toen je me blokkeerde.'

Ik realiseerde me dat ik mijn adem inhield en ademde langzaam uit. 'Waar is Rixon nu?'

'Ik heb hem naar de hel gestuurd. Hij komt nooit meer terug.' Patch staarde recht vooruit. Zijn ogen stonden hard, maar hij leek niet kwaad. Teleurgesteld, misschien. Hij zou waarschijnlijk willen dat het allemaal anders was gegaan. Ik vermoedde dat hij er meer onder leed dan hij liet merken. Hij had zijn beste vriend, degene met wie hij alles had meegemaakt, naar de eeuwige duisternis gestuurd.

'Het spijt me zo,' fluisterde ik.

We stonden stil en dachten allebei na over het lot van Rixon. Ik wist niet hoe de hel eruitzag, maar het beeld dat in me opkwam, gaf me koude rillingen.

Uiteindelijk sprak Patch tegen mijn gedachten. *Ik ben eruit gestapt, Nora. Zodra de aartsengelen erachter komen, zullen ze me gaan zoeken. Je had gelijk. Het kan me niet schelen of ik de regels overtreed.*

Ik kreeg de plotselinge neiging om Patch uit mijn huis te duwen. Zijn woorden galmden na in mijn hoofd. *Eruit gestapt?* De eerste plek waar de aartsengelen zouden gaan zoeken was hier. Deed hij dit expres? 'Ben je gek?' zei ik.

'Gek op jou.'

'Patch!'

'Maak je geen zorgen, we hebben nog even.'

'Hoe weet je dat?'

Hij deed een stap terug en legde zijn hand op zijn hart. 'Het doet me pijn dat je zo weinig vertrouwen in mij hebt.'

Ik keek hem alleen maar strenger aan. 'Wanneer heb je dit besloten? Wanneer ben je eruit gestapt?'

Eerder vanavond, toen ik hier langsging omdat ik zeker wilde weten of je veilig was. Ik wist dat Rixon naar Delphic was en toen ik het briefje op het aanrecht zag dat jij daar ook was, wist ik dat hij zijn slag ging slaan. Ik heb gebroken met de aartsengelen en ben jou achternagegaan. Als ik niet met ze had gebroken, engel, had ik je niet kunnen redden. Dan had Rixon gewonnen.

'Dank je,' fluisterde ik.

Patch sloeg zijn armen nog steviger om me heen. Ik wilde altijd zo blijven staan en genieten van zijn sterke armen en alles negeren, maar ik had vragen die niet konden wachten.

'Betekent dit dat je Marcies beschermengel niet meer bent?'

Ik voelde dat Patch glimlachte. 'Ik sta nu nergens meer onder contract. Ik kies mijn eigen klanten, niet andersom.'

'Waarom heeft Hank mij verborgen en Marcie niet?' Ik begroef mijn gezicht in zijn shirt zodat hij mijn ogen niet zou zien. Ik wilde niets van Hank weten. Het kon me niets schelen.

Hij betekende niets voor me, maar toch, ergens in een geheim plekje in mijn hart, wilde ik dat hij evenveel van mij zou houden als van Marcie. Ik was ook zijn dochter. Maar alles wat ik zag was dat hij Marcie had verkozen boven mij. Hij had mij weggestuurd en verwende haar.

'Ik weet het niet.' Het was zo stil. Ik kon zijn ademhaling horen. 'Marcie heeft jouw teken niet. Hank wel en Chauncey ook. Ik denk niet dat dat toeval is, engel.'

Mijn ogen dwaalden naar de binnenkant van mijn rechterpols, naar de plek die mensen vaak aanzagen voor een litteken. Ik had altijd gedacht dat het een unieke moedervlek was. Totdat ik Chauncey had ontmoet. En nu Hank. Ik had het gevoel dat het niet slechts betekende dat ik afstamde van Chauncey, maar dat het een diepere betekenis had. Het was een enge gedachte.

'Je bent veilig bij mij,' fluisterde Patch, die mijn arm streelde.

Na een korte stilte zei ik: 'En hoe gaan wij nu verder?'

'Samen.' Hij trok zijn wenkbrauwen op en kruiste zijn vingers, alsof hij smeekte om geluk.

'We hebben vaak ruzie,' zei ik.

'We maken het ook vaak weer goed.' Patch pakte mijn hand en legde mijn vaders ring in mijn handpalm. Hij sloot mijn vingers eromheen en kuste mijn knokkels. 'Ik wilde deze al eerder aan je teruggeven, maar hij was nog niet klaar.'

Ik opende mijn hand en hield de ring omhoog. Op de onderkant stond hetzelfde hart gegraveerd, maar er stonden nu twee namen omheen: NORA en JEV.

Ik keek op. 'Jev? Is dat je echte naam?'

'Ik word al heel lang niet meer zo genoemd.' Hij streelde mijn lip met zijn vinger en keek me met zijn zachte, zwarte ogen aan.

Het verlangen naar hem smolt door me heen, heet en dwingend.

Patch voelde blijkbaar hetzelfde en hij sloot de deur en draaide de sleutel om. Hij deed het licht uit en de ruimte werd donker. Het enige licht kwam van de maan die door de open gordijnen scheen. Onze ogen schoten tegelijk naar de bank.

'Mijn moeder komt zo thuis,' zei ik. 'We moeten naar jouw huis.'

Patch haalde zijn hand over zijn stoppelbaard. 'Ik laat niet zomaar iedereen toe in mijn huis.'

Ik werd een beetje moe van dat antwoord.

'Als je me meeneemt, moet je me vermoorden?' raadde ik, terwijl ik mijn best deed om niet geïrriteerd te raken. 'Als ik eenmaal binnen ben, mag ik nooit meer naar buiten?'

Patch keek me bedachtzaam aan. Toen stak hij zijn hand in zijn zak en haalde een sleutel van zijn sleutelbos. Hij deed hem in de zak van mijn pyjamajas.

'Als je eenmaal binnen bent geweest, moet je steeds weer terugkomen.'

Veertig minuten later ontdekte ik welk slot ik met de sleutel opende. Patch parkeerde zijn jeep op de lege parkeerplaats van het pretpark in Delphic. We liepen hand in hand naar de ingang. Een koel zomerbriesje blies mijn haar in mijn gezicht. Patch hield het hek voor mij open.

Delphic voelde heel anders zonder het lawaai en de gekleurde lampen. Het was een stille, betoverende plek. Er lag een colablikje op het pad en de wind waaide het vooruit. Ik bleef op het pad lopen en hield mijn blik gericht op het donkere skelet van de Aartsengel, dat opdoemde tegen de zwarte lucht. De lucht rook naar regen en in de verte klonk gerommel.

Iets voorbij de Aartsengel, trok Patch mij van het pad. We namen een trap naar een soort schuurtje. Hij deed de deur open en net op dat moment vielen de eerste regendruppels uit de hemel. Ze dansten op de stoep. De deur zwaaide achter ons dicht en hulde ons in stormachtige duisternis. Het park was griezelig stil. De regen op het dak was het enige geluid. Ik voelde hoe Patch achter me ging staan. Hij legde zijn handen om mijn middel en zijn stem fluisterde zachtjes in mijn oor.

'Delphic is gebouwd door gevallen engelen en dit is de enige plek waar de aartsengelen niet durven te komen. We zijn helemaal alleen vanavond, engel.'

Ik draaide me om en nam de hitte van zijn lichaam in me op. Patch kuste me. Zijn kus was warm en stuurde een golf van genot door me heen. Zijn haar was nat van de regen en rook naar zeep. Onze monden gleden over elkaar en onze huid werd nat van de regen die door het lage plafond drupte en ons kleine kouprikkels gaf. Patch sloeg zijn armen om me heen en hield me zo stevig vast dat ik me nog meer in hem wilde verliezen.

Hij likte de regen van mijn onderlip en ik voelde hoe zijn lippen lachten tegen de mijne. Hij schoof mijn haar aan de kant en kuste me net boven mijn sleutelbeen. Hij kuste mijn oor en zette zijn tanden in mijn schouder.

Ik haakte mijn vingers in zijn broeksband en trok hem dichter naar me toe.

Patch begroef zijn gezicht in mijn nek en ging met zijn handen over mijn rug. Hij kreunde laag. 'Ik hou van je,' fluisterde hij in mijn haar. 'Ik ben nu gelukkiger dan ik ooit ben geweest.'

'Hoe ontroerend.' Een lage stem kwam uit het verste en het donkerste gedeelte van de schuur. 'Grijp de engel.'

Een handjevol grote en lange jongemannen, ongetwijfeld Nephilim, kwam tevoorschijn uit de schaduw en omsingelde Patch. Een van de mannen draaide zijn armen achter zijn rug. Tot mijn verbazing liet Patch het zonder zich te verzetten toe.

Zodra ik begin met vechten, ren je weg, zei Patch tegen mijn gedachten en ik realiseerde me wat hij deed. Hij wachtte met vechten zodat hij nog met mij kon spreken en mij kon helpen om weg te komen. *Ik leid ze wel af. Jij rent weg. Neem de jeep. Weet je nog hoe je moet starten zonder sleutel? Ga niet naar huis. Blijf in de jeep totdat ik je vind…*

De man die achter in de schuur was blijven staan en bevelen gaf aan de anderen, stapte nu naar voren. Hij stond nu in een strook licht die door een van de vele scheuren in de schuur naar binnen scheen. Hij was lang, slank en knap en zag er onnatuurlijk jong uit voor zijn leeftijd. Hij was keurig gekleed in een smetteloze witte polo en een katoenen broek.

'Meneer Millar,' fluisterde ik. Ik wist niet hoe ik hem anders moest noemen. Hank leek te informeel en papa leek walgelijk intiem.

'Laat ik mezelf eens netjes aan je voorstellen,' zei hij. 'Ik ben de Zwarte Hand. Ik kende jouw vader Harrison goed. Ik ben blij dat hij er niet meer is om te zien hoe jij je inlaat met een van de duivelsengelen.' Hij schudde zijn hoofd. 'Je bent een ander meisje geworden dan ik gehoopt had, Nora. Heulen met de vijand, je eigen afkomst verloochenen. Ik geloof dat je gisteravond zelfs een van mijn schuilplaatsen hebt opgeblazen. Maar dat maakt niet uit. Dát kan ik je nog wel vergeven.' Hij liet een betekenisvolle stilte vallen. 'Zeg eens, Nora. Was jij degene die mijn goede vriend Chauncey Langeais heeft vermoord?'

Dankwoord

Voor Jenn Martin en Rebecca Sutton. Bedankt voor jullie vriendschap en superkrachten! Bedankt ook T.J. Fritsche, voor het bedenken van de naam Ecanus.

Hoe ver zou je gaan om iemand die je liefhebt te redden?

Het leven van Jenna Fox

Mary E. Pearson

De zeventienjarige Jenna is net ontwaakt uit een coma, zo is haar verteld. Ze is nog steeds aan het herstellen van een vreselijk ongeluk dat een jaar geleden heeft plaatsgevonden. Maar wat gebeurde er vóór het ongeluk? Jenna kan zich haar leven niet herinneren. Of toch wel? En zijn haar herinneringen ook echt háár herinneringen?

Mary E. Pearson is fulltime auteur. Zij schreef verschillende jeugdboeken en woont in Californië. *Het leven van Jenna Fox* is haar debuut in Nederland.

Dit is een verbazingwekkend krachtig, tot nadenken stemmend, gewoonweg briljant boek. – *Teen Book Review*

Ik heb nog nooit zo'n bijzonder boek gelezen, het is een frisse wind in de vaak voorspelbare jeugdboekenwereld. – *Ellegirl*

ISBN 978 90 443 2189 0